Quand les colombes disparurent

DU MÊME AUTEUR
AUX ÉDITIONS STOCK

Purge
Prix Femina étranger 2010

Les vaches de Staline

La Cosmopolite

Sofi Oksanen

Quand les colombes disparurent

roman

Traduit du finnois
par Sébastien Cagnoli

avec le concours
du FILI (Finnish Literature Exchange)

Stock

TITRE ORIGINAL :
Kun kyyhkyset katosivat

Couverture Atelier Didier Thimonier
Jaquette Dominic D. Miller/The Shadow company

ISBN 978-2-234-07410-1

CARTES

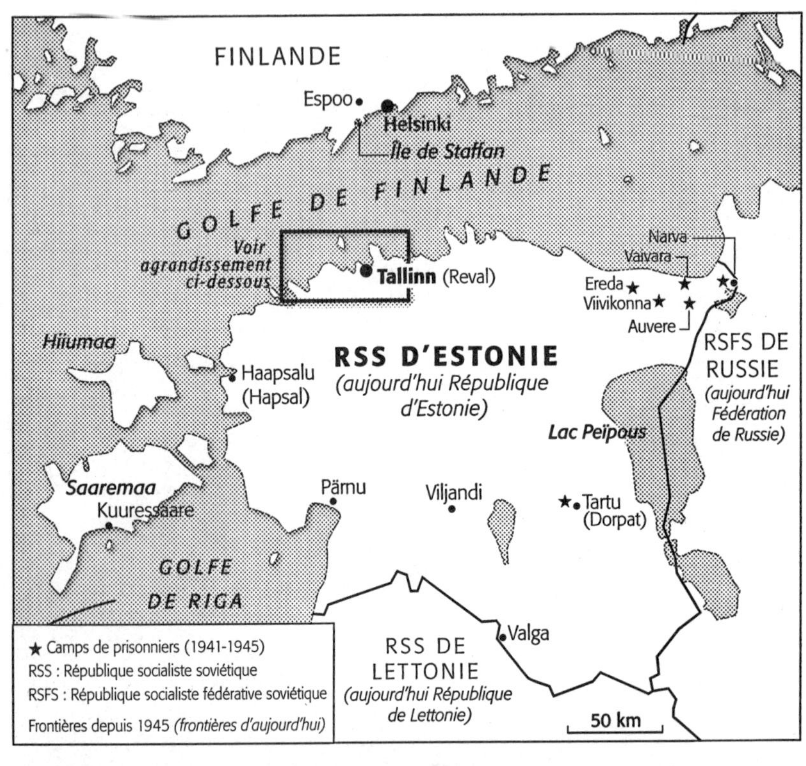
FINLANDE
Espoo
Helsinki
Île de Staffan
GOLFE DE FINLANDE
Voir agrandissement ci-dessous
Tallinn (Reval)
Narva
Vaivara
Ereda
Viivikonna
Auvere
RSFS DE RUSSIE
(aujourd'hui Fédération de Russie)
Hiiumaa
Haapsalu
(Hapsal)
RSS D'ESTONIE
(aujourd'hui République d'Estonie)
Lac Peïpous
Saaremaa
Kuuressaare
Pärnu
Viljandi
Tartu
(Dorpat)
GOLFE DE RIGA
Valga
RSS DE LETTONIE
(aujourd'hui République de Lettonie)
50 km
★ Camps de prisonniers (1941-1945)
RSS : République socialiste soviétique
RSFS : République socialiste fédérative soviétique
Frontières depuis 1945 (frontières d'aujourd'hui)

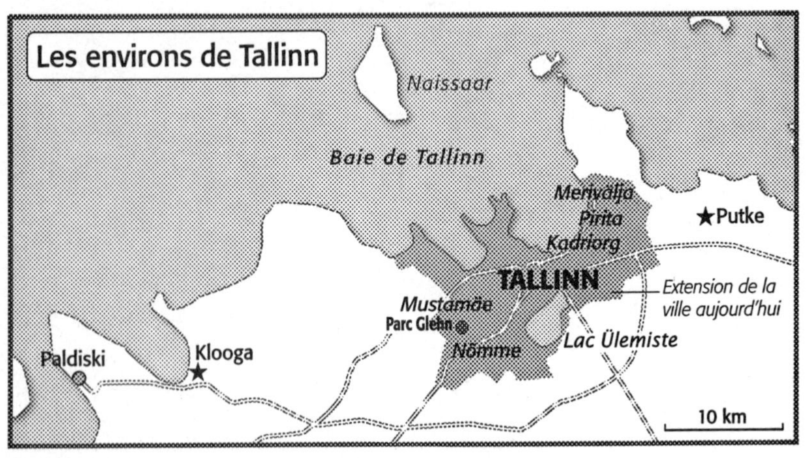
Les environs de Tallinn
Naissaar
Baie de Tallinn
Merivälja
Pirita
Kadriorg
Putke
TALLINN
Extension de la ville aujourd'hui
Mustamäe
Parc Glehn
Nõmme
Lac Ülemiste
Paldiski
Klooga
10 km

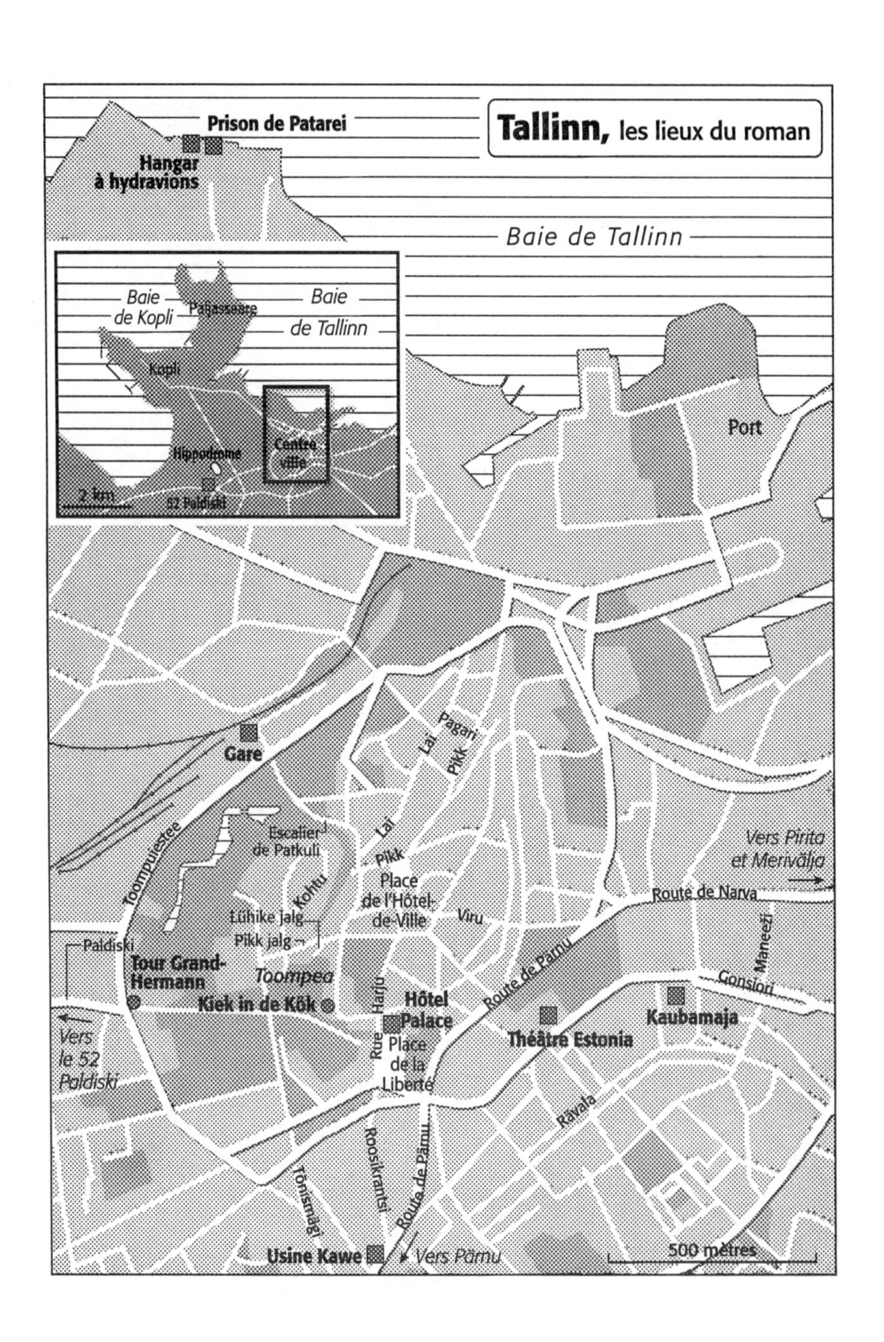
Tallinn, les lieux du roman
Prison de Patarei
Hangar
à hydravions
Baie de Tallinn
Baie
de Kopli
Paljassaare
Baie
de Tallinn
Kopli
Hippodrome
Centre
ville
2 km
52 Paldiski
Port
Gare
Pagari
Lai
Pikk
Escalier
de Patkuli
Lai
Pikk
Toompuiestee
Kohtu
Place
de l'Hôtel-
de-Ville
Lühike jalg
Pikk jalg
Viru
Vers Pirita
et Meriväljа
Route de Narva
Paldiski
Tour Grand-
Hermann
Toompea
Kiek in de Kök
Harju
Hôtel
Palace
Route de Pärnu
Maneezi
Gonsiori
Kaubamaja
Théâtre Estonia
Vers
le 52
Paldiski
Rue
Place
de la
Liberté
Rävala
Roosikrantsi
Route de Pärnu
Tõnismägi
Usine Kawe
Vers Pärnu
500 mètres

Prologue

ESTONIE OCCIDENTALE
RSS d'Estonie, Union soviétique

Nous sommes retournés devant la tombe de Rosalie pour déposer des fleurs des champs sur la butte d'herbe au clair de lune, nous nous sommes recueillis un moment avec les fleurs entre nous. Je ne voulais pas que Juudit s'en aille, je ne voulais pas la laisser partir, aussi ai-je dû prononcer à voix haute une chose à ne pas dire dans une telle situation :

« Nous ne nous reverrons jamais. »

Mes mots étaient rocailleux, et j'ai fait venir à ses yeux un reflet d'eau, ce même reflet d'eau qui m'avait souvent bouleversé, transformant mon esprit rationnel en un canot d'écorce brinquebalant. À présent, il se balançait sur les vaguelettes qui ondoyaient au coin de ses yeux. Peut-être voulais-je adoucir ma souffrance, d'où mes paroles maladroites ; ou peut-être n'était-ce que de la cruauté, pour lui permettre, chemin faisant, de pester contre moi et mon insensibilité ; ou peut-être que j'attendais encore un dernier témoignage de sa réticence à partir – j'étais toujours incertain du cours de ses sentiments, malgré toutes les épreuves que nous avions partagées.

« Tu regrettes de m'avoir entraînée avec toi, après tout cela », a chuchoté Juudit.

Sa perspicacité m'a fait tressaillir ; je me suis essuyé la nuque, embarrassé. Elle m'avait encore coupé les cheveux, ce soir-là ; il en était tombé dans le cou et ils me chatouillaient.

« Ça ne fait rien, je comprends », a-t-elle continué.

Je ne l'ai pas contredite, mais j'aurais pu. Je n'allais pas jusqu'à croire que j'aurais obtenu de meilleurs résultats en forêt sans elle et le surcroît d'attention qu'elle requérait – contrairement à ce qu'insinuaient les hommes. Mais je ne pouvais pas faire autrement que l'emmener dans les bois, en apprenant qu'elle s'était enfuie de Tallinn, à l'approche des Russes, pour chercher refuge dans la ferme des Arm. Leur maison n'était pas fiable, pour nous autres : la forêt était plus sûre. Juudit était alors comme un oiseau blessé dans le creux de la main, son état était précaire, et elle avait été nerveuse pendant des semaines. Ce n'était que quand notre infirmier avait trouvé la mort au combat que les hommes avaient laissé Mme Vaik venir nous aider, nous et Juudit. J'avais réussi à la sauver ; mais une fois qu'elle s'éloignerait devant nous sur des chemins bleutés, je ne pourrais plus la protéger. Les hommes avaient raison, en fin de compte : la place des femmes et des enfants était à la maison, Juudit devait retourner en ville. Autour de nous, la corde se resserrait, et la sécurité des forêts diminuait. Je l'ai regardée en coin : elle avait les yeux tournés vers la route par laquelle elle partirait, la bouche entrouverte, elle inspirait de toutes ses forces, et le souffle froid qu'elle exhalait tentait d'ébranler ma décision.

« C'est mieux ainsi. Pour nous tous. Tu vas reprendre la vie que tu avais quittée, j'ai dit.

– Ce ne sera plus la même. Plus jamais. »

Première partie

« Puis le gardien Mark arriva et les emmena un par un au bord du fossé, où il les exécuta avec son pistolet. »
12 000. Documents de procès relatifs aux tueurs de masse Juhan Jüriste, Karl Linnas et Ervin Viks. Recueil établi par Karl Lemmik et Ervin Martinson, Tallinn, Éditions d'État d'Estonie, 1962.

Estonie du Nord
RSS d'Estonie, Union soviétique

Le vrombissement s'amplifiait ; je savais ce qui approchait derrière les arbres. J'ai regardé mes mains : elles ne tremblaient pas. Dans un moment, j'allais courir en direction de la colonne de véhicules qui venait vers nous, sans penser à Edgar, à ses nerfs. Du coin de l'œil, je le voyais palper son pantalon avec des gestes tremblants et un teint peu adapté au combat. Nous avions été récemment en instruction en Finlande, où j'avais dû m'occuper de lui comme d'un enfant ; mais, sur le champ de bataille, c'était une autre affaire. Le devoir nous appelait. Bientôt. Maintenant ! J'ai couru, les grenades me battaient les cuisses, j'en ai sorti une de la tige de ma botte et mes doigts l'ont fait voltiger. La chemise de l'armée finlandaise que je portais depuis l'instruction sur l'île me semblait toujours neuve, elle donnait de la force à mes jambes. Bientôt, tous les hommes de mon pays porteraient les uniformes de l'armée d'Estonie, d'aucune autre, pas ceux des conquérants étrangers, ni des alliés, seulement les nôtres. Tel était notre objectif : reconquérir notre pays.

J'entendais les autres qui me suivaient, le terrain qui ployait sous notre puissance, et je m'élançais d'autant plus déterminé vers le grondement des moteurs. Je sentais la sueur de l'ennemi dans mon nez, la fureur et le fer dans ma bouche, c'était quelqu'un d'autre qui courait dans mes bottes, le même guerrier endurci qui, lors du combat tout à l'heure, avait plongé dans le fossé pour lancer des grenades sur les volontaires du bataillon de destruction – dégoupiller, amorcer, lancer, dégoupiller, amorcer, lancer –, c'était un autre – dégoupiller, amorcer, lancer –, et cet autre se ruait maintenant vers le vrombissement. Toutes nos mitrailleuses étaient braquées sur la colonne. Ils étaient plus nombreux que nous l'avions cru, ils étaient une infinité, des Russes et des volontaires au physique estonien, équipés d'une infinité de véhicules et de mitrailleuses. Mais nous n'avions pas peur, non, c'était l'ennemi qui avait peur : la colère affluait en nous, et elle affluait avec une telle force que nos adversaires ont fait une halte, les pneus de leur autocar Mootor ont tourné dans le vide, notre haine les a cloués sur place à l'instant où l'on a ouvert le feu ; j'ai foncé avec les autres sur le Mootor et nous n'avons pas fait de quartier.

Les muscles de mes bras tremblaient encore après les balles tirées, mon poignet sentait toujours le poids de la grenade lancée, mais j'ai compris peu à peu que le combat était passé. Quand mes jambes se sont accoutumées à l'immobilité et que la pluie de douilles a cessé de tomber sur le terrain, j'ai remarqué que la fin de la bataille n'avait pas apporté le silence pour autant. Elle avait apporté un bruit, celui des larves voraces remontant de la terre pour marcher à l'assaut des cadavres, le grouillement résolu des valets de la mort avides de sang frais, et cela empestait, cela puait les excréments et le vomi aux âcres relents de suc gastrique. J'étais ébloui, la fumée de la poudre se dissipait, et l'on aurait dit qu'à la lisière d'un nuage se profilait un wagon d'or étincelant prêt à emporter les victimes, les nôtres, celles du bataillon de destruction, Russes et Estoniens, tous dans le même wagon. J'ai cligné des yeux. Mes oreilles sifflaient. Je voyais les hommes haleter, s'essuyer le front, osciller comme les arbres. Je guettais le ciel, le wagon scintillant, mais on ne m'a pas laissé m'appuyer à la carrosserie cabossée du Mootor. Les plus rapides s'affairaient déjà comme s'ils faisaient leurs courses au marché : il fallait ramasser les armes des morts, seulement les armes, les cartouchières... et les poches. Nous pataugions parmi des fragments de corps, des membres convulsés. Alors que je venais de prendre une cartouchière sur le corps d'un ennemi, ma cheville s'est fait happer au ras du sol. D'une fermeté étonnante, la prise me tirait vers une bouche qui émettait un râle. Mes genoux ont défailli sans me laisser le temps de viser et je me suis effondré à côté de ce mourant, aussi impuissant que lui, sûr que mon heure avait sonné. Mais ses yeux n'étaient pas tournés vers moi, ses mots laborieux s'adressaient à quelqu'un d'autre, à un être cher ; je ne comprenais pas ce qu'il disait, il parlait russe, mais sa voix était celle qu'un homme réserve à sa fiancée. Je l'aurais deviné même sans voir la photographie dans sa main souillée, une photographie bordée de blanc. À présent, l'image était rougie par son sang, et son doigt cachait le visage de la fiancée ; j'ai arraché mon pied d'un mouvement sec, et la vie a disparu des yeux de cet homme, dans lesquels je venais de me voir. J'ai fait l'effort de me relever : il fallait continuer.

Une fois les armes ramassées, le grondement des véhicules a recommencé au loin et le sergent Allik nous a donné l'ordre de nous replier. Nous estimions que le bataillon de destruction attendrait des renforts avant de lancer un nouvel assaut ou de chercher notre camp, mais il finirait par se lancer de nouveau à nos trousses. Nos mitrailleurs avaient déjà atteint l'orée du bois lorsque j'ai vu une silhouette familière sauter sur un corps avec acharnement : Mart. Ses pieds avaient écrasé le crâne, la cervelle se mélangeait à la terre, mais il frappait, frappait, frappait, il frappait le corps avec la crosse de son fusil comme s'il voulait le clouer au sol. J'ai accouru pour le gifler, si fort qu'il en a lâché son arme. Mart se débattait sans rien voir, sans me reconnaître, il vociférait contre des ennemis invisibles et brassait de l'air. J'ai réussi à le ligoter avec ma ceinture et à l'accompagner au poste de secours où les hommes entassaient les affaires à la hâte. J'ai chuchoté que celui-ci devait être surveillé. J'ai porté un doigt à ma tempe ; l'infirmier a jeté un coup d'œil à Mart qui haletait avec de l'écume aux commissures des lèvres, et il a acquiescé. Le sergent Allik bousculait les hommes, il a arraché une flasque à quelqu'un en lui assenant qu'un Estonien ne se bat pas beurré comme un Popov. J'ai commencé à chercher Edgar, soupçonnant qu'il avait déguerpi, mais non, mon cousin était accroupi sur une pierre, la main devant la bouche, la figure en nage. Je l'ai pris par l'épaule ; dès que je l'ai relâché, il a frotté son manteau avec un mouchoir sale là où j'avais posé mes doigts ensanglantés.

« Ce n'est pas un endroit pour moi, ici. Ne m'en veux pas. »

Une soudaine aversion s'est propagée dans ma poitrine : en un flash, je me suis souvenu du café caché par ma mère, dont elle régalait Edgar en secret mais pas les autres. J'ai secoué la tête. Il fallait se concentrer, oublier le café, oublier Mart et le mourant au regard confus auquel je m'étais identifié, cet homme semblable à celui qui s'était rué dans la bataille avec ses pieds dans mes bottes. Il fallait oublier l'ennemi qui s'était cramponné à ma cheville, dans les yeux duquel je m'étais reconnu, tandis que je ne m'étais pas vu dans ceux du sergent Allik. Ni de l'infirmier. De tous ceux dont je présumais qu'ils s'en sortiraient indemnes. C'était mon troisième combat depuis mon retour de Finlande, et j'étais toujours en vie, mes mains souillées du sang ennemi. D'où venaient donc ces soudains scrupules ? Pourquoi ne me reconnaissais-je pas en ceux dont je savais qu'ils voyaient de leurs propres yeux poindre l'heure de la paix ?

« Comptes-tu chercher des nôtres ailleurs ou rester te battre ici ? » m'a demandé Edgar.

J'ai tourné la tête vers les arbres. Nous avions du pain sur la planche : il fallait fragiliser l'Armée rouge qui occupait l'Estonie, communiquer des informations sur le cours des événements aux alliés en Finlande. Je me rappelais comme nous étions contents, là-bas, vêtus de nos fringues finlandaises flambant neuves ; et le soir, en rang, nous chantions *saa vabaks Eesti meri, saa vabaks Eesti pind*. À notre retour en Estonie, mon unité avait à peine coupé quelques lignes téléphoniques, puis notre radio avait cessé de fonctionner et nous avions estimé que nous serions plus utiles si nous nous joignions à d'autres combattants. Le sergent Allik s'était montré courageux, les « frères de la forêt » progressaient à une vitesse folle.

« Les fugitifs pourraient avoir besoin de protection », a chuchoté Edgar. Il avait raison. Le groupe qui avançait dans les profondeurs des bois était escorté par de nombreux gars valables, mais ils n'iraient pas vite, car le seul moyen de sortir de la zone encerclée était de traverser le marais. Nous avions combattu comme des fous pour leur donner du temps en retenant l'ennemi, mais notre victoire leur assurerait-elle assez d'avance ? Edgar devinait mon anxiété. Il a ajouté : « Qui sait comment ça se passe à la maison ? On est sans nouvelles de Rosalie. »

Avant même d'y réfléchir, j'avais déjà acquiescé et j'allais déclarer que nous irions sur-le-champ protéger les fugitifs, alors qu'Edgar ne cherchait sûrement qu'à échapper au prochain assaut, pour sauver sa peau. Mon petit cousin connaissait mes points faibles. Nous avions tous laissé à la maison des fiancées, promises ou épouses ; moi seul cherchais dans ma bien-aimée un prétexte pour renoncer au combat. Mais je me persuadais que mon choix était tout à fait honorable, voire raisonnable.

Le capitaine trouvait que notre départ était une bonne idée. Cependant, chemin faisant, j'éprouvai un curieux détachement. Peut-être parce que je n'avais pas encore recouvré l'ouïe à l'oreille gauche, ou parce que les dernières paroles de l'ennemi mourant adressées à sa fiancée résonnaient toujours dans ma tête. J'avais l'impression que tous les événements passés étaient illusoires et que l'odeur de la mort ne quittait plus mes mains, que j'avais pourtant lavées dans un ruisseau. Les lignes de ma main – de vie, de cœur et de tête – se détachaient comme des sillons brun foncé, le sang coagulé pénétrait au plus profond de ma chair et je marchais toujours main dans la main avec les morts. De temps à autre, je me rappelais mes jambes qui s'étaient lancées dans le combat, mon poing qui n'avait pas hésité à faire chanter la carabine jusqu'au moment où, à bout de cartouches, il avait empoigné le pistolet, puis une pierre ramassée par terre, pour finir par cogner la tête d'un soldat rouge contre le garde-boue du Mootor. Mais ce n'était pas moi, c'était l'autre.

Ma boussole avait disparu dans la bataille et nous arpentions des forêts inconnues. Je continuais d'avancer, toutefois, comme si je savais où nous allions, et je déviais quand j'entendais un chant d'oiseau. Edgar ne tarderait pas à remarquer que mon orientation était hésitante, mais il ne s'en plaindrait guère : nous étions plus en sécurité à l'écart des fugitifs, qui étaient traqués par le bataillon de destruction. Il n'était pas nécessaire de le dire tout haut. À plusieurs reprises, Edgar se hasarda à suggérer que nous attendions tranquillement l'arrivée des

Allemands : toute autre option était vaine et, au point où l'on en était, il valait mieux ne plus prendre de risques. Je ne l'écoutais pas, j'allais de l'avant : j'irais à la ferme des Arm pour protéger Rosalie et sa famille, je vérifierais aussi la situation chez les Simson et puis, si les combats se poursuivaient, je me chercherais un frère digne de confiance pour m'engager dans ses troupes. Edgar me suivait, comme il m'avait suivi sur le golfe de Finlande pour aller à l'instruction. Là-bas, l'eau qui s'infiltrait dans les fissures faisait pâlir les joues de mon cousin, il aurait voulu faire demi-tour. Quand ses skis avaient gelé, j'avais cassé les cristaux sous les semelles, toujours pour Edgar. Puis nous avions skié l'un derrière l'autre, moi devant, lui derrière, comme maintenant. Cette fois, cependant, je voulais garder une bonne distance entre nous, laisser son souffle haletant se dissiper dans le bruissement des arbres. Mes doigts avaient tremblé quand j'avais sorti ma blague à tabac, j'espérais qu'il ne s'en était pas aperçu. La tête de l'homme cramponné à ma cheville me revenait sans cesse à l'esprit, j'accélérais, le sac à dos alourdissait mes pas, j'accélérais quand même, je voulais semer le visage de cet homme dont je soupçonnais qu'il était mort par mes balles, cet homme dont la fiancée ne saurait jamais où il était tombé, ni que sa dernière pensée avait été : « Je t'aime. » D'autres raisons me décidaient à m'en aller pendant que les autres se préparaient à l'assaut suivant : les alliés boches avaient déjà éveillé ma méfiance, auparavant.

Ils avaient envoyé notre troupe sur les arrières de l'Armée rouge, sans autre équipement que quelques grenades, des pistolets et une radio en panne. Nous n'avions même pas une carte d'Estonie digne de ce nom. On nous avait envoyés à l'abattoir, c'était sûr. Toutefois, je m'étais conformé aux ordres et j'avais ravalé mes soupçons. Comme si on n'avait pas tiré de leçon des siècles passés, du temps où les barons baltes nous arrachaient la peau du dos.

Avant d'aller en Finlande, j'avais envisagé de m'engager dans les troupes du « Capitaine vert », voire de préparer un attentat. Mes plans avaient changé quand on m'avait invité à l'instruction organisée par les Finlandais et que la mer avait gelé, facilitant notre passage en Finlande. J'avais pris cela pour un signe du destin ; dans les rangs des frères de la forêt, il régnait une humeur fanfaronne et insouciante avec laquelle on ne risquait pas de gagner une guerre, de repousser l'ennemi, de ramener les siens de Sibérie et de récupérer sa maison. Je trouvais que le Capitaine vert avait un comportement dangereux : dans sa poche intérieure, il portait un calepin dans lequel il notait tous les renseignements sur les hommes de son contingent, et il élaborait noir sur blanc des projets précis d'offensives et de souterrains. J'avais été conforté dans mes doutes par la fille de Mart. Elle m'avait dit que le bataillon de destruction était tombé sur les registres de cuisine dans les colonnes desquels sa mère avait noté soigneusement qui passait manger chez eux et quand, le Capitaine vert ayant promis que toute la peine et toute la nourriture seraient remboursées plus tard. À présent, la maison familiale de Martin n'était plus que ruines fumantes, Mart avait perdu la raison, et sa fille errait quelque part devant nous parmi les autres fugitifs. Une partie des frères mentionnés dans ces registres d'intendance avaient déjà été exécutés.

Je comprenais qu'on veuille pouvoir considérer ces années avec bonne conscience, plus tard, quand l'Estonie serait à nouveau libre : on devrait alors être en mesure de démontrer que les activités avaient été menées en toute légalité et conformément aux bonnes mœurs, preuves irréfutables à l'appui. Mais la bonne conduite était un luxe que nous ne pouvions guère nous offrir, étant donné que le comportement des bolcheviks avait déjà montré que notre pays et nos foyers étaient aux mains de créatures tout sauf civilisées. Toutefois je n'allais pas jusqu'à critiquer ouvertement le capitaine à voix haute : homme instruit et héros de la guerre d'indépendance, il en savait plus long que moi sur l'art militaire, et ses enseignements étaient d'une grande sagesse. Il instruisait les troupes, nous apprenait le tir, le morse, et veillait à ce que l'exercice le plus important en forêt, à savoir la course à pied, soit pratiqué suffisamment tous les jours. Sans sa manie de prendre des notes aussi minutieuses, je serais bien resté dans ses troupes en Estonie. Et sans l'appareil photographique de ses hommes. J'étais avec eux depuis un certain temps quand, tout à coup, un beau matin, on s'était mis en tête de faire une photographie de groupe. Un homme que je ne connaissais pas s'était écarté et j'avais suivi son exemple en disant : « Pourquoi moi ? Je ne fais même pas partie de la bande ! » Les gars avaient posé devant la casemate en se tenant par les épaules, grenades à main à la ceinture, quelqu'un avait plongé la tête dans le gramophone pour faire le pitre. Devant la troupe, on avait placé un sac à dos rempli de l'argent des communistes confisqué dans le coffre-fort de la mairie, dont le Capitaine vert avait distribué des liasses, la veille, aux employés municipaux, vu que, de toute façon, on l'aurait accusé de vol. « Servez-vous copieusement, avait-il dit, ces roubles sont des billets confisqués à l'Union soviétique pour être restitués au peuple. »

Le capitaine était déjà une légende ; ce ne serait jamais mon cas, je ne voulais pas être un héros. Était-ce de la faiblesse ? Valais-je mieux qu'Edgar ?

Rosalie aurait été fière de voir des photographies de groupe, prises aussi bien sur l'île d'instruction que dans les troupes du Capitaine vert. Cependant, je ne comptais pas répéter les erreurs de ce dernier : j'avais donc détruit le portrait de Rosalie, la mort dans l'âme. Son regard m'avait réconforté en bien des moments de désespoir, et j'en aurais eu besoin si la vie avait quitté mes veines pour abreuver le terrain, j'en avais besoin maintenant que nous cheminions sur les cailloux et les mousses et que je laissais nos frères combattre dans mon dos, j'avais besoin de son regard. Edgar, qui trottinait à mes trousses, n'avait jamais porté sur lui de souvenir de sa femme. Quand il s'était pointé dans la cabane forestière où j'attendais le départ pour la Finlande, il avait été catégorique : personne ne devait être informé de son retour du front. L'angoisse du déserteur était compréhensible, la fragilité nerveuse de ma mère était connue. Malgré tout, il m'aurait paru inconcevable de me comporter ainsi, sans donner le moindre signe de vie à Rosalie. J'entendais Edgar haleter derrière moi et je ne comprenais pas pourquoi il s'obstinait à laisser croire à sa femme qu'il était toujours dans les rangs de l'Armée rouge. Moi, je voulais rejoindre Rosalie au plus vite ; mais lui ne parlait jamais de revoir son épouse. J'en venais même à soupçonner qu'il comptait l'abandonner lâchement, qu'il avait trouvé une nouvelle petite amie, peut-être à Helsinki. Il y était allé souvent, tout seul, pour gérer ses affaires ; il fréquentait le restaurant Klaus Kurki. Cependant, mes soupçons étaient contrebalancés par le fait que son regard n'était jamais troublé par une femme et qu'il ne partageait pas notre penchant pour la bouteille, comme en témoignait la fraîcheur de son haleine chaque fois qu'il rentrait à notre logement. Lui aussi avait utilisé les vêtements de sport qu'on nous avait remis gratuitement – non sans avoir jaugé le tissu et la coupe en faisant la moue. Ce n'était pas dans cet accoutrement qu'on inviterait des dames en promenade, et on ne les divertirait guère avec les vingt marks quotidiens qui nous étaient alloués, sans parler de s'aventurer dans les maisons de joie de Helsinki.

L'argent suffisait à peine pour le tabac, les chaussettes et autres produits de première nécessité.

Tout le monde regardait mon petit cousin de travers, comme quelqu'un de différent, et j'avais même eu peur qu'il soit expulsé de l'île pour inaptitude. J'avais donc travaillé sérieusement avec lui après qu'il s'était ouvert l'arcade sourcilière sous le recul de son fusil, ce qui avait redoublé sa phobie des armes à feu. En même temps, je m'étais demandé comment il avait pu donner le change dans les rangs de l'Armée rouge et gonfler cette bouée qui lui ceignait la taille : le ravitaillement n'y était guère que lard pur et pain blanc. Sur l'île de *Staffan**[1], son ventre avait tout de même réduit sa couche de crème : en Finlande, tout était rationné.

Mon cousin bénéficiait de beaucoup d'indulgence parce qu'il était une grande gueule invétérée. Quand des généraux finlandais étaient venus donner des conférences, il avait étalé sa science du galon de l'Armée rouge, son russe, qu'il parlait couramment, et il s'était même proposé d'enseigner aux autres le saut en parachute, alors que lui-même n'avait jamais sauté. Il passait ses soirées à trafiquer les faux papiers qui seraient nécessaires pour retourner en Estonie ; il m'avait glissé à l'oreille qu'il projetait de former un groupe idéaliste dont les fondements seraient jetés sur l'île. Je l'avais laissé papoter, moi qui étais habitué à son caractère fabulateur depuis l'enfance, contrairement aux autres. Eux prêtaient une oreille attentive aux divagations d'Edgar – nous avions suffisamment de temps libre, de moments d'oisiveté où les autres avaient le loisir de baver devant chaque *lotta* comme si c'était la première Ève. Quant à moi, je pensais à Rosalie et aux semailles printanières.

1. Tous les termes suivis d'un astérisque sont expliqués dans le glossaire en fin d'ouvrage.

En juin, nous avions eu vent des déportations. J'étais sans nouvelles de mon père depuis son arrestation l'année précédente. Ma mère s'était lamentée : il aurait dû chanter *L'Internationale*, il aurait dû ôter son chapeau en même temps, il aurait dû tenir sa langue au sujet de l'exploitation de pommes de terre, ne pas protester contre la nationalisation – moi, je savais bien qu'il en était incapable. Bref, cela avait coûté la ferme des Simson, le fils s'était retrouvé en forêt et le père en prison. On avait voulu les ériger en exemple à ne pas suivre. Pourtant, on assurait les gens que les terres ne seraient pas confisquées... Mais qui faisait confiance aux bolcheviks ?

Edgar, lui, ne semblait pas ému par le sort réservé à la propriété des Simson, alors que c'était notre ferme qui avait payé son école, l'une de ces écoles sur lesquelles les gars étaient intarissables, ainsi que sur la vie d'étudiant à Tartu – les étudiants ne manquaient pas, dans notre groupe, contrairement aux paysans. Leur étroitesse d'esprit s'entendait à la façon dont Edgar et les autres étudiants se moquaient de tous ceux qu'ils estimaient moins intelligents. Pour eux, *inculte* était un gros mot, et ils classaient les gens en deux catégories selon qu'ils avaient fait trois années d'études ou plus. Parfois ils donnaient l'impression de lire trop de romans d'espionnage anglais ; ils caressaient de grandes idées selon lesquelles l'île de Staffan produirait de tels espions que les jours de l'Armée rouge étaient comptés. Edgar n'était pas le dernier de la bande à prêcher cet évangile. J'avais rangé une partie d'entre eux dans la catégorie des aventuriers ; il n'y avait pas de poltrons, toutefois, et cela avait un peu restauré ma confiance, atténué mes soupçons sur le devenir de tout ce petit monde. En outre, les bases étaient acquises, nous avions tous appris le métier de radio, on s'entraînait au morse ; si Edgar était malhabile à charger les armes, appuyer sur le manipulateur convenait à merveille à ses doigts de soie, qui parvenaient à débiter jusqu'à cent signes par minute ; moi, mes doigts étaient plus à l'aise avec la charrue. Mais, sur les grandes lignes et sur l'orientation des Anglais, nous étions d'accord.

J'avais mes propres desseins, depuis l'île : dans ma poche de poitrine, à la place du portrait de Rosalie, je portais des feuilles volantes, perforées pour l'archivage – trimballer la documentation complète aurait été trop téméraire. J'avais acheté aussi un cahier à reliure de moleskine afin d'y tenir mon journal. Mon intention était de recueillir des preuves des ravages commis par les bolcheviks. On en aurait besoin, quand la paix viendrait. Je remettrais alors mes documents entre les mains de littérateurs plus compétents que moi, de gens qui écriraient l'histoire de ce combat pour la liberté. L'idée d'accomplir une mission importante me remontait le moral, lorsque je me sentais lâche de ne pas participer à des projets de plus grande envergure, ou lorsque je prenais une décision qui me dispensait de combattre. Malgré tout, j'avais un devoir dont mon père serait fier. Pas question de prendre des notes qui risqueraient de nuire aux autres, ou qui exposeraient trop nos contacts. Je n'emploierais pas leurs noms, peut-être que je ne mentionnerais pas leurs positions. J'aurais un appareil photographique, mais pas pour prendre des photos de groupe de mes frères. Car les yeux de l'espion brillaient partout. Ils avaient l'éclat de l'or – les nôtres avaient celui de la terre.

TALLINN
RSS d'Estonie, Union soviétique

Les greniers à céréales étaient en flammes, des colonnes de fumée se dressaient dans le ciel. Autocars, camions et automobiles s'empressaient sur les routes, les pneus criaient Sauve-qui-peut… Une explosion ! Un tir de la défense antiaérienne. Une averse d'éclats de verre. Juudit ouvrait la bouche dans un coin de la cuisine de sa mère ; celle-ci s'était réfugiée à la campagne chez sa sœur Liia, laissant Juudit attendre la bombe toute seule, la bombe qui mettrait fin à tout. Depuis quelque temps, les routes de Tallinn à Narva étaient saturées de marchandises à évacuer, on parlait même de la création d'un « commissariat à l'évacuation » : des commissariats pour évacuer le bétail, pour évacuer les céréales et les lentilles, pour évacuer n'importe quelle marchandise – les bolcheviks voulaient tout emporter en partant, sans exception, y compris les pommes de terre immatures, ils ne laisseraient rien aux Allemands, ni aux Estoniens. L'armée avait détaché des hommes pour raser les champs. Tout le monde vers Narva, tout le monde vers les ports. Une explosion !

Juudit appuyait les mains sur ses oreilles, elle appuyait fort. Elle s'était résignée à ce que la ville fût détruite avant l'arrivée des Allemands, mais elle aurait préféré entendre sonner sa dernière heure dans un contexte plus banal : les derniers bruits qu'elle entendrait seraient les tintements des cuillères sur les soucoupes, le cliquetis de la boîte remplie d'épingles à cheveux, l'écho du pot à lait qu'on pose par terre. Des oiseaux ! Leur chant ! Mais la Luftwaffe et ses canons Flak avaient dévoré les oiseaux, on ne les entendrait plus jamais. Ni les chiens. Ni le miaulement des chats, le croassement des corneilles, les bruits du dessus, les enfants du dessous, le passage des garçons de courses, le grincement des chariots, le bruit du seau quand la voisine se cognait la tête dans le cadre de la porte de l'immeuble, sous la fenêtre. Juudit aussi s'était livrée à l'expérience de la cuvette sur la tête – entre quatre murs, certes, en toute discrétion : elle avait pris la pose devant le miroir, se demandant pourquoi les modistes n'élaboraient pas des chapeaux qu'on pourrait porter par-dessus une petite cuvette ou un seau. Le succès serait garanti. Vu comme les femmes étaient puériles et sottes, elles seraient enchantées par une protection aussi farfelue qu'un chapeau-seau. Mais le fracas du fer-blanc appartenaient déjà au passé, à un passé auquel avait appartenu le quotidien. Un temps marqué par la perte et teinté par les bolcheviks, mais un quotidien quand même, avec des bruits de tous les jours. Au préalable, le frère, Johan, avait accompagné Juudit vivre chez leur mère rue Valge-Laeva, par précaution ; malgré cela, les jours se succédaient, alors que le frère et sa femme avaient été emmenés en juin, après quoi Juudit n'avait plus eu de nouvelles de son frère ni de sa belle-sœur, et des étrangers avaient emménagé dans la ferme de Johan, des gens importants des commissariats. Le mari de Juudit était alors mobilisé dans l'Armée rouge. De son côté, Elisa, qui habitait sous l'appartement de la mère, avait comparu en justice pour activité contre-révolutionnaire :

elle était soupçonnée de savoir qu'une certaine Karin, à laquelle elle louait une chambre, avait projeté de quitter le pays. Juudit aussi avait été interrogée au sujet de cette Karin. Mais, malgré tout, les jours se succédaient et, dans leur continuité, ils formaient un quotidien qui valait toujours mieux que les jours d'extermination. À la campagne, chez la tante Leonida, Rosalie continuait de traire les vaches malgré le sort de sa future belle-famille, victime de la terreur : la propriété des Simson avait été confisquée, le père de Roland avait été arrêté et sa mère avait déménagé chez les Arm pour être prise en charge par Rosalie. Juudit en était reconnaissante à cette dernière. Elle n'aurait pas pu supporter sa belle-maman, même dans un moment de détresse, elle n'avait pas la patience de Rosalie. Si le mari de Juudit l'apprenait, il trouverait encore le moyen de le lui reprocher : sa maman méritait mieux qu'un traitement aussi négligent de la part de la femme de son petit chouchou ! Peut-être, mais Rosalie s'occupait sûrement mieux que Juudit ne l'aurait fait de ladite belle-maman, pour le plus grand plaisir de laquelle elle ne tarderait pas à remplir le logis de bambins. Juudit ne serait pas là pour le voir.

Elle s'absorba dans la méditation des images et des sons qu'elle aurait voulu puiser dans le quotidien de son passé pour former sa dernière pensée, avant la fin. Peut-être une journée qui aurait parlé de l'enfance, de Rosalie et des bruits quotidiens de la cuisine, un instant qui aurait été comparable à tous les matins du temps de paix où elle avait senti que la journée serait exactement semblable aux précédentes, un jour où le bois de la chaise Luther sous la fenêtre de la mère avait raclé le sol, et ce raclement l'avait irritée, un jour où elle n'avait rien eu d'important en tête, où une broutille avait pu la mettre en rogne. Ou peut-être voulait-elle revivre en pensées, avant de mourir, une journée remontant à l'époque où elle était une jeune fille nubile, du temps où rien n'était plus excitant que la robe enveloppée de papier de soie dans un carton, la robe réservée aux prétendants à venir… Pas question de songer à son époux. Elle se mordit la lèvre : elle avait beau essayer, il ne lui sortait pas de la tête. Si l'explosion qui venait d'illuminer la pièce avait touché l'immeuble, son mariage aurait été sa dernière pensée. Une nouvelle salve lui contracta les muscles, mais les bombes ne l'impressionnaient pas, elle ne s'accroupissait même plus.

L'idée de disparaître avec la ville avait surgi dans sa tête la veille du déménagement de sa mère, et cette pensée s'était accrochée comme si Juudit n'avait jamais rien désiré d'autre. C'était Tallinn qu'elle aimait, tout de même, pas sa belle-maman, or cette dernière vivait maintenant dans la ferme des Arm. Sa mère avait essayé de l'y faire aller aussi : presque toute la famille résidait à présent sous l'égide de la tante Leonida et, dans des moments pareils, il était bon d'être entouré de ses proches.

« Dieu merci, ton père n'est plus là pour voir ça. Partageons donc les bouches à nourrir : l'une de mes sœurs pourra me prendre chez elle, et toi, tu iras chez l'autre. Pas pour longtemps. Et puis, Juudit, si au moins tu essayais de t'entendre avec ta belle-maman ! »

Juudit avait fait mine d'accepter pour se débarrasser de sa mère. Mais elle n'irait pas chez la tante Leonida. Au sujet de la victoire, Juudit n'était pas aussi optimiste que sa mère, mais, en pensée, elle était reconnaissante pour la pneumonie qui avait terrassé le père lorsque tout allait encore bien à la campagne : il n'aurait pas supporté les allées et venues des bolcheviks, ni la disparition de Johan. Les réserves humaines de l'Union soviétique étaient inépuisables, pourquoi la situation changerait-elle maintenant ? Pourquoi n'avait-elle pas changé avant les déportations de juin, pourquoi pas avant l'arrestation du frère ? Le vacarme des combats déferlait avec les lourdes roues boueuses des canons, et il les tuerait tous, point barre. Juudit ferma les yeux, la pièce était lumineuse : les raies de lumière qui se dessinaient dans l'air rappelaient le feu d'artifice du Pavillon balnéaire de Pirita à la Saint-Jean, lorsqu'elle s'appelait madame depuis un an. À cette époque-là, Juudit ne se bouchait pas les oreilles, elle avait d'autres tracas : son désir émoussé pour son époux, ou plutôt pour ce qu'elle avait cru qu'il représentait. Et, en cette soirée de la Saint-Jean, elle avait espéré, tant espéré. Elle s'imaginait plonger dans la nuit d'été de Pirita, elle se concentrait sur les barils de goudron flamboyants, sur la verte forêt frémissante tel un hérisson qui s'éveille en été. Elle avait senti sur sa langue le goût de son rouge à lèvres un peu ranci, légèrement sali, mais elle n'y avait pas prêté attention, car c'était la preuve que sa bouche était une bouche embrassée, et les croque-notes faisaient de leur mieux, leur chanson parlait du rêve passager de la jeunesse, des biches qui s'abreuvaient nonchalamment dans le ruisseau, et la nuit était pleine de pépiements sur la fleur de fougère, et ces pépiements s'étaient appariés à des sourires équivoques, les amies célibataires de Juudit gloussaient, secouant d'un air mutin leurs têtes aux cheveux courts, elles avaient l'avenir devant elles et la magie de la Saint-Jean avait toutes les chances de se réaliser. Juudit sentait son mariage lui creuser la peau des joues, entamer la souplesse de ses muscles et la légèreté de son souffle. Puisqu'il n'y avait rien là qui fût digne de convoitise, elle avait joué devant ses amies le rôle d'une femme expérimentée, un peu meilleure, un peu plus sage, et elle tenait son mari par la main avec cette décontraction de la femme chevronnée, tout en s'efforçant de refouler le germe amer de la jalousie, de la jalousie à l'égard de ses amies, elles qui n'avaient pas encore jeté leur dévolu et qui n'avaient pas encore été choisies pour se présenter devant l'autel. Mais ensuite, son mari l'avait invitée à danser, et il avait fredonné avec la chanson que sa douce était « toute petite comme une montre de gousset », et le flot de tendresse dans sa voix les avait emportés loin des autres, l'orchestre jouait alors un nouveau morceau, les biches nonchalantes n'étaient qu'un lointain souvenir et Juudit s'était rappelé pourquoi elle avait épousé son mari. Cette nuit-là. Cette nuit, ça marcherait.

Les yeux de Juudit s'ouvrirent en sursaut : elle avait encore pensé à son mari. Dans la direction du golfe de Finlande, un soleil se levait. Mais ce n'était pas la lueur du jour, non, c'était le brasillement de Tallinn la Rouge s'enfuyant par la mer, les escadres criaient tels des oiseaux épouvantés. Les bruits de la retraite. Juudit traversa la pièce à tâtons et alla s'appuyer au mur. Elle ne pouvait pas croire que les bolcheviks partiraient. Affaissée dans un coin de la chambre à coucher, elle comprit que les avions de la Luftwaffe ne s'intéressaient qu'aux navires fugitifs, pas à Tallinn, mais cela lui était égal. Ses jambes convulsées se rappelaient trop bien ce que voulait dire un bruit d'avion : il fallait se jeter dans un fourré, à l'abri, quelque part, comme la fois où elle était à la campagne pour aider Rosalie et la tante à distiller l'alcool et que, l'ennemi ayant surgi dans le ciel sans crier gare, la tante avait renversé l'alambic d'un coup de pied et elles s'étaient précipitées sous les arbres, d'où elles avaient observé, haletantes, cet avion qui volait bas et qui, par chance, ne portait pas de charge sous son ventre.

Juudit s'adossa au mur, les pieds plantés en terre. Elle était prête à recevoir la bombe. Bien que l'atmosphère de guerre fût chargée d'odeurs de brûlé, les senteurs familières n'avaient pas disparu, les tapisseries dégageaient toujours ces effluves caractéristiques du domicile des personnes âgées, ceux d'un passé rassurant. Juudit colla son nez au papier peint. Son motif était le même, aussi vieillot que dans la ferme de Johan, dans les pièces où elle avait habité avec son mari en attendant que leur maison soit prête. Les travaux s'étaient achevés, mais elle ne la meublerait jamais. Et elle ne verrait jamais sur ses murs les tapisseries aux nymphéas qu'elle avait choisies à l'Atelier Fr. Martinson – non sans avoir changé d'avis à plusieurs reprises, s'entichant de chacun des ornements floraux et déversant ses caprices sur son mari, sur son frère et sur sa belle-sœur, laquelle reconnaissait tout de même l'importance que revêtait le choix d'un papier peint. Après avoir pris sa décision finale, Juudit était sortie de la boutique soulagée de ne plus avoir à examiner des échantillons, à les comparer entre eux à la maison, et puis encore chez Fr. Martinson, et de nouveau à la maison. Elle avait loué une automobile sur un coup de tête pour apporter la bonne nouvelle à son mari, qui avait été soulagé d'apprendre que le problème de tapisserie était résolu, et cet heureux événement avait été célébré avec la belle-sœur au restaurant Nõmme, où la crème du gâteau de Juudit s'était collée sur son nez, qu'elle avait lisse et luisant car, à l'époque, elle se frottait le visage tous les soirs avec du sucre. Incroyable : du sucre ! Avaient-elles bu des cocktails, avaient-elles dansé, ce soir-là ? Le mari s'était-il joint à elles, et Juudit s'était-elle dit encore une fois que ce soir-là, oui, ce soir-là, ça marcherait ? S'était-elle dit cela, ainsi qu'elle l'avait pensé et espéré coup sur coup ?

La fin que Juudit attendait ne vint pas. Le matin, la ville était branlante, brûlante et fumante, mais elle tenait toujours debout, Juudit était en vie et l'Armée rouge s'était évanouie. Intriguée par les cris de joie qui retentissaient à l'extérieur,

Juudit rampa jusqu'à la fenêtre protégée de papier adhésif, qu'elle ouvrit sans se soucier des éclats de verre. La *Wehrmacht** avait submergé la rue, les casques et les bicyclettes déferlaient comme des criquets et l'on ne pouvait estimer leur quantité tant ils étaient nombreux ; les étuis de masque à gaz en bandoulière, les soldats étaient accueillis par une pluie de fleurs. Juudit tendit la main dehors, les sourires pétillaient dans l'air comme les bulles dans la limonade fraîche, les bras se tendaient vers les libérateurs dans un élan au parfum de jeune fille, et les mains étaient comme les feuilles de l'arbre estival, remuantes et frissonnantes, certaines arrachaient les affiches du parti communiste, les portraits solennels des dirigeants, déchirant les lèvres, tranchant les têtes, tordant les cous, les talons piétinaient les yeux et les lacéraient par terre, ils enfonçaient une poussière furieuse dans les bouches en papier des leaders, les lambeaux de cellulose se dispersaient dans le vent comme une pluie de confettis, les éclats de verre répandus partout crissaient telle une neige pure. Le vent fit claquer la fenêtre, Juudit sursauta.

Cela ne devait pas se passer ainsi. Où était la fin qu'elle attendait ? Juudit était déçue, la solution n'était pas venue. L'air qu'elle respirait par la fenêtre était celui de Tallinn libérée. Elle hésitait, circonspecte. Comme si respirer de travers pouvait lui coûter la paix, ou comme si un châtiment attendait celle qui n'avait pas cru à la victoire des Allemands et à la retraite de l'Union soviétique. Elle n'osait pas aller courir dans la rue, ses jambes entortillées d'inquiétude étaient d'ailleurs en proie à des pensées inconvenantes. Celles-ci lui étaient venues à l'esprit quand la petite fille d'à côté avait foncé dans la cour en criant que son papa rentrait à la maison. L'exclamation de la fillette n'avait pas manqué de rappeler à

Juudit quelle était sa position, si bien qu'elle dut s'appuyer à une chaise comme une vieille dame.

Bientôt, les magasins pillés par l'Armée rouge seraient réapprovisionnés et rouvriraient leurs portes ; derrière les comptoirs, les vendeuses envelopperaient de nouveau les achats dans du papier et l'usine de traitement de l'eau serait réparée, les ponts seraient reconstruits, tout ce qui avait été pillé, détruit, incendié et massacré serait rembobiné comme un film projeté à rebours. La ville était saignée à blanc, les chaussées ployaient sous les carcasses de chevaux et sous les cadavres de soldats rouges assaillis gaiement par les scarabées, mais cela ne durerait pas. Les ports seraient rebâtis. Les chemins de fer seraient raccommodés. Les routes bombardées seraient nivelées. La paix s'élèverait d'entre les ruines, le ciment comblerait les failles béantes des bâtiments, les déplacements ne seraient plus entravés par des routes coupées et les bougies quitteraient la table pour regagner leur tiroir, les lampes électriques s'allumeraient derrière les rideaux opaques, les déportés rentreraient peut-être, Johan retournerait chez lui, personne ne serait plus jamais emmené, personne ne disparaîtrait, on n'entendrait plus frapper à la porte en pleine nuit, et l'Allemagne gagnerait la guerre : que pourrait-il advenir de mieux ? Le quotidien serait restauré. Mais si c'était là, précisément, ce à quoi Juudit aspirait tout à l'heure, cette pensée lui devenait subitement insupportable, et l'indifférence qu'elle éprouvait un instant plus tôt cédait maintenant à l'angoisse devant l'avenir. Le quotidien qu'elle aurait n'était pas le quotidien qu'elle voulait. Derrière la fenêtre l'attendait une ville dépouillée de ses bolcheviks – les premières bottes d'Estoniens rapatriés soulevaient déjà la poussière sur la route, qui serait foulée sous peu par divers assortiments d'uniformes d'Estonie, de Russie et de Lettonie, avec autour d'eux un tourbillon de fillettes, demoiselles, fiancées, veuves, filles, mères, sœurs, un troupeau interminable de femmes caquetantes, sanglotantes ou virevoltantes.

Juudit ne voulait pas rencontrer de femmes qui parleraient du retour de leurs maris à la maison, ou dont les fiancés, pères et frères étaient déjà sortis des forêts ou avaient déserté les troupes rouges d'Estonie ou du golfe de Finlande. Elle n'aurait rien eu à leur dire, elle qui n'avait pas envoyé une seule lettre à son mari. Ce n'était pas faute d'avoir essayé : elle avait sorti l'encre et le papier, elle s'était assise à la table, mais sa main s'était montrée impuissante à former des mots. Le premier caractère du prénom de son mari était déjà trop lourd, impossible de trouver la première phrase, elle était incapable de composer une lettre d'épouse éplorée, or c'était tout ce que l'on pouvait envoyer sur le front. Toutes les nuits où elle avait essayé sans succès – et même celles où elle n'avait pas essayé – lui avaient grignoté la mémoire ; Juudit n'avait pas oublié un seul de ces instants où elle ouvrait un peu plus son décolleté pour tenter en vain d'attirer l'attention de son mari sur sa poitrine. Elle se rappelait précisément l'embarras qui en résultait, elle se rappelait ce qu'elle ressentait quand tout ce qu'elle croyait avoir d'attirant se révélait illusoire, elle se rappelait comment son mari, la nuit de noces, avait repoussé les seins qu'elle lui offrait, il les avait repoussés à l'autre bout du lit comme un plat avarié qu'on écarte à l'autre bout de la table.

Dès la phase initiale des mobilisations du régime bolchevique, son mari s'était réfugié avec d'autres partisans dans des greniers de villas et de fermes, au grand soulagement de Juudit. Elle avait eu le lit pour elle seule, tout en gardant la présence d'esprit de creuser sur son front quelques rides bienséantes, de jouer à l'épouse rongée d'inquiétude. Quand il s'était fait attraper par une ZIS noire des tchékistes pendant une mission d'approvisionnement, elle avait réussi à rembrunir ses yeux gris avec des larmes, en vertu des convenances. Elle espérait alors que ce serait la dernière mission de son mari – ce que la ZIS avait déjà signifié pour tant d'autres – et, en même temps, elle était effrayée par son propre vœu, par sa sauvage exaltation devant les perspectives ouvertes par la guerre. Dans sa famille, il n'y avait pas de femmes divorcées : le veuvage était donc la seule option si elle souhaitait recouvrer sa liberté. Mais la belle-maman, têtue, avait pêché au commissariat des renseignements selon lesquels le mari avait été envoyé au front ; de nouveau, Juudit s'était alors pendue à son mouchoir, pour la forme. Elle ne pouvait avouer à personne combien elle savourait le lit dont le maître de maison était absent. Elle aurait bien aimé avoir un amant, mais où le trouver ? C'était tout bonnement impensable. Elle avait lu plus d'une fois *Madame Bovary* et *Anna Karénine* : même si les héroïnes de ces romans ne souffraient pas tout à fait de la même situation conjugale, Juudit se sentait une profonde parenté d'âme avec elles, car la frustration lui était familière, à elle aussi.

Avant les noces, sa mère lui avait glissé à demi-mot quelques conseils sur la vie matrimoniale et ses éventuels problèmes. Mais les difficultés rencontrées par Juudit manquaient au répertoire. Le doute avait pénétré son esprit dès les fiançailles ; elle avait alors fait comprendre à sa mère que, contrairement à ce que celle-ci avait laissé entendre, le futur mari ne s'était pas du tout approché d'elle physiquement. Elle avait souligné que ses amies connaissaient des expériences différentes avec leurs fiancés, qui n'avaient pas la patience d'attendre le passage devant l'autel ; Rosalie, par exemple, ne cessait de faire allusion au tempérament fougueux de son Roland aux noirs sourcils. La mère de Juudit avait répondu aux chagrins de sa fille en souriant, interprétant cette réserve comme une marque de respect, et comparant cette galanterie à celle du père de Juudit en son temps. Tout rentrerait dans l'ordre lorsqu'ils vivraient ensemble.

Juudit en était même arrivée à la conclusion que, dans son idiotie, elle avait trouvé étrange ce qui n'était autre que la caractéristique du grand amour. Impatiente, elle avait précipité le mariage : une chambre pour le voyage de noces leur fut réservée au Rannahotell de Haapsalu. Mais l'échange des alliances ne changea rien et la nuit de noces fut un calvaire. Il entra en elle, puis il se passa quelque chose. Il se retira, alla derrière le paravent, et Juudit l'entendit faire couler de l'eau dans la vasque et se laver frénétiquement. Après cela, il revint se placer à l'autre bout du lit, aussi loin d'elle que possible. Juudit fit semblant de dormir. Le lendemain soir ne se déroula pas mieux. Le mari se coucha sur le sofa puis, au lever, il se comporta le plus naturellement du monde. Dans la journée, ils se promenèrent sur la plage Aafrika, et, en soirée, ils dansèrent au Pavillon balnéaire comme n'importe quel couple en voyage de noces. De retour à Tallinn, le mari débuta comme clerc de notaire dans l'étude de Johan, tandis que Juudit se consacrait à la construction du foyer en se demandant fébrilement que faire.

En public, le mari avait l'attitude d'un époux exemplaire : il lui donnait le bras et lui baisait souvent la main – voire les lèvres, s'il était d'humeur badine –, mais son comportement changeait dès qu'ils étaient seuls. S'il ne ressentait aucune attirance pour elle, pourquoi l'avait-il demandée en mariage ? Tout n'était-il que mensonge, depuis le premier pas ? Rosalie, dès ses propres fiançailles, avait présenté sa cousine à la parenté Simson, et Juudit n'avait d'abord prêté aucune attention à ce studieux cousin de Roland, jusqu'à ce que Rosalie lui raconte que ce garçon n'était pas du tout aussi fade qu'on pouvait le croire à première vue : il deviendrait aviateur ! Juudit avait lu

Le Baron rouge : chaque fois qu'elle posait une question ou qu'elle manifestait son étonnement, le garçon s'embellissait d'enthousiasme, et ils avaient tenu ainsi de nombreuses conversations animées sur Manfred von Richthofen. Sa façon de s'emporter avait quelque chose de merveilleux, de passionné, et Juudit ne douta pas un instant qu'elle faisait le bon choix, ni qu'une place lui serait réservée dans la tribune quand il ferait des immelmanns et autres figures de voltige. Rosalie avait félicité Juudit pour son choix, et inversement. Elles s'estimaient chanceuses. Le fiancé, dans ses lettres, promettait d'emmener Juudit à Paris et à Londres ; tous deux voulaient voir le monde, voyager. L'idée de n'avoir que l'air sous les pieds n'était pas sans effrayer Juudit, mais la tête de ses amies valait le coup d'œil, quand elle leur parlait de ses années à venir où elle serait une femme d'aviateur, une dame qui courrait les métropoles : elle achèterait ses accessoires à Paris, où les vendeuses saupoudreraient de talc l'intérieur des gants avant qu'elle les essaie. Peut-être même qu'on parlerait de son mari aux actualités, un jour, et les spectateurs seraient tendus dans leurs fauteuils, ils pousseraient des soupirs, les dames tomberaient en pâmoison. Parfois, Juudit s'était étonnée qu'un homme promis à un avenir aussi excitant daignât s'intéresser à elle ; au moment des fiançailles, il l'avait embrassée sur le front et elle s'était sentie brûlante, ce baiser l'avait tant enflammée qu'elle n'osait pas imaginer une relation d'une autre espèce. Et puis ils n'eurent pas de relation du tout.

Finalement, surmontant son appréhension, Juudit s'était tournée vers ses amies initiées à la vie conjugale afin de les interroger au sujet de leurs affaires intimes. Elle n'avait pas osé poser de questions à Rosalie : celle-ci confectionnait encore son trousseau et la maison Simson se préparait à recevoir la future maîtresse de maison. Malgré les étincelles qui sautillaient entre eux, Roland et Rosalie n'étaient pas pressés d'aller à l'église, ils voulaient faire les choses dans l'ordre ; mais, après ses noces, Juudit n'avait plus été capable de prendre part aux projets de Rosalie. Auparavant, les deux cousines avaient réfléchi de conserve à la coiffure et au bouquet de la mariée, songé au temps où toutes deux seraient des épouses, leurs lettres avaient fait la navette entre Tallinn et la ferme des Arm, et Juudit avait fait jurer à Rosalie qu'elles emmèneraient les hommes à Haapsalu, qu'ils prendraient des bains de boue au sanatorium et qu'elles tâcheraient de les rapprocher l'un de l'autre : il n'y avait pas d'animosité entre eux, certes, mais ce serait encore plus agréable si ces deux copains d'enfance allaient jusqu'à être amis, aussi proches que Juudit et Rosalie. Au début, Rosalie estimait que le cours de couture offert par Singer était un choix plus approprié pour une maîtresse de maison, mais elle avait fini par accepter la proposition de sa cousine ; peut-être qu'on pourrait embaucher des intérimaires pour s'occuper de la ferme pendant qu'on ferait le déplacement et qu'on passerait un peu de temps ensemble, en couples – à la campagne, on était trop pressé, on n'avait jamais le loisir de se côtoyer tranquillement. Rosalie avait donc fini par donner son approbation ; mais c'est Juudit qui renonça à ce projet, après son voyage de noces. Elle était sûre que Rosalie l'aurait percée à jour, qu'elle aurait décelé dans son couple le mensonge que Juudit était incapable d'expliquer. Comment lui dire que le mariage avait coupé tous ses moyens ? Rosalie ne le comprendrait pas. Rosalie ne le croirait pas. Personne ne le croirait.

Désemparée, Juudit avait ressorti le *Manuel de la ménagère* qu'elle avait reçu en cadeau de noces. L'entrée « Mariage » faisait mention de la relation sexuelle à laquelle on procédait dans le cadre dudit mariage. À la lettre F, on trouvait aussi « Frigidité », accompagnée de l'explication que celle-ci repose généralement sur des causes mentales : la peur de la douleur, l'aversion à l'égard du partenaire ou la réminiscence de souvenirs pénibles. Juudit avait compris que le paragraphe en question ne concernait pas les hommes mais les femmes. C'était donc elle qui était fautive. Parmi les amies entrées dans la catégorie des madames, beaucoup racontaient que leur mari semblait insatiable, l'une parlait d'exiguïté, une autre évoquait l'impossibilité d'avoir la paix y compris pendant les règles, ce qui était épouvantablement contraire à l'hygiène et incontestablement dangereux, et la troisième craignait que son mari lui ramenât une maladie vénérienne de ses promenades par monts et par vaux. Le cas de Juudit était exceptionnel, et elle avait fini par y trouver une explication : la chaude-pisse, la syphilis et le chancre. Bien sûr ! Voilà la raison ! Si son mari n'osait pas en parler, c'était par pudeur ! Il fallait donc l'envoyer chez le médecin... Mais comment ? Impossible de lui dire en face qu'elle le croyait porteur d'une maladie contagieuse.

Elle avait reposé le livre. La photographie du pied d'un nourrisson atteint d'une syphilis héréditaire lui avait rappelé une scène de son enfance où sa mère, à la vue d'une certaine femme, avait ralenti le pas et entraîné Juudit dans une autre rue, jugeant préférable de remettre à plus tard leur passage à l'épicerie coloniale : la femme en question souffrait du problème des femmes de mauvaise vie, qu'on risquait d'attraper ne serait-ce qu'en partageant ses couverts avec un malade. En fait, la mère avait raison, comme le confirmait le *Manuel de la ménagère* ; mais alors, Juudit n'aurait-elle pas dû présenter des symptômes, elle aussi ? Elle n'avait pas oublié le visage de cette femme. Il était net et ne manifestait aucun signe de cocaïnisme, malgré ce que le médecin de famille avait chuchoté à Juudit, lors de sa visite dominicale, au sujet de la propagation de la maladie : « Dans le corps médical, on a prétendu que la cocaïnomanie avait diminué dans notre pays. En réalité, la quantité de psychopathes et de névropathes n'a pas baissé, or ce sont eux qui sont porteurs du cocaïnisme. Et je vous laisse imaginer leur nombre… »

Le *Manuel de la ménagère* ne répondait pas à la question de l'effet que cet ennui pourrait avoir ou non sur l'appétence du mari. Juudit pataugeait dans ses pensées. La syphilis, la maladie vénérienne la plus grave, la plus terrible. Non, elle ne pouvait pas avoir une telle guigne. Elle devait se tromper. Son mari n'avait pas les yeux rouges, pas d'abcès dans la bouche ou aux pieds, pas de malformations. Et cependant, comment savoir s'il en était porteur, s'il avait embrassé des femmes de mauvaise vie, voire pire encore ? Et, le cas échéant, que faire ? Comment savoir s'il avait consulté un médecin ?

Juudit avait commencé à se surveiller : elle examinait quotidiennement sa langue et ses membres, elle avait peur des piqûres de moustiques, des enflures qui s'ensuivaient, d'un bouton au menton, d'un cor au pied, elle se demandait si un abcès n'avait pas échappé à son observation, si elle en était encore à cette « phase asymptomatique » mentionnée par le *Manuel de la ménagère*. Les autres faisaient déjà allusion aux bébés à venir et elles exprimaient leur étonnement, car la hâte de Juudit à célébrer ses noces avait été interprétée comme le signe d'une grossesse imminente ; la belle-maman, en particulier, ne s'était pas privée de messes basses à ce sujet, sur un ton omniscient et réprobateur. Finalement, Juudit avait pris son courage à deux mains : il fallait en avoir le cœur net. Le médecin fut cordial ; la visite, par ailleurs, embarrassante et pénible. En conclusion, il s'avéra que Juudit n'avait pas de problème organique ni de maladie.

« Chère madame, avait dit le médecin, vous êtes née pour enfanter. »

Estonie occidentale
Commissariat général d'Estland,
Reichskommissariat Ostland

Nous avons passé une semaine à marcher dans des contrées sinistrées par les combats, contournant des charognes de chevaux fourmillantes et des cadavres tuméfiés, tâchant d'éviter les ponts dynamités et d'interpréter le grondement des bombardiers DB. Finalement, la forêt nous a paru familière et plus saine, assainie par le reflux du mal du pays, et nous avons trouvé notre chemin jusque chez la passe-lettres que nous connaissions depuis longtemps. Laissant Edgar grelotter à la lisière du bois, je me suis approché de la maison avec prudence, mais le chien, qui nous avait reconnus de loin, a couru à ma rencontre. Voyant à son air joueur qu'il n'y avait pas de danger, je me suis détendu et, accompagné par la bête, je suis allé frapper le signal convenu à la fenêtre. La passe-lettres a ouvert la porte aussitôt, elle m'a fait un grand sourire et m'a donné les nouvelles : les bolcheviks continuaient de se retirer, le front de l'Est s'émiettait, les Finlandais et les Allemands poursuivaient l'ennemi sur le Ladoga, les Russes avaient aspergé les forêts d'huile pour les incendier, mais les forêts en feu n'avaient pas arrêté les troupes finno-allemandes ! Les frères Andrusson sont apparus derrière elle à la porte, et Edgar est arrivé en courant quand je lui ai crié que tout était en ordre.

Le logis s'est animé en un instant, tout le monde riait et se coupait la parole. Tout cela me semblait distant, je les regardais de loin. Plus tard, dans la soirée, nous avons entendu d'autres nouvelles prometteuses, mais si je croyais peu à peu ce que j'entendais, la joie ne tambourinait pas encore dans ma poitrine. Je considérais les lignes de ma main ; je les avais astiquées longuement pendant que nous étions au sauna avec les frères Andrusson. Malgré tout, tantôt j'y voyais du sang, tantôt elles avaient l'air propres. Mon cousin était un garçon changé, son maintien s'était redressé et sa verve se déversait comme si l'on avait enlevé le bouchon d'une barrique : il dépeignait des anecdotes sur ses années à l'école d'aviation, envisageait d'aller y enseigner après la guerre, et il assurait le cadet des Andrusson, Karl, que lui aussi pourrait être aviateur, une cheville cassée n'était pas un obstacle, nul n'ignorait l'art de Mme Vaik à éclisser les jambes, l'avenir lui était grand ouvert ! Les frères s'échauffaient dans leurs rêves d'avenir, et Edgar, tout excité, évoquait la construction du hangar à hydravion. J'ai passé sous silence ses moustaches dessinées par le lait bourru, je n'ai pas contrarié l'enthousiasme de mon cousin. Je me suis aussi abstenu de relever qu'à l'époque de la construction du hangar en question, Edgar n'était pas né.

« Vous voyez, pour les Russes, cette zone frontalière était déjà une importante position défensive », s'exaltait Edgar, et je le laissais s'agiter dans ses rêveries. Je palpais ma poche de poitrine, les feuilles volantes, leur heure viendrait bientôt. J'avais commencé à prendre des notes, mais cela ne fonctionnait pas. La moindre expression sonnait faux, comme un déshonneur pour les frères et une bien piètre jérémiade, comparée aux actes héroïques dont j'avais été témoin. Les événements m'échappaient à chaque mot. Mes bottes sentaient le marais, les lignes de ma main rougeoyaient, la trace de mon crayon ne saurait être nette.

La passe-lettres racontait d'autres nouvelles chaque fois qu'elle avait la parole entre deux baratins d'Edgar. À Viljandi, notamment, les anciens propriétaires dépossédés de leurs terres par la réforme agraire des bolcheviks moissonneraient le seigle, qu'ils devraient vendre comme nourriture pour trente kopecks aux nouveaux habitants à qui les bolcheviks avaient cédé leurs biens ; contre rémunération, de leur côté, ces derniers devraient aider les anciens maîtres des lieux à effectuer les travaux de la ferme, et il ne fallait plus qu'ils touchent aux forêts ou aux arbres qu'ils y coupaient, sinon pour achever les émondages commencés. La fonction de directeur de sovkhoze était abolie ; la direction mise en place à la draperie Kase dans le cadre des nationalisations avait déguerpi avec l'Armée rouge, l'ancien propriétaire, Hans Kõiva, avait repris les rênes de son usine ; les gens qui avaient besoin de véhicules des stations de tracteurs devaient s'inscrire, on était invité à signaler les lopins de terre abandonnés, on reconstruirait les maisons incendiées par les communistes et l'on bénéficierait de soutiens à cet effet. Le courrier circulait à nouveau. Les nouvelles étaient donc bonnes sur tous les plans. J'ai mis la main sur les maigres journaux contenant de minutieuses directives, j'ai relevé la mèche de la lampe. Des visiteurs lointains avaient apporté à la demoiselle quelques numéros de *Sakala*, où figuraient aussi des dispositions relatives à la coupe du seigle. J'ai sauté à la colonne suivante. Je n'avais pas la force de penser à l'état dans lequel pouvaient bien être notre ferme et nos champs, de me demander qui récolterait les céréales. Je me suis absorbé dans les autres décrets de nos nouveaux seigneurs :

– les habitants avaient l'ordre de se faire enregistrer, les propriétaires n'avaient pas le droit de louer des chambres à des personnes non enregistrées ;

– tous les Juifs, suspects en état d'arrestation, fugitifs et communistes devaient être immédiatement enregistrés auprès de l'administration locale ; les autres fermiers et propriétaires d'exploitations agricoles devaient aller déclarer les biens des membres de leur domaine ;

– les ressortissants de l'Union soviétique devaient s'inscrire à la Kommandantur locale sous trois jours ;

– tous les Juifs devaient porter l'étoile de David ;

– l'application du décret relevait de la police et de la police auxiliaire ;

– il était interdit d'écouter des stations de radio russes ou ennemies de l'Allemagne.

Tout cela signifiait que nous nous étions débarrassés des bolcheviks. J'ai reposé les *Sakala* et me suis tourné vers un numéro du *Courrier de Järva.* L'avis bordé de noir à la une m'a fait instinctivement porter les mains à mes tempes, alors que ma casquette était déjà sur la table. « En souvenir de tous ceux qui sont tombés pour la libération de l'Estonie, le pays endeuillé se recueille avec émotion… » Dans la presse, la liberté avait un cadre noir ; dans mon esprit, elle versait un flot rouge. Laissant les autres papoter, je me suis rendu compte qu'ils vivaient tout d'un coup dans un pays libéré. Comme si nous n'avions jamais connu de combats. Comme si nous étions en temps de paix. Edgar était entré dans une ère nouvelle en un instant. Tout cela était-il vraiment fini ? Le temps des cachettes était-il passé, révolue la vie en cabane forestière ? Oserais-je espérer que notre ferme nous serait restituée bientôt, que j'irais chercher ma bien-aimée aux yeux graves et que nous pourrions nous marier ? Sèmerions-nous la vesce pour nos vaches dès l'an prochain, mettrions-nous en meule la fléole des prés ? Irais-je bientôt pieds nus dans les champs des Simson avec la herse à ressorts, les orteils terreux tandis que mon hongre manifesterait sa réticence à aplanir ? Quand on passait la herse, l'herbe était trop loin, aussi le cheval n'aimait-il pas ces travaux-là ; en revanche, la traction des bottes de foin dans la grange se déroulerait dans la bonne humeur, ainsi que le transport des gerbiers de seigle jusqu'à l'aire de battage ; le soir, ma bien-aimée aux yeux graves préparerait du vrai café et enlèverait son tablier, sur lequel se serait accroché un brin d'herbe, ses yeux de la couleur des fleurs de vesce. Edgar s'en irait fonder son foyer, s'occuper de son épouse, il m'épargnerait enfin ses radotages perpétuels. Peut-être que les personnes envoyées en Sibérie pourraient regagner leur pays, peut-être qu'on pourrait y forcer l'Union soviétique. Alors mon père rentrerait à la maison.

Chaque ruine fumante que je voyais, chaque corps gisant sans sépulture, j'en prenais note en dessinant une maison ou une croix, puisque je ne savais pas mettre de mots sur les yeux sans vie et sur les vers pullulant dans la chair. Je chercherais des gens capables d'exploiter mes notes, pour mettre fin à ma frustration de contribuer si chichement à la libération du pays, de ne pas être en train de libérer Tartu et Tallinn au sein des troupes du Capitaine vert ou parmi les frères de la forêt du capitaine Talpak. Il était bientôt temps de reconstruire le pays. C'était un commencement. Je demandais déjà à la passe-lettres où trouver les autorités compétentes auxquelles, pour débuter, je pourrais remettre mes renseignements sur les forfaits des bolcheviks. En même temps, je me rendais compte que c'était idiot. L'armée allemande m'attraperait tout de suite dans ses rangs, de même qu'Edgar qui, à en croire ses bavardages, ne semblait pas comprendre la situation. La guerre n'était pas finie. Je ne sèmerais pas la vesce l'été prochain ; je n'écouterais pas, en soirée, le rire cristallin de Rosalie. Aveuglé par la retraite des bolcheviks, j'étais comme un enfant qui ne voit pas plus loin que le bout de son nez. Je me suis emporté contre moi-même. J'ai regardé la passe-lettres danser avec l'aîné des Andrusson tandis que Karl jouait de l'accordéon, et j'avais de mauvais pressentiments. J'étais sûr que les ordres de mobilisation que les bolcheviks avaient collés sur les clôtures ne tarderaient pas à être remplacés par d'autres, identiques, signés par les Allemands.

Reval
Commissariat général d'Estland,
Reichskommissariat Ostland

Lorsque Juudit osa enfin sortir de son appartement, elle s'arrêta d'abord derrière la porte de l'immeuble pour tendre l'oreille. Les bruits de la guerre avaient bel et bien disparu. Elle rajusta son col et plia à angle droit le bras portant le sac à main ; son gant dissimulait la tension de son poing serré. Ses premiers pas se posèrent sur les pavés en reconnaissance, du verre crissait encore sous ses chaussures. Elle n'eut pas le temps de retrouver, enfouie dans les vestiges d'un monde passé, la démarche qui convenait aux rues de la capitale : l'ambiance de la ville l'assaillit dès le coin de l'immeuble, où affluaient des landaus, des chiens errants surgis de nulle part, des dames riantes et des soldats allemands qui faisaient des clins d'œil en jouant de l'harmonica. Juudit reprit son souffle en rougissant, mais à peine s'était-elle remise de son trouble que la cohue de l'hôtel des postes assaillit ses oreilles, des gens allaient et venaient par les portes de la banque, les garçons de courses cavalaient dans la rue et un galopin qui vendait des portraits du Führer s'agrippa à la manche de Juudit interdite, impossible de s'en débarrasser, les bénéfices étaient destinés aux victimes des incendies, la demoiselle voudrait sûrement faire un geste pour ces familles sans abri, et Juudit glissa donc un portrait dans son sac, sur lequel elle replia son bras, et elle sursauta quand une détonation retentit devant le cinéma, où un camion passait en brinquebalant avec un chargement de briques, Juudit faillit encore s'accroupir, mais c'était un bruit de reconstruction, pas de guerre. Au coin de la rue, un gamin s'esclaffait devant le spectacle de cette dame qui avait peur d'un camion, Juudit rougissante redressa son chapeau. La ville fleurissait de drapeaux estoniens et allemands entremêlés dans le vent. Le Palace faisait l'objet de réparations hâtives, des gosses s'étaient attroupés devant pour admirer les affiches de films, et les adultes aussi s'arrêtaient pour les examiner en passant, Juudit entraperçut le petit sourire carmin d'une actrice allemande, les longs cils de Mari Möldre. L'excitation des gens lui flattait les chevilles, il lui semblait qu'elle-même évoluait dans un film. C'était irréel. Néanmoins, elle aurait bien aimé suivre le mouvement, partager cette promenade sans but précis et ne jamais rentrer chez elle. Pourquoi pas ? Pourquoi s'en priver ? Pourquoi ne pas prendre part à la joie ? L'odeur de brûlé s'était dissipée – du moins ici, car elle était encore perceptible à la fenêtre de l'appartement – et Juudit humait l'atmosphère comme une brioche chaude, jusqu'à en avoir le vertige. La ville n'avait pas été détruite : les Russes avaient eu tellement de fil à retordre avec l'incendie des entrepôts et des sites de production, ainsi qu'avec le plastiquage du train blindé en gare de marchandises de Kopli, qu'ils n'avaient pas eu le loisir de s'en prendre aux habitations. Juudit continua sa promenade, en quête de nouveaux signes de paix, elle passa devant le *Soldatenheim*, où les regards de jeunes soldats bavardant à bâtons rompus se posèrent sur ses lèvres, et elle accéléra, détourna les yeux de la femme qui plaçait un grand portrait de Hitler dans la vitrine de la mercerie, elle détourna son regard du texte écrit sous le portrait – *Hitler, libérateur* –, chercha autre chose, elle désirait surtout voir des gens qui eussent l'air d'avoir oublié les dernières années. La ville débordait tout à coup de jeunes hommes et Juudit était gênée, il y avait trop d'hommes, elle voulait rentrer chez elle, rentrer sans tarder, et elle acheta rapidement des journaux ; sur un banc du parc, elle ramassa au passage un numéro du *Courrier d'Otepää* qui avait servi à emballer un casse-croûte, et elle observa un instant le café rouvert, dont elle avait connu jadis les serveuses par leur nom. Étaient-elles de retour à leur poste ? Ou le café avait-il un nouveau propriétaire et de nouveaux employés ? Dans le temps, Juudit y serait entrée, pour déguster des pâtisseries, dire bonjour ; à présent, son alliance l'oppressait sous son gant. Près de l'hôtel-Dieu, les soldats de la Wehrmacht couraient après des pigeons. L'un d'eux sourit en remarquant Juudit ; les autres le pressèrent de poursuivre la chasse : « La marmite est sur le feu ! »

Juudit aperçut de loin les galopins attroupés au pied de son immeuble, étonnés devant la DKW garée dans la rue avec sa carrosserie en contreplaqué. Elle n'avait rien à craindre de ces garçons, ils ne lui poseraient pas de questions sur son époux ; mais, à côté d'eux, se tenait la voisine, une éternelle cancanière qu'il serait difficile d'esquiver, et, de fait, le passage ne fut pas fluide. La femme saisit Juudit par le bras en s'exclamant : « Alors bientôt on f'ra toutes les autos en bois ? Qu'est-ce qui nous attend encore ? » Juudit hocha la tête par courtoisie, mais la voisine ne la lâchait pas, elle voulait maintenant faire part de sa stupéfaction sur l'adaptation des rails aux locomotives à vapeur et sur les gazogènes : « Vous vous rendez compte, un tram qui marche avec du bois ! Ils auront tout inventé, ces

Allemands ! » Juudit entendit les bribes de mots de la voisine la suivre jusqu'à la cour intérieure, de même qu'une question rongée par le vent au sujet du retour du mari ; avec une certaine discourtoisie, elle s'était dégagée de la femme et s'empressait de monter l'escalier. Dans le couloir, elle entendit le téléphone. Il sonnait toujours quand elle arriva dans la cuisine, mais elle ne répondit pas, pas plus que les jours précédents, elle n'osait pas. Elle n'ouvrait pas la porte, non plus, quand on frappait, elle n'osait pas ; le soir, du haut de son appartement obscur, elle épiait les feux follets bleuâtres des lampes torches des Allemands, elle avait peur des ombres inconnues et guettait le bruit des semelles de bois, les autos dans les virages avec les phares en veilleuse, les exclamations germaniques. La victoire finale de l'Allemagne ne faisait aucun doute – les journaux disaient même que la dépouille de Lénine avait été évacuée de Moscou. Juudit déploya les journaux sur la table, prépara du café de céréales et alluma l'une des dernières *papirossy* pour se donner du courage avant d'affronter les nouvelles ; mais le journal ne parlait pas encore des rapatriés. À la place, on y invitait les lecteurs à envoyer à la rédaction leurs meilleures blagues sur l'époque de l'oppression, et on listait une multitude de nouveaux prix pour les denrées. 1,45-1,60 reichsmark l'emmental, 1,20-1,40 reichsmark l'édam, 0,80-1,50 reichsmark le tilsit. 0,14 reichsmark le yaourt. L'oie de deuxième catégorie, vidée, sans la tête, les ailes et les pattes : 0,55 reichsmark au kilo. Le lendemain, elle devrait se mettre en quête de coupons alimentaires, les enregistrer à l'épicerie du coin, faire la queue, en tirant régulièrement sur ses épaulettes qui tenaient mal en place, exactement comme avant. Suite aux bombardements de Tartu, la dame d'à côté avait hébergé des parents avec toute leur marmaille, dont le chahut passait à travers les murs, rappelant à Juudit la vie de famille qu'elle n'avait pas et qu'elle n'aurait jamais. Sa vie gâchée retournait inéluctablement au même point qu'avant le départ de son mari, à ceci près que le mari n'était pas rentré.

Peu à peu, Juudit se rendit compte que son inquiétude était injustifiée. Les hommes ne seraient pas renvoyés en masse dans leurs foyers tant que durerait la guerre : on avait encore besoin d'eux sur le front de l'Est. Et ils ne débarqueraient pas à la maison du jour au lendemain : seuls étaient déjà rentrés chez eux les déserteurs dont les troupes se trouvaient en Estonie ou dans les environs. Si elle avait répondu au téléphone, ouvert la porte ou simplement discuté avec des gens, elle l'aurait vite compris. Mais la guerre lui avait enlevé la raison, elle ne voyait que son mari à la porte, en pensée, son mari avec lequel elle allait devoir être encore plus compréhensive qu'avant, car ceux qui ont fait la guerre méritent bien de l'indulgence. Le supplice de cette attente risquait d'être interminable si son mari était loin. Et s'il avait disparu, alors combien de temps Juudit serait-elle censée patienter avant que la bienséance lui permette de refaire sa vie ? Peut-être aurait-elle dû imiter Karin, à cause de qui l'Elisa d'en dessous avait été jugée pour crime contre-révolutionnaire : s'engager dans la cuisine d'un navire, mettre les voiles, naviguer vers l'étranger, tout abandonner, recommencer du début, chercher un nouveau mari dans un nouveau pays, oublier qu'elle était mariée. Mais alors, à Rosalie, à la mère, à quelqu'un de sa parenté, il serait arrivé la même chose qu'aux proches d'Elisa.

Quand des listes de rapatriés apparurent dans les journaux, la voisine stocka du vin sur la commode dans la perspective du retour de son mari. Le téléphone bourdonnait matin et soir, et finalement Juudit avait dû répondre, car elle devinait que c'était sa mère qui cherchait à la joindre, et c'était bien sa mère, elle voulait des nouvelles, racontait qu'elle demandait aux rapatriés si quelqu'un connaissait son gendre, si on avait des informations sur Johan, et Juudit ne pouvait pas le lui interdire, elle sursautait à chaque coup de fil, car le téléphone sonnait toujours le jugement d'une vie antérieure. Malgré tout, elle devait organiser son quotidien, trouver des ressources. Dans la rue, on l'avait déjà abordée plusieurs fois pour lui demander de la nourriture, ne fût-ce qu'un bout de pain. À la campagne, on avait toujours de la nourriture. À la campagne, on avait des bouilleurs de cru. On pourrait essayer de transporter toutes sortes de marchandises de la campagne vers la ville et en faire du commerce. C'était la seule solution, même la mère le disait, et elle demandait à Juudit de venir chez Rosalie au moment de l'abattage – et, tant qu'à faire, d'y rester –, et Juudit devait y aller, même si elle devinait qu'il allait falloir entendre les soucis de la belle-maman et de la tante sur le fait qu'une jeune dame ne peut guère s'en sortir toute seule en ville, les tirades de la belle-maman sur le génie de son chouchou, les tergiversations sur les plats qu'on préparerait quand le fiston rentrerait à la maison. Pas un mot à l'égard du beau-père. Juudit était presque sûre qu'on ne le reverrait jamais ; Rosalie avait dit que les souris étaient venues dans la ferme des Arm au mois de juin, et les souris ne mentaient jamais.

Si la majeure partie du trafic ferroviaire transportait des militaires, les jeunes soldats, quelquefois, prenaient aussi à bord des passagers ordinaires, chemin faisant, et c'est pourquoi Juudit se pomponna plus que ne l'exigeait ce rude voyage. Quand on l'aida à monter dans le train, les sifflements admiratifs lui mirent le rouge aux joues ; elle avait dans la poche de son manchon un laissez-passer obtenu au marché noir, et elle fuma ses dernières *papirossy* alors qu'elle était dans un lieu public ; tout le trajet, elle avait peur que sa belle-maman lise bientôt dans ses pensées, qu'elle la transperce du regard jusqu'à son cœur fourbe, car n'avait-elle pas feint d'être une épouse heureuse depuis le début de sa vie en couple ? N'avait-elle pas fait de son mieux pour qu'ils aient l'air de jeunes époux ordinaires ? Ils s'étaient même disputés, une seule fois, après un an de mariage et deux espèces d'épisodes sexuels. Ce jour-là, Juudit avait longuement réfléchi avant de demander à son mari s'il était allé chez le médecin, ou même chez une guérisseuse. La phrase était tombée en plein dîner, au milieu des escalopes à la Nelson. Le mari s'était étonné, il avait posé sa fourchette, puis son couteau, sans cesser de mastiquer. Le silence avait frémi dans la saucière, et le mari était passé à la cuillère à compote.

« Mais pour quoi faire ? Je n'ai pas de problème, moi.

– Tu n'es pas normal ! »

La chaise s'était renversée, le bois avait raclé le sol et Juudit s'était précipitée dans la chambre à coucher, où elle avait claqué la porte derrière elle et placé une chaise sous la poignée. En principe, les médicaments étaient conservés dans le tiroir de la commode, mais elle n'y trouva que de la poudre de Hufeland. Elle avait tout versé dans sa bouche en se félicitant que Johan et sa femme fussent en visite chez des parents.

Le mari était venu frapper à la porte.

« Ma chérie, ouvre. Voyons ce que tu as.

– Tu vas venir avec moi chez le médecin.

– Quelque chose ne va pas ?

– Tu n'es pas un homme !

– Ma chérie, tu as l'air d'une hystérique. »

Sa voix était patiente. Lentement, il dit qu'il allait lui préparer un verre d'eau sucrée, comme sa maman le faisait toujours quand ils étaient petits et qu'ils se réveillaient en plein cauchemar. Cela la calmerait. Puis on verrait si Juudit avait besoin d'aller voir un « neurologiste ».

Juudit avait pris un nouveau rendez-vous à la clinique privée de Greiffenhagen. Le Dr Otto Greiffenhagen était connu pour ses compétences dans le domaine des maladies masculines et sa clinique était sans conteste la plus moderne de la ville. Si l'on ne trouvait pas de secours là-bas, on n'en trouverait nulle part. Juudit s'interrompait, avalait sa salive et toussotait en exposant son problème dans le cabinet.

Le docteur avait soupiré.

« Peut-être devriez-vous venir tous les deux. Ensemble. Ou bien votre mari pourrait venir seul, aussi, bien entendu. »

Juudit s'était levée pour partir.

« Chère madame, il existe diverses préparations, bien entendu. Les ampoules de Testoviron, par exemple, pourraient être efficaces. Mais d'abord, il faudrait que j'examine votre époux. »

Juudit ne parvint jamais à envoyer son mari chez Greiffenhagen, elle n'obtint ni Testoviron ni rien d'autre, pas même son baptême de l'air. Elle ne tarda pas à laisser tomber les cours de conversation anglaise, et bientôt l'apprentissage du français, qu'elle avait ajouté à son programme journalier du temps des fiançailles. À l'époque, elle s'était dit qu'une épouse d'aviateur ferait bien de développer des compétences linguistiques cosmopolites.

Village de Taara
Commissariat général d'Estland,
Reichskommissariat Ostland

J'ai entendu de loin le craquement et le glissement d'un traîneau approchant de la cabane forestière : c'était Edgar qui revenait en coup de vent de son bizness en ville. Quand le traîneau s'arrêterait, la parlote sur les Allemands prendrait le relais. Je le savais, et j'ai scellé mes lèvres par avance. Le matin, comme si de rien n'était, j'avais suggéré que nous allions rendre visite à Rosalie : j'avais aidé à tuer le cochon et je savais qu'Edgar raffolait de la soupe aux quenelles, il pourrait donc en profiter ; mais, visiblement, ma mère avait déjà annoncé notre visite. Edgar avait renoncé, il s'était éclipsé. Le comportement de mon cousin à l'égard de sa femme n'était pas la seule chose qui me mettait en rogne chez lui. Il n'entendait rien aux chevaux, aussi suis-je allé à sa rencontre : enlever les harnais resterait ma prérogative. Mon hongre était fatigué, ses naseaux exhalaient de la buée, on l'avait manifestement poussé trop vite. Comme d'habitude, Edgar avait oublié le sac de tête – il y restait les deux litres d'avoine –, tandis qu'une partie du fourrage que j'avais stocké la veille dans le traîneau avait déjà disparu. Je me suis abstenu de répondre au salut jovial de mon cousin. Son pas s'est arrêté à mi-chemin, la neige crissait sous ses pieds hésitants. Sans faire attention à lui, j'ai emmené le cheval à l'écurie pour lui enlever les glaçons des sabots et lui brosser bien fort le creux des flancs, là où la démangeaison était toujours la plus forte. Edgar me suivait, trépignait dans ses bottes de feutre en cherchant à attirer l'attention. De toute évidence, mon petit cousin avait quelque chose à me dire. Ses nouvelles n'avaient guère à voir avec le foin et je n'en avais donc rien à faire, sachant qu'on était dans une situation préoccupante : Leonida avait promis qu'on aurait assez de vingt petits sacs pour l'hiver, mais il fallait déjà y mélanger de la paille alors que le mufle de mon hongre aspirait à de la fléole des prés. Dans l'écurie des Arm, ce n'était pas plus folichon : l'appétit des grands chevaux allemands avait amaigri les animaux du village, et l'on ne pouvait guère compter sur Edgar pour obtenir davantage par ses déplacements si je ne ralliais ma mère à ma cause. Mais elle ne demandait jamais rien à Edgar. Dès que nous étions revenus dans les parages de la maison, Edgar s'était précipité auprès de sa maman, qui lui avait manifestement beaucoup manqué. Ma mère avait souri à pleines joues comme une théière bien lustrée et Edgar avait semblé rassuré de voir sa maman aux bons soins de Rosalie. Il avait aussi réussi à mettre Leonida et ma mère dans son camp pour ne pas piper mot de son retour : on n'en parlerait pas encore aux visiteurs, pas même à sa femme. Ma mère était d'avis qu'il risquait de se faire arrêter en tant que communiste, s'il était reconnu au village – ce qui me semblait inconcevable, car jamais de communistes n'auraient subi, à l'époque soviétique, des malheurs semblables à ceux de la maison Simson. J'avais compris mon cousin quand il voulait cacher sa désertion, mais de quoi était-il question à présent ? On en voyait d'autres, au village, qui avaient quitté l'Armée rouge ; en outre, nous, les anciens de Staffan, avions combattu les bolcheviks. Ma mère, bien sûr, ne voulait pas nous voir partir pour le front, ni l'un ni l'autre, et elle avait les nerfs fragiles, je ne pouvais pas répliquer à ses larmes de peur. Elle était si joyeuse, chaque fois qu'Edgar passait voir sa maman, elle mettait aussitôt de la viande salée à cuire pour préparer du consommé ou cherchait quelque autre mets à présenter sur la table. Néanmoins, je ne croyais pas qu'Edgar se fût forgé une nouvelle identité sans raison. Son nouveau nom, Fürst, avait le mérite d'une consonance allemande, il était chic comme une chemise en viscose ; dans ma bouche, il se transformait en « Früste », et je ne pouvais m'empêcher de me demander si mon cousin avait quelque chose à cacher. Rosalie a envisagé d'envoyer un message à la femme d'Edgar, mais Edgar le lui a défendu, ma mère le lui a défendu, et Leonida pareil. Plus le temps passait après le retour d'Edgar, plus il semblait difficile de mettre Juudit au courant.

Le cousin continuait son boucan derrière moi. Je ne me pressais pas, je tapotais le pelage d'hiver sur les flancs de mon hongre dans la pénombre de l'écurie.

« Tu ne me demandes pas les nouvelles ? » s'est-il exclamé en sortant bruyamment des journaux de son sac. Sans avoir la patience d'attendre que nous soyons passés de l'écurie au logis, il s'est mis à lire à la lumière de la lanterne, la larme à l'œil, un compte rendu de la libération, à Tallinn, de deux cent six prisonniers politiques, ce qui était censé être le cadeau de Noël du commissariat général d'Estonie aux femmes et enfants innocents qui étaient en difficulté depuis que leurs nourrisseurs étaient derrière les barreaux. La voix de mon cousin était grandiloquente, ses yeux pâles prenaient des couleurs.

« Tu m'écoutes ? Tu connais beaucoup de gens qui feraient preuve d'autant d'indulgence envers les familles de leurs adversaires ? Ou bien tu penses encore à ton champ de tabac ? »

J'ai esquissé une réponse affirmative avant de me rappeler que je m'étais promis de ne pas parler avec Edgar qui, malgré tout ce qu'il fabriquait, ne semblait pas faire avancer d'un iota les intérêts des Simson. On n'avait pas de nouvelles de mon père, nos champs étaient toujours entre de mauvaises mains. Je ne pourrais pas y semer les patates, alors que trois années de trèfle avaient enrichi la terre en azote, fournissant des conditions idéales pour leur croissance. Les Allemands avaient interdit la culture du tabac et la maison de Rosalie ne récupérerait pas ses plantations, elle non plus ; cela dit, sur les terres des Arm, on avait expulsé les empotés amenés par les bolcheviks, et la partie des champs confisquée au nom de la collectivisation leur avait été restituée. Chez les Arm, j'irais arroser les arbres fruitiers à l'Estoleum, dont je leur avais demandé de faire des réserves, à l'époque. Le père de Rosalie était content du conseil ; pour Aksel, j'étais comme son propre fils. Je lui avais dit que l'Estoleum était un meilleur insecticide que le vert de Paris, il obtiendrait ainsi assez de pommes à vendre au marché ; mais tout ce que le jeune maître de la maison Simson pouvait accomplir ainsi pour la ferme de sa fiancée, il ne le pouvait pas pour la sienne. Ces problèmes me tracassaient. Edgar n'avait jamais rien compris aux travaux agricoles, mais il était bien content de boire du lait bourru au petit-déjeuner, pour soigner ses pauvres petits poumons fragiles.

Il continuait de lire ses journaux pendant que je me livrais aux travaux de l'écurie – la guerre n'avait pas du tout changé mon cousin. « Nul n'a oublié la propagande bolchevique qui dépeignait les nationaux-socialistes allemands comme de véritables hommes des cavernes, à commencer par leur Führer. Il fallait qu'ils fussent parfaitement inhumains. » Edgar a haussé la voix : il voulait que je l'écoute. « Mais le national-socialisme aspire à réunir toutes les couches sociales en une seule : celle des bâtisseurs du bien-être de leur peuple. L'appel à une sanglante haine des classes, à ce bouleversement fratricide, est complètement étranger à ce mouvement. Il s'agit au contraire d'apaiser les classes et d'offrir à tous le même droit à la vie... Pour notre petit peuple, chaque individu, chaque être humain est véritablement la plus précieuse des valeurs. » Mon hongre remuait les oreilles.

« Arrête, j'ai dit. Tu fais peur au cheval.

– Roland, tu ne te rends pas compte, le commissariat général a trouvé pile les mots justes pour répondre aux attentes du peuple. »

Je n'ai pas répondu, l'indignation a failli me pétrifier comme une statue de sel. Je me disais que mon cousin avait ses raisons de cirer les bottes des Fritz, peut-être voulait-il m'entraîner dans ses spéculations. Mais en quoi lui serais-je utile, moi ? Et pourquoi ? Je me rappelais bien qu'il n'en menait pas large, dans la cabane, lorsque l'Armée rouge s'était retirée et que les hommes des bataillons de destruction se planquaient partout, cherchant à sauver leur peau, avec les Allemands aux trousses. L'*Omakaitse* avait détaché des unités spéciales de gardes civiques qui couraient en tous sens avec les autres, la poudre embrumait les sapins. Puis je surpris deux hommes en train de rôder au coin de notre cabane. C'étaient deux des tchékistes qui avaient encerclé les troupes du Capitaine vert, je les reconnus sans peine parce que j'avais été de garde à ce moment-là et j'avais observé leurs visages pour ne pas les oublier. Ils m'avaient déjà filé entre les doigts, ils ne m'échapperaient pas une deuxième fois. Edgar porta la main à sa bouche en voyant les taches qui se répandaient sous les corps gisant dans la cour de la cabane, il eut exactement le même air que lorsque, petit garçon, il avait assisté pour la première fois à l'abattage du cochon. Il venait d'arriver chez nous ; la sœur de ma mère, Alviine, avait envoyé Edgar reprendre des forces à la campagne, car le père avait péri de diphtérie et l'anémie du fiston l'inquiétait. Edgar s'était évanoui. Mon père et moi étions sûrs qu'une chochotte pareille ne se débrouillerait pas dans une ferme. Il en alla autrement : il se débrouilla à merveille dans les jupes de ma mère. Elle avait obtenu ainsi la compagnie d'un deuxième enfant tant désiré ; ils s'étaient bien trouvés, ces deux malades imaginaires. Chez nous, à la campagne, on appelait cela autrement : des feignasses.

Une fois remis du spectacle de ces deux corps, Edgar, faisant preuve d'un esprit d'initiative inattendu, promit de nous en débarrasser. Je doutais qu'il s'acquittât vraiment de cette tâche, mais je l'aidai à mettre les cadavres sur une charrette et il les conduisit quelque part. Le lendemain, il revint en arborant un sourire facétieux, insaisissable et mal dissimulé. Puis il n'eut plus de hâte à se rendre en ville jusqu'à ce que le calme soit revenu dans les bois. J'ai deviné que mon cousin, autour de ces deux cadavres, avait inventé une histoire qui nous arrangeait, grâce à laquelle nous pouvions être tranquilles. Mais les Allemands ne tarderaient pas à se demander ce que nous, espions formés en Finlande, fichions en forêt – dans l'hypothèse où Edgar n'aurait pas déjà passé avec eux un pacte qui nous mettait à l'abri. Peut-être serait-il temps de lui demander en quoi consistait son bizness allemand. Pourtant, je me sentais incapable de l'interroger à ce sujet. Edgar serait trop content si je manifestais de l'intérêt pour ses affaires, et je n'avais pas envie de le voir jubiler. J'ai remarqué que les rênes étaient emmêlées, j'ai défait le nœud, je suis allé dans le logis chercher du fil poissé et une alêne pour coudre une attache. J'ai palpé le cuir tanné, il faudrait graisser aussi le harnais ; tandis que je pensais à cela, j'éprouvais de la nostalgie pour les champs, de la frustration. Tant que les Boches ne seraient pas fichus de récupérer les terres volées par les bolcheviks et de les restituer, ils ne seraient pas dignes de mon estime, n'en déplaise à mon cousin. Je me rappelais toujours le champ de tabac, sur lequel un connard de bolchevik avait versé du fumier humain pour cultiver je ne sais quoi, et le cheval du sovkhoze, dont les flancs étaient si creux que je n'en revenais pas qu'il puisse encore tirer des chariots. Edgar ne faisait pas attention à ces choses-là ; devant le champ de tabac bousillé, il se serait juste étonné de l'odeur. Ce champ avait fait partie de nos terres, celles des Simson, et ce cheval avait été mon cheval, qui arborait des rubans bleus aux oreilles après les foires agricoles, à tous les coups. Je l'aurais reconnu n'importe où et il me reconnaissait, mais nous devions renoncer aux champs bousillés, laisser partir le cheval.

Edgar m'a suivi dans le logis, il a allumé la lampe après avoir un peu frotté la suie qui en souillait le couvercle, et il a repris sa lecture à voix haute là où il l'avait interrompue dans l'écurie. Eh bien, attendait-il de moi que j'approuve ses activités ? Il désirait quelque chose de ma part, mais quoi ?

« Tu n'écoutes pas, m'a reproché Edgar.

– Qu'est-ce que tu veux ?

– Que nous fassions des projets de vie, bien sûr.

– Quel est le rapport avec les commissariats généraux ?

– Il te faut de nouveaux papiers d'identité, comme aux autres. Ils ont passé des décrets à ce sujet. Je pourrai t'aider.

– Je n'ai que faire des conseils de Früste.

– Maman n'aimerait pas que je ne prenne pas soin de toi. »

Cette idée m'a fait rire. Edgar devenait insolent.

« Tu ferais bien l'affaire, dans le service de la police, dit Edgar. C'est d'occasion d'y entrer, là, ils ont un besoin pressant de nouveaux hommes.

– Très peu pour moi.

– Roland, tous les bolcheviks ont été nettoyés. Le travail est facile, et ça t'évitera d'être enrôlé dans l'armée allemande. N'est-ce pas justement pour cette raison que tu restes assis là ? Qu'est-ce que tu espères encore ? »

J'ai enfin compris de quoi il retournait. Maintenant que la phase qui avait exigé le plus de muscles et de poudre était derrière nous et que les rangs de nos forces de police étaient désespérément vides, Edgar voyait là une opportunité à saisir. Je l'ai observé et j'ai vu dans son regard un scintillement avide. Ils étaient partis, aussi bien les barons baltes et les bolcheviks que les dirigeants de la république : les postes vacants au sommet n'attendaient que lui. Voilà donc pourquoi il se sentait si important, voilà ce qu'il avait gardé pour lui. Il avait toujours trouvé que ces messieurs d'Allemagne étaient meilleurs, il admirait les bicyclettes importées de Berlin, il était fou de visiotéléphonie et, de temps en temps, il allait jusqu'à renverser l'ordre des mots comme en allemand. Cela dit, je ne comprenais pas pourquoi il me parlait de ses projets. Que pouvais-je avoir à répondre à ses intentions ? Envoyé à Tartu pour le lycée et l'université, Edgar n'avait pas besoin de moi pour faire carrière. Je me souvenais de sa démarche hautaine, dans la cour, pendant les vacances. Il soutirait toujours des couronnes à ma mère, quand il voulait commander à Berlin des livres d'aéronautique, des photographies d'as du ciel et d'avions allemands ; pendant que les autres étaient aux foins, ma mère se reposait à l'intérieur en raison de son asthénie et Edgar restait à son chevet, racontant des histoires d'aviation, narrant les vols acrobatiques d'Ernst Udet – comportement qui ne manquait pas d'être jugé bizarre à la campagne. Ils se ressemblaient tant, ma mère et lui. Aucun n'écoutait mes conseils, mais il fallait toujours que je m'occupe des deux. Je commençais à avoir hâte qu'Edgar s'engage sur sa propre voie, qu'il se prenne en charge.

« Vas-y, toi, à la police, j'ai rétorqué. Pourquoi ils auraient besoin de moi ?

– Je veux que tu sois avec moi, à cause de tout ce qu'on a vécu ensemble. Ça te donnerait une bonne occasion de prendre un nouveau départ.

– Früste se soucie fort de mes affaires, mais pourquoi ne tient-il pas compagnie à sa femme ? Ou bien tu as trouvé une petite amie à exploiter dans tes machinations, c'est ça ?

– Je pensais d'abord mettre un peu d'ordre dans ma vie. C'est préférable, pour qu'une épouse y trouve sa place. Une vie bien rangée. C'est qu'elle a toujours été si exigeante. »

Je me suis mis à rire. La voix d'Edgar s'était emportée, mais il a rongé son frein, sa pomme d'Adam a fait des bonds avant de se calmer. Edgar a détourné son visage et il a dit :

« Allez, viens avec moi. Au nom de notre amitié.

– Tu as parlé de tes projets avec ma mère ? ai-je demandé.

– J'attends que tout soit sûr. Je ne veux pas que maman nourrisse de vaines espérances. »

De nouveau, il a haussé la voix :

« Nous ne pouvons pas rester indéfiniment dans la cabane de Leonida. Et j'ai laissé entendre que je connaissais un type qui conviendrait bien pour les forces de police, avec une solide formation dans le domaine. Toi. On a besoin de toi. L'Estonie a besoin de toi ! »

J'ai décidé de retourner à l'écurie pour donner à boire au hongre. J'espérais qu'Edgar ne me suivrait pas. Je n'étais pas sans projets, contrairement à ce que pensait mon cousin. J'avais rassemblé mes notes, je les avais organisées, et quand il m'arrivait de rencontrer des nôtres, je collectais davantage d'informations, sans oublier les conclusions que je tirais des propos d'Edgar. Je comptais trouver du travail soit au port de Tallinn, soit aux chemins de fer de Tartu : cela me fournirait au moins un salaire pour aider la famille. Edgar n'avait pas apporté un sou à sa maman, tandis que les Arm fournissaient la viande à sa dame citadine. Je devais subvenir à leurs besoins : il ne suffisait pas de surveiller leurs alambics et de courir la forêt, le dos de Leonida se voûtait, ma mère n'était bonne à rien, Aksel avait perdu une jambe. Le port m'attirait davantage, parce que Tallinn me rapprocherait de Rosalie. Par la même occasion, j'éviterais l'armée allemande ; et, au cas où ils iraient jusqu'au port pour enrôler des hommes, mes papiers d'identité indiquaient une fausse année de naissance. Mais si Edgar m'avait déjà promis aux forces de police, les Allemands en savaient peut-être trop long sur mon passé. On ne me laisserait guère le loisir de travailler au port, à moins qu'Edgar ne me fabrique de nouveaux papiers d'identité, avec un nouveau nom – et encore, pourrais-je lui faire confiance pour qu'il ne me dénonce pas aux Fritz ? Pourrais-je lui faire confiance pour qu'il ne leur rapporte pas que je comptais travailler au port ?

Village de Taara
Commissariat général d'Estland,
Reichskommissariat Ostland

Lorsque Juudit arriva enfin à la campagne, personne ne mentionna son mari. Les aiguilles à tricoter crépitaient entre les mains de la belle-maman et une chaussette poussait, une chaussette d'enfant, dont Juudit devinait qu'elle n'était pas destinée aux futurs rejetons de Rosalie et Roland : la belle-maman s'occupait toujours de son fils adoptif, jamais de son fils de sang. Il apparut que Roland logeait dans la cabane de Leonida et qu'il passait de temps en temps donner un coup de main à la ferme. Mais on ne revint plus sur le sujet, contrairement aux attentes de Juudit. Non. Rosalie signala seulement que Roland restait caché, elle dit cela en passant, sans laisser rayonner sur son visage la joie que Juudit attendait – son fiancé était tout de même rentré à la maison en un seul morceau ! Il était curieux qu'ici, au contraire de partout ailleurs, on ne parlât pas des rapatriés. Autrement, les sujets de conversation ne manquaient pas. D'abord, on se lamenta longuement sur ces « loups » de contrôleurs qui, à bord des trains, confisquaient les provisions des voyageurs pour leur consommation personnelle, puis on souleva la question du comportement à adopter si Juudit se faisait contrôler sur le trajet du retour. On se réjouit que le train de Juudit n'eût pas été stoppé par un raid aérien, et l'on passa le reste de la soirée à parler du manoir du village. Laissé vide quand Hitler avait invité les Allemands de la Baltique à s'établir en Allemagne, il était à présent le siège de l'état-major allemand ; sur la terrasse située au-dessus de l'entrée principale, un piège était tendu pour attraper les pigeons, peut-être que les Allemands les mangeaient, cela faisait rire ces commères. Par la suite, des baignoires avaient été livrées au manoir, les Allemands étaient des gens propres et les officiers se montraient d'un tempérament jovial – les jardiniers et lavandières restés sur place racontaient que les enfants de ces dernières se voyaient offrir des bonbons – et un seul soldat montait la garde. Chaque fois que les yeux de Juudit rencontraient ceux d'Anna ou de Leonida, celles-ci s'empressaient de tirer les coins des lèvres vers le haut. Il y avait anguille sous roche. Juudit s'attendait à ce que sa belle-maman fût au bord de la crise de nerfs, le mari et chouchou étant au diable vauvert, ou qu'elle l'obligeât à rester chez eux à la campagne, mais non, elle ne semblait pas inquiète que sa bru habite seule à Tallinn, elle souriait même de temps en temps, sans raison apparente, tout en tapotant des talons. Que Roland soit revenu sain et sauf ne suffisait pas à justifier cette bonne humeur. Était-ce parce que les Arm avaient fait expulser de leurs terres les habitants installés par les bolcheviks ? Tout était en si piteux état qu'ils ne s'en sortiraient jamais avec les travaux agricoles sans personne pour les aider : il n'y avait pas de quoi se réjouir.

Rosalie s'endormit sans leur laisser le temps de discuter à voix basse ainsi qu'elles l'avaient toujours fait après l'extinction des feux. Le lendemain matin, Juudit la soupçonna même d'avoir fait semblant de dormir : au lever, son sourire ressemblait à un drap étendu sur une corde et elle était très pressée.

Après les travaux de la journée, la belle-maman laissa échapper une remarque sur le blocus, comme par hasard :

« Dans la zone assiégée, il paraît qu'on peut acheter un demi-litre d'eau par jour pour deux roubles, il meurt dix mille personnes par jour. Les chevaux ont été mangés, se peut-il que les assiégeants eux-mêmes soient mieux lotis ? »

Leonida pria Juudit de l'aider à casser le sel ; Juudit prit le marteau, effrita le sel. Le coin des lèvres de la belle-maman avait ondulé, et d'une façon qui n'était pas un signe de chagrin. Pourtant, le blocus n'était pas de nature à faire sourire. Peut-être la belle-maman devenait-elle gâteuse, ou bien elle était simplement désemparée face aux yeux secs de Juudit. Celle-ci devait-elle fondre en larmes à l'idée que son mari était peut-être en train d'assiéger la ville ? Aurait-elle dû feindre plutôt le deuil ou l'optimisme ? Sa mère s'était laissé dire qu'on avait aperçu son mari dans une troupe transférée vers Leningrad, mais si l'on devait croire toutes les rumeurs… En tout cas, la belle-maman n'y faisait pas allusion ; les ragots oppressaient la poitrine de Juudit. Elle voulait s'en aller, retourner à Tallinn. Les regards fureteurs de Leonida et de la belle-maman lui picoraient le visage, lui faisaient mal. Pas moyen de s'entretenir avec Rosalie en tête à tête : elles venaient sans cesse s'affairer autour d'elles, passant la tête par la porte quand Juudit les croyait à l'étable, bondissant par-derrière quand Juudit tentait d'accompagner sa cousine pour porter la becquée aux poules. Rosalie ne semblait pas y prêter attention, elle était sans cesse occupée ou tripotait sa blouse à l'endroit où elle était usée, là où sa vache préférée la léchait toujours, elle avait le regard fuyant, et elle attrapa la lanterne pour s'éclipser dans l'étable au moment où la belle-maman passait à l'attaque. Celle-ci commença innocemment en expliquant qu'elle se demandait avec une certaine inquiétude où Juudit trouverait encore des acheteurs, à Tallinn, pour ses pots de graisse. À la campagne, c'était facile. Les Allemands faisaient la tournée des fermes en répétant : *Eier, Butter, Eier, Butter.* Leur refrain était si désespéré que cela lui fendait le cœur.

« Les enfants meurent de faim, là, beaucoup de ces hommes ont des enfants. Toi aussi tu comprendras, un jour, quand tu auras les tiens dans tes jupes, ça viendra. »

Les yeux de la belle-maman fixaient les hanches de la bru. Juudit porta la main à sa taille et balaya du regard l'étagère du vaisselier, où étaient alignées des boîtes de conserve, celles des soldats, vidées ; elles ne pouvaient pas envoyer leurs propres rations, mais le reste oui. Juudit sentit un mouvement au pied du mur, et elle aperçut une souris galoper derrière sa valise, puis une deuxième à sa suite. Elle appuya plus fort sur son ventre et la belle-maman continua ses jérémiades en ouvrant les tiroirs de la commode, remplis de chocolat pour les soldats. Leonida en apportait aux gardes qui grelottaient sur la plate-forme de défense antiaérienne construite sur le toit de l'école, de même que de la soupe bien chaude dans un bidon de cinq litres enveloppé d'une écharpe en laine. Après avoir croqué leur dose de Scho-Ka-Kola, les gardes étaient sûrs de ne plus fermer l'œil.

« Ces gars n'ont rien à donner en échange, si ce n'est quelques marks de l'Est. Moi je me débrouillerai bien… Mais leurs enfants ! »

Si Juudit n'avait pas eu cruellement besoin de marchandises à vendre, elle serait partie sans demander son reste. Tout ce que disait la belle-maman semblait l'accuser de ne pas se rendre utile. Juudit décida de l'ignorer, elle ne viendrait plus ici… Mais alors, que vendrait-elle ? Il fallait trouver un autre moyen de subsistance, ses compétences en sténographie et en allemand ne suffiraient plus, désormais, il y avait trop de filles dont les doigts maîtrisaient mieux le clavier, trop de filles qui cherchaient du travail, tandis que la gnôle, elle, ne se distillait pas en ville. Quand Juudit avait dû quitter la ferme de Johan, elle y avait laissé toutes les affaires de son mari, et elle le regrettait. Il était vain de soupirer après les creusets neufs et la pèlerine d'hiver du mari. Sa mère lui avait promis de réclamer la restitution de la ferme de Johan dès qu'elle rentrerait à Tallinn. Mais de toute façon, elle ne pourrait plus rien en faire : la maison avait trop souffert des dévastations causées par les bolcheviks et nul ne savait où Johan avait rangé les papiers. Il fallait trouver une solution. Autre chose que les pots de graisse et la gnôle. Autre chose, parce que Juudit ne remettrait pas les pieds ici et elle ne subviendrait pas à ses besoins avec de simples colis d'aide pour les Allemands. Elle avait toujours les bras croisés, comme si les regards éloquents que la belle-maman posait sur sa taille l'obligeaient à se protéger, alors qu'il n'y avait aucune raison. Et qu'adviendrait-il quand le mari rentrerait à la maison ? Juudit ne doutait pas qu'il exigerait d'accueillir sa maman chérie sous leur toit, et la belle-maman la surveillerait, elle surveillerait si elle préparait bien la soupe aux quenelles. En ville, on pouvait même en faire toutes les semaines.

L'atmosphère inconfortable apportée par cet asticotage ne se détendit que quand Aksel vint chercher un poignard, jetant au passage ses gants de travail à sécher sur le poêle. Une odeur de laine humide se répandit dans la cuisine, la flamme de la lampe vacilla. La veille, on avait pendu le cochon dans la remise, et Aksel avait dormi à côté toute la nuit, en gardant un œil ouvert à cause des voleurs. Rosalie revint de l'étable et, au moment d'aller chercher la viande, Juudit attrapa la main de sa cousine.

« Il s'est passé quelque chose dont je ne suis pas au courant, ici ? demanda Juudit. Vous êtes si étranges, tous. »

Rosalie tenta de dégager sa main, mais Juudit ne la lâcha pas. Elles étaient toutes seules dans la cour, Leonida étant partie montrer la grosseur des morceaux qu'elle voulait avant qu'on débite le cochon. Sa voix sortait de la remise et s'interposait entre elles. Juudit avait des contractions aux commissures de ses lèvres gercées.

« Rien, dit Rosalie. C'est juste que Roland est rentré. Je suis tellement mal à l'aise, de revoir mon mari alors que le tien est encore au front. C'est injuste. Tout est si injuste... »

Rosalie libéra sa main.

« Rosalie, je ne suis pas la seule femme dont le mari est au front. Tu n'as pas à te faire de souci pour moi. Si tu savais... »

Juudit se tut. Elle ne voulait pas poursuivre sur ce sujet avec Rosalie, pas maintenant.

« Ma belle-maman n'est pas trop encombrante ? » demanda-t-elle.

Les épaules de Rosalie se relâchèrent, Juudit ayant changé de sujet.

« Pas du tout. Anna fait des travaux ménagers et quelques bricoles, elle lave les gazes à filtrer le lait... enfin, ce qu'on donne à faire aux enfants, d'habitude. C'est d'un grand secours. Et ça lui tire une épine du pied, à Roland, de savoir que sa mère est entre de bonnes mains. Allons-y, on nous attend. »

Rosalie fila vers la remise. Juudit inspira, l'air du soir était silencieux, trop silencieux, et elle suivit Rosalie, elle serait bientôt débarrassée de tout cela, bientôt le train entrechoquerait ses genoux osseux. Il faudrait tenir encore un peu, le temps de récupérer les pots de graisse de porc et une ou deux bouteilles de gnôle à dissimuler dans la ceinture, sous la jupe. Juudit n'essayait plus de parler à Rosalie, elle alignait les morceaux de viande sur l'étal. Leonida et Anna sélectionnaient avec soin les morceaux à placer au fond de la barrique pour l'été, ceux de la première couche à saler dans un plat, les côtes pour cuire en sauce, le dos pour la poêle, elles malaxaient la couche de viande à fumer à Pâques, la queue un peu plus haut en vue de la choucroute d'hiver… Les deux femmes faisaient tellement de bruit avec leurs commérages qu'elles ne remarquèrent même pas que Rosalie et Juudit se taisaient.

Reval
Commissariat général d'Estland, Reichskommissariat Ostland

Place de l'Hôtel-de-Ville, l'animation portait jusqu'à la chambre de l'hôtel Centrum, les avertisseurs des autos et les cris des petits vendeurs de journaux encadraient la silhouette d'Edgar, qui se tenait bien droit devant le miroir de la penderie de bois sombre. Il leva le bras avec une attention solennelle, compta jusqu'à trois, le laissa retomber, répéta le même geste en comptant jusqu'à cinq puis jusqu'à sept, tout en surveillant l'angle du coude : le bras était-il suffisamment tendu ? Et sa voix ? Était-elle assez énergique ? Se rappellerait-il la distance à respecter pour saluer ? Avec ses contacts, il n'employait pas le salut allemand : leurs rencontres étaient informelles et devaient passer inaperçues. La situation était donc nouvelle et le protocole ne lui était pas familier, il risquait d'avoir une crampe, ou la main qui tremble. Il avait eu le temps de pratiquer en cachette dans la forêt, aussi, sans oublier qu'Eggert Fürst était gaucher. Cela devait fatalement rendre le salut un peu hésitant, partant plus lentement de l'épaule. Le nom lui était passé par la tête sur l'île de Staffan, quand on se préparait à rentrer en Estonie sous occupation bolchevique et qu'il fabriquait de faux papiers soviétiques pour les gars. À ce moment-là, il s'était souvenu d'un certain Eggert Fürst, né à Petrograd de parents estoniens, ami d'enfance d'un ancien collègue du *commissariat du peuple à l'Intérieur**. Il ne pouvait guère rêver d'un personnage plus parfait pour son projet : les antécédents d'Eggert étaient impossibles à vérifier de ce côté-ci de la frontière, et on avait peu de chances de tomber sur sa famille. Edgar devait juste s'assurer du silence de la sienne – et, au cas où il ne s'habituerait pas à ne pas réagir au nom d'Edgar, « Eggert » était suffisamment proche à l'oreille, il pourrait toujours dire qu'il avait mal entendu. Cette personne qu'il ne connaissait pas n'aurait peut-être pas pris corps aussi nettement si le collègue n'avait pas été si lourdement affecté par le décès de son ami tuberculeux, et si Edgar ne lui avait pas tenu compagnie pour lui remonter le moral au fil de nombreuses soirées passées à exhumer les vieilles lettres et les souvenirs d'enfance. Quant à cette écriture caractéristique des gauchers contrariés avec ses boucles et coupes faciles à imiter, elles lui étaient familières depuis le lycée. Tout en détendant ses nerfs à l'aide de biscuits commandés au service de chambre, Edgar remerciait en pensée Voldemar, qui avait si souvent eu recours à lui pour faire ses devoirs. Il se rappelait les gestes et mouvements de Voldemar, sa façon maladroite de tenir la fourchette, l'énorme moufle dont on lui avait affublé la main gauche pour l'empêcher de l'utiliser en catimini. Cet accoutrement lui avait valu quelques chansons moqueuses. Il n'était pas indispensable de s'exercer aux gestes des gauchers, certes, mais c'était dans les détails que résidait la clef du succès. Par exemple, en s'enregistrant à l'hôtel, Edgar avait d'abord saisi le stylo de la main gauche avant de le passer à droite – non sans tourner en dérision ses vieilles habitudes, échangeant un petit rire avec le réceptionniste, car les blagues sur les gauchers ne manquaient pas ;

de même, en récupérant son costume au nettoyage à sec, il avait donné à la femme de chambre un copieux pourboire de la main gauche.

Edgar lécha les gouttes de crème décorative laissées par les biscuits sur les doigts de sa main gauche et reprit le cours de son entraînement devant le meuble. Il commençait à être content de son nouveau moi : il avait vieilli juste comme il fallait au cours des dernières années, il n'était plus un petit garçon. L'un des anciens de l'île de Staffan travaillait déjà au bureau du maire de Tallinn, beaucoup d'autres cherchaient la gloire à l'étranger. Edgar n'avait pas l'intention de se contenter de moins. Au contraire.

Après s'être encore exercé un moment, il s'assit à son bureau et examina les papiers qu'il était censé apporter bientôt au quartier général de la police de sécurité allemande à Tõnismägi. La liste des communistes publiée dans le journal *La Voix de la jeunesse* était complète, sa préparation avait demandé un peu de travail. On n'avait pas besoin de lui pour ramasser les corps dans les prisons et dans les caves des services du commissariat du peuple à l'Intérieur, mais le SS-Untersturmführer Mentzel était enchanté par les informations livrées par Edgar. Il l'était beaucoup moins, en revanche, par la localisation transparente des endroits où les exécutés étaient enterrés. Au Klaus Kurki, aussi, il avait déjà remis à l'Untersturmführer la liste de ses anciens collègues du commissariat du peuple à l'Intérieur.

Edgar avait vu Mentzel pour la dernière fois à Helsinki, du temps de l'instruction à Staffan, aussi cette nouvelle rencontre l'excitait-elle, malgré la préparation requise. Même si l'on pouvait présumer que les antécédents des participants à l'instruction seraient plus ou moins vérifiés, Edgar avait d'abord été terrorisé par l'irruption de ce SS-Untersturmführer Mentzel qui en savait trop. Mais peut-être que les Allemands avaient particulièrement besoin d'une personne de sa trempe. Mentzel lui avait donné sa bénédiction au sujet de sa nouvelle identité élégamment forgée, ainsi que sa promesse de garder le secret, entre eux qui étaient rapidement devenus bons amis, car l'Allemagne ne voudrait pas perdre un homme de qualité. Edgar devait s'en contenter. Il comprenait la transaction : Mentzel appréciait certainement l'utilité de ses informations, mais comment deviner les plans qu'il nourrissait à son égard ? Il devait bien en avoir, et Edgar ne savait pas encore évaluer combien de temps il pourrait tenir en écoulant ses informations. Son souci d'accomplir un salut distingué se révéla infondé. Au quartier général, personne n'éclata de rire, aucune gêne ne se discerna sur les visages. Mentzel invita Edgar à s'asseoir en face d'un Berlinois inconnu en civil, dont l'aspect trahissait qu'il venait de débarquer dans une petite contrée reculée de l'Ostland. Peut-être cette impression venait-elle de sa façon d'observer le bureau, de toiser Edgar, ou de prendre place sur sa chaise avec méfiance comme s'il soupçonnait qu'à ce code postal militaire de la *Dienststelle* il n'y aurait même pas de mobilier décent.

« Ça fait un bout de temps, Herr Fürst, dit Mentzel. Le Klaus Kurki était un endroit extrêmement agréable.

– Tout le plaisir était pour moi, répondit Edgar.

– J'irai droit au but. On souhaiterait de votre part un rapport sur la question juive. Évidemment, nous avons déjà une abondance de matériaux, mais Herr Fürst a une meilleure connaissance des lieux. Qu'en pensez-vous ? Dans quelle mesure les Baltes ont-ils conscience des dangers que les Juifs représentent ici ? »

Le moment était embarrassant, Edgar sentit sa bouche s'assécher. De toute évidence, il s'était mal préparé à l'entretien. Il avait passé en revue de nombreux sujets qui pourraient être soulevés, mais il n'avait pas prévu celui-là. L'homme en civil – qui ne s'était toujours pas présenté – attendait une réponse. Devinant que celui-ci était en train de se demander pourquoi il devait perdre son temps à écouter des rapports de péquenauds, Edgar avait hâte de remettre les papiers de son porte-documents au plus vite. Mentzel examinait ses ongles impeccables : il n'y avait aucun secours à attendre de son côté.

« Tout d'abord, je dois avouer que je ne suis pas très au courant de la situation en Lituanie ou en Lettonie, confia Edgar pour tâter le terrain. Les Estoniens sont très différents des Lituaniens ou des Lettons. En ce sens, l'appellation de "Baltes" induit un peu en erreur.

– Ah bon ? Les Estoniens sont pourtant issus d'un mélange de races est-baltiques et nordiques », fit remarquer l'Allemand inconnu.

Mentzel l'interrompit :

« Vous aurez peut-être remarqué que les Estoniens sont considérablement plus blonds. La race nordique est donc dominante. Un quart des Estoniens appartient purement à la race nordique.

– Et il y a davantage d'yeux bleus, oui, ce point positif ne nous a pas échappé », admit l'homme en civil.

La conversation fut interrompue par un autre Allemand entré à l'improviste, apparemment un vieil acolyte du Berlinois. Edgar fut oublié un instant et il essaya de tirer profit de cet instant : il devait trouver quoi dire, comment agir. L'inventaire des bolcheviks ne suffirait pas, cette fois, même si c'était exactement ce qui avait intéressé Mentzel à Helsinki. Edgar avait mal calculé. On ne l'inviterait plus jamais ici, sa carrière ne monterait pas en flèche. En se concentrant sur la problématique de ses propres antécédents, il s'était aveuglé, il avait cru pouvoir se contenter de l'*Ausweis* au nom d'Eggert

Fürst qu'il portait dans sa poche. Les caractéristiques raciales du *Baltikum* et le sens profond des œuvres du Reichsminister Rosenberg flottaient dans la conversation et Edgar s'apprêta à participer. Il s'était tout de même avisé de mémoriser les titres des œuvres du Reichsminister – *Die Spur des Juden im Wandel der Zeiten* et *Der Mythus des 20. Jahrhunderts* – et, juste quand il commençait à craindre qu'on l'interrogeât sur leur contenu, Mentzel manifesta une franche lassitude à l'égard de ses hôtes. Edgar dissimula son soulagement : sur la complexe question raciale, il ne s'en serait peut-être pas sorti. À présent, il fallait garder la tête froide. Pour le prochain entretien, il se préparerait mieux et il chercherait des gens qui avaient connu le Reichsminister – camarades de classe, parents, voisins de la rue Vana-Posti, collègues du lycée Gustav-Adolf à Tallinn. Il chercherait quelqu'un qui sache quel homme était Alfred Rosenberg, et quels projets il pourrait caresser pour son pays natal. Quand il apprendrait à penser comme lui, il saurait quel genre d'informations les Allemands attendaient, ce qui les intéressait. Son cerveau calculait fébrilement, compulsait les archives mentales en quête de personnes adaptées, de quiconque avait connu ou pu connaître des Juifs qui avaient immigré en Estonie pour échapper à l'Allemagne et à ses pogroms, ou des Allemands de la Baltique évacués en Allemagne mais retransférés en Estonie dès la retraite de l'Union soviétique. Il n'y en avait pas beaucoup par ici.

Mentzel fit quelques pas vers la porte pour montrer que l'entretien était terminé. Il ajouta à l'intention d'Edgar, en l'invitant à le suivre :

« Si je puis me permettre de vous importuner encore un instant de ce côté… »

Dans le couloir, Mentzel soupira :

« Herr Fürst, avez-vous pu vous procurer les informations que je vous demandais ? J'attends votre liste avec impatience. »

Le soulagement fut si grand qu'Edgar empoigna sa serviette de la mauvaise main, la droite – mais il ne s'en rendrait compte qu'après avoir passé la porte. Mentzel ne sembla pas remarquer son trouble, il avait déjà le nez dans les listes. Edgar entrouvrit les lèvres pour faire le plein d'oxygène.

« La police politique B IV sera un très bon poste. Félicitations, Herr Fürst ! On a besoin d'hommes comme vous hors de Tallinn, il y a beaucoup de travail à l'*Außenstelle* de Hapsal. Allez d'abord vous enregistrer à la *Referentur* de la B IV à Patarei, vous y recevez des consignes plus précises.

– Herr SS-Untersturmführer, toussota Edgar, puis-je vous demander… ce qui me vaut tant d'honneurs ?

– Les cellules bolcheviques les plus visibles ont déjà été nettoyées, mais vous savez l'importance d'une désinfection radicale, quand on a affaire à un nuisible récalcitrant. Et vous êtes bien placé pour le connaître, ce nuisible… n'est-ce pas, monsieur Fürst ? »

Quand Mentzel eut pivoté sur ses talons avec prestance et fut rentré dans son bureau, Edgar resta immobile. Il avait réussi, en fin de compte.

En franchissant les murs d'enceinte de Patarei, Edgar avait le vertige : il était en vie, contrairement à tant d'autres. Il s'initierait à la question juive le soir même. La muraille de pierre de plusieurs mètres d'épaisseur avait étouffé les cris de milliers d'exécutés, elle exhalait la mort des temps passés et à venir, la faucheuse qui ne fait pas de différence entre les nationalités, les souverains ou les siècles, mais les pas d'Edgar résonnaient dans les couloirs et le portaient résolument vers la vie. Dans le bureau de la B IV, il fut bien accueilli, il remplit les formulaires avec les données personnelles et l'écriture d'Eggert, il ne vit pas de visages connus, il se sentait au bon endroit. Il obtint même la permission de passer saluer sa mère avant d'aller prendre son service pour la B IV à Haapsalu. Il devait s'attendre à de longues journées, et cela lui convenait. Il ne savait pas encore comment présenter la situation à Roland. Il aurait bien aimé garder son cousin avec lui, ne serait-ce que parce que Roland avait des antécédents solides, parce qu'il valait mieux le tenir à l'œil, et parce que le meilleur moyen de tenir quelqu'un à l'œil est de l'avoir aussi près de soi que possible. En outre, il n'était pas raisonnable de se lancer dans ce combat sans ailier. Roland était taciturne, mais d'une façon loyale, aussi Edgar lui faisait-il confiance pour tenir secrète sa nouvelle identité. Son cousin aurait pu poser des questions fâcheuses dès qu'Edgar était apparu chez lui après avoir quitté le commissariat du peuple à l'Intérieur. Se faire arrêter pour corruption, c'était de l'amateurisme, Edgar le reconnaissait et s'en mordait les doigts. Mais Roland n'avait pas posé de questions, il l'avait emmené en Finlande. La lassitude se lisait sur son visage, de même qu'à l'époque où ils effectuaient ensemble leur service militaire chez les gardes-frontière d'Estonie et où Edgar s'était fait arrêter pour vente de permis de passage. Roland l'avait couvert, prétendant qu'on leur avait dit que les permis étaient payants, et Edgar avait échappé *in extremis* à la prison. Qu'Edgar soit renvoyé de l'armée était déjà assez dur à avaler pour la maman, selon Roland, et il avait certainement raison. En fin de compte, les risques pris vis-à-vis de Roland avaient été fructueux : sans son cousin, ses recommandations et la Finlande, Edgar n'aurait pas eu de références crédibles, il ne serait pas tombé sur Mentzel. En outre, Roland obéissait à la maman, Rosalie à Roland, la future belle-mère de Roland à sa fille et la maman à Edgar. Elle avait appris son nouveau nom rapidement, la maman, et n'avait posé aucune question. Elle n'avait eu qu'à regarder Edgar dans les yeux pour voir qu'il était sérieux. Pour faire son bonheur, il suffisait que le fiston soit sain et sauf à la maison, revenu des portes de la mort. Il devait juste convaincre la maman que tout allait bien, maintenant, et qu'il avait du travail. Qu'Eggert Fürst menait une brillante carrière. Il inventerait un moyen d'entraîner Roland avec lui. Et, au cas où le cousin ne voudrait rien entendre, la maman trouverait les mots justes ; ou bien elle pourrait parler avec sa future belle-fille. Car elle voudrait aussi assurer un bon avenir à Roland, bien sûr, la maman.

Village de Taara
Commissariat général d'Estland,
Reichskommissariat Ostland

Sur le seuil de la cabane forestière, Edgar remuait les lèvres. J'ai distingué le nom de Rosalie ; mon cousin gesticulait, mais pourquoi parlait-il de ma bien-aimée ? Le vent s'engouffrait par la porte ouverte, les pans de ma chemise battaient, l'eau formait des flaques sombres.

« Tu m'écoutes ? Tu as compris ce que j'ai dit ? »

Le cri d'Edgar s'entendait de loin. Le vase posé sur la table avait éclaté par terre. Il contenait des populages des marais. Le vent cinglait les fleurs contre le mur, à côté de la souricière. Je les observais. C'était Rosalie qui les avait cueillies, ses doigts s'étaient entrelacés aux miens tout récemment. Je tremblais comme une feuille de tabac sur le séchoir et j'avais chaud comme si mon cœur était gorgé de sueur. Après cette bouffée brûlante, le froid se répandit dans la région du cœur en direction du ventre, je ne sentais plus mes membres. La bouche d'Edgar continuait son verbiage.

« Tu as compris ce que j'ai dit ? Elle est déjà enterrée.

– Früste, la porte.

– Roland, il faut que tu comprennes Leonida et maman. L'inhumation devait avoir lieu dans l'intimité : elle avait une marque au cou.

– Früste, silence. »

J'ai jeté un coup d'œil à la souricière. Elle était vide. J'ai crié :

« Qu'est-ce que tu entends par une marque ?

– Qu'elle avait une marque ! Elles ont l'esprit sensible, les femmes, nous ne pouvons pas savoir ce qui l'a poussée à commettre un tel péché. »

J'étais déjà en chemin pour aller harnacher le hongre.

Je n'ai pas reçu de réponses, mais c'était vrai : Rosalie n'était plus. Ma mère et Leonida me traitaient comme un étranger, Leonida nouait son fichu plus serré comme si elle voulait réduire son visage à néant, sans cesser de mélanger le picotin. Je n'étais pas le bienvenu. La bouche de ma mère s'est entrouverte comme une porte qui force, sans paroles. J'ai essayé de pêcher des indices sur ce qui s'était passé et pourquoi, qui était venu et quand, les noms des soldats qui réclamaient de la graisse et des œufs. Je ne croyais pas aux insinuations perverses de mon cousin, ni à l'idée que Rosalie eût voulu se faire du mal. Les yeux de ma mère tressaillaient à mes cris et m'ordonnaient de partir. Je voulais la secouer, les mains me démangeaient. J'ai failli la frapper, mais j'ai repensé à mon père. Il avait pris pour maîtresse de maison une incapable et il avait porté sa croix sans se plaindre, sans se disputer avec elle. Je tenais de mon père dans la mesure où l'amour m'avait rendu faible, moi aussi, mais je ne voulais pas qu'il rentre dans une maison où le fils aurait levé la main contre sa propre mère, fût-ce par amour. J'ai baissé mon poing.

« Elle a déshonoré la maison par son péché, a chuchoté ma mère.

– Déshonoré ? Comment ça, déshonoré ? De quoi vous parlez ? » me suis-je écrié.

Aksel est revenu du garde-manger et s'est assis pour enlever la botte de son pied – son autre jambe étant de bois depuis la guerre d'indépendance. Il ne me regardait pas en face, il ne disait pas un mot. Comment ces gens pouvaient-ils se comporter comme s'il ne s'était rien passé ?

« Pourquoi ne m'avez-vous pas laissé la voir ? Que cachez-vous ?

– Il n'y avait rien à voir. Nous n'aurions jamais imaginé qu'elle se livrerait à un tel acte », dit ma mère, fourrant son mouchoir sous sa manchette. Les coins de ses yeux étaient secs. « Roland, sois raisonnable. Tu veux bien parler avec Edgar ? »

J'ai traversé toute la maison en courant, mais je me suis figé sur le seuil de la chambre : sur une chaise, j'ai vu le foulard de Rosalie. Je me suis enfui. Les gens qui habitaient la ferme des Arm étaient devenus des étrangers, je ne voulais plus jamais les revoir.

Dans mon désespoir, je n'ai pas trouvé d'autre solution que de chercher secours auprès de Lydia Bartels. Il n'était pas prudent d'aller dans le centre du village pour participer à ses séances, mais il fallait que je reçoive un signe de Rosalie, un signe qui m'apprendrait où elle était maintenant, un signe qui m'aiderait à chercher le coupable, duquel personne ne semblait se soucier. J'ai fait le chemin à pied, empruntant de vieux sentiers à bétail, longeant l'orée du bois, je plongeais dans les feuillages chaque fois qu'une motocyclette approchait ou que j'entendais un bruit de charrette ou de sabots. J'ai contourné de loin le manoir transformé en état-major des Allemands et je suis arrivé à la faveur du crépuscule. Les chiens aboyaient dès qu'ils flairaient un inconnu à proximité de leur territoire, de sorte que j'évitais les abords des clôtures et marchais au milieu de la rue, me précipitant dans un buisson si j'entendais quelqu'un venir. J'ai distingué les poteaux télégraphiques et les silhouettes des maisons, les besognes domestiques des cuisines résonnaient dans la rue, des coups de marteau et un miaulement de chat. Des bruits de gens qui avaient un chez-soi. De gens qui avaient quelqu'un avec qui partager les tâches du soir. Moi, j'étais privé de tout cela. La douleur s'entortillait dans les extrémités de mon corps comme une feuille de papier qu'on enflamme par un coin, mais il fallait faire avec.

Avant la maison de Lydia Bartels, je suis passé par le cimetière. J'ai trouvé la parcelle, ou ce que je présumais être la parcelle. J'ai fait le tour de la clôture en trébuchant sur les pierres tombales et en évitant les croix. S'il y avait un endroit où j'espérais entendre la voix de la défunte, c'était bien là. Cette église aurait dû célébrer notre mariage ; devant son autel, j'étais censé lever le voile de ma promise, dont elle se réjouissait tant, elle y faisait toujours allusion avec un sourire timide. C'était une claire nuit étoilée ; en arrivant devant un tas d'ordures, j'ai cherché un emplacement creusé récemment. Je n'ai pas eu de mal à le trouver, il manquait la croix et les fleurs, même un chien aurait eu une meilleure place dans le sein de la terre. J'ai tapé des poings sur le muret, si fort que la mousse s'en est détachée, je me suis prosterné et j'ai imploré un signe de ma bien-aimée qui me dispenserait d'aller chez Lydia Bartels, un signe qui me révélerait que ma bien-aimée reposait en paix et qui m'inviterait à rebrousser chemin. Je ne savais pas pourquoi Rosalie était sortie, avec qui, qui l'avait trouvée et où. Pourquoi avait-elle été enterrée derrière l'enceinte de l'église ? Quel pasteur avait permis cela ? Était-ce même un pasteur ? Rosalie ne se serait pas ôté la vie, malgré ce que laissaient entendre les insinuations et cette inhumation sommaire. Non, ce n'était pas cela, c'était impossible. J'avais honte de ne pas avoir été présent, de ne pas avoir empêché ce malheur. Nous devions être terriblement loin l'un de l'autre, pour que je n'aie pas eu l'intuition de la détresse de Rosalie ! Je n'arrivais pas à admettre que tout cela s'était passé pendant que je dormais ou que j'allumais un feu, que je me livrais à des affaires quotidiennes. Pourquoi tes pensées n'avaient-elles pas volé jusqu'à moi ? Pourquoi n'étais-je pas en train de te protéger ? Il était crucial que je sache ce que je faisais à l'instant précis où Rosalie s'était détachée de ce monde : si je le savais, je pourrais chercher un signe dans cet instant-là.

Je n'ai pas reçu de signe, pas de réponse : Rosalie était sans merci. J'ai craché sur le portail de l'église et j'ai consulté ma montre de gousset. Il était un peu moins de minuit, l'heure des esprits approchait. Le moment était venu d'aller chez Lydia Bartels. Je ne savais quasiment rien de cette femme sinon que ses séances se tenaient le jeudi, et que sa mère, sur son lit de mort, lui avait légué le *Septième Livre de Moïse*. Leonida condamnait catégoriquement ses activités hérétiques, ses vieilles combines populaires, mais les amies de Rosalie avaient rendu visite à cette femme pour s'enquérir de leurs parents disparus ou envoyés en Sibérie. Elles s'y rendaient toujours à deux, personne n'osait y aller seul. Moi, je n'avais personne à qui demander de m'accompagner, de sorte que je ne pouvais guère m'encourager qu'en récitant le *Notre Père*, bien que j'eusse compris que les crucifix et les icônes n'étaient pas autorisés dans la maison de Lydia Bartels. Sur l'avenue, j'ai resserré mon chapeau sur les oreilles. Je n'avais pas rasé la barbe qui avait poussé dans la forêt, elle me faisait une tête de vieillard, je pensais qu'on ne me reconnaîtrait pas. J'avais songé aussi à me procurer un uniforme allemand. La passe-lettres avait raconté que quelques Juifs avaient fait cela, et il y en avait même un qui s'était enrôlé au service militaire, car c'était la meilleure façon de se cacher. Elle avait ri pour accompagner ses mots, et son rire déversait un filet de peur comme à la surface d'un seau plein. Je savais qu'elle parlait de son fiancé.

Dans le salon de Lydia Bartels, une chandelle était allumée. Une assiette était posée par terre, au milieu de laquelle était tracé un trait. L'assiette était placée sur une grande feuille de papier revêtue des mots *non* et *oui*. Sous le papier était tendu un tissu satiné. Lydia Bartels était assise en tailleur, les mains ouvertes, les yeux fermés. En m'accueillant à la porte, Mme Vaik avait voulu savoir qui je voulais invoquer. Je m'étais décoiffé, je tripotais le bord de mon chapeau, et je commençais à peine à bredouiller que la dame m'avait interrompu :

« Je ne veux pas en savoir davantage. Sauf si c'est pour une histoire d'or.

– Non.

– Il y en a beaucoup qui demandent après des trésors, des gens qui cherchent des cachettes de parents déportés… Mais ces choses-là n'intéressent pas les esprits. Les invocations futiles La fatiguent. » Mme Vaik avait hoché la tête en direction d'une pièce obscure.

À présent, j'étais assis en cercle avec les autres dans cette même pièce, les membres ankylosés, l'air lourd de soupirs impatients et les rideaux agités par un courant d'air, et c'est alors que Lydia Bartels a demandé si la fille d'un certain homme blond était là. J'ai entendu un soupir épouvanté à ma gauche. L'assiette a bougé. L'assemblée retenait son souffle, les cœurs palpitaient, les espoirs étouffés martelaient, et une odeur de sueur aigre me montait au nez, la saveur âcre et acide de l'être humain qui a peur. L'assiette s'est déplacée vers le mot affirmatif.

La femme à ma gauche s'est mise à pleurer.

« Elle est déjà partie. En voici une autre… Rosalie ? Rosalie, es-tu présente ? »

L'assiette s'est déplacée sur le papier comme si elle ne savait pas dans quelle direction aller. Elle s'est arrêtée sur le mot *oui*.

« Est-ce que tu te sens bien, Rosalie ? »

L'assiette s'est déplacée. Non.

« Ta fin a-t-elle été violente ? »

L'assiette s'est déplacée. Oui, oui.

« Tu ne t'es pas fait de mal toute seule, hein ? »

L'assiette s'est déplacée. Non.

« Sais-tu qui t'a violentée ? »

L'assiette s'est déplacée. Oui.

« Sais-tu où est cette personne ? »

L'assiette est restée immobile.

« Rosalie, tu es toujours là ? »

L'assiette ne s'est dirigée vers aucun mot, elle oscillait entre les deux.

Mme Vaik s'est penchée vers mon oreille pour m'inviter à poser une question. Je n'ai pas eu le temps d'ouvrir la bouche que quelqu'un à ma droite s'est levé brutalement et a reculé vers la porte en tremblant et en récitant le *Notre Père*. Lydia Bartels s'est affaissée.

« Non ! »

Un cri m'a échappé :

« Rosalie, reviens ! »

Mme Vaik s'est levée d'un bond et a chassé la créature tremblante. La porte a claqué, la lampe s'est allumée. Lydia Bartels avait ouvert les yeux, elle a resserré son châle autour d'elle et s'est levée pour aller s'asseoir sur une chaise. Mme Vaik a demandé aux gens de quitter la pièce. Mon émotion était si grande que je ne me souciais pas de tous les yeux du cercle braqués sur moi. Le regard des uns trahissait leur déception que la séance soit levée avant leur tour, celui des autres en disait long sur les racontars dont Rosalie ferait l'objet même si on ne la connaissait pas. Je suis resté en queue du groupe et, adossé au mur sur lequel tournoyaient les ombres de la lampe, je me suis affalé par terre. Tandis que je battais des paupières, j'ai remarqué que mes yeux convergeaient sur une photographie du président Päts glissée derrière la commode.

« Vous devez vous en aller, m'a dit Mme Vaik.

– Rappelez Rosalie.

– Cela ne marchera plus, maintenant. Revenez jeudi prochain.

– Rappelez-la tout de suite ! »

Je devais absolument en savoir plus. Quelqu'un racontait qu'on avait aperçu, au village, un vagabond qui importunait les femmes. Je ne croyais pas à ces histoires de vagabond, ni aux élucubrations sur les prisonniers de guerre russes qui servaient de main-d'œuvre dans les fermes. Il n'y en avait pas dans celle des Arm, ma mère serait complètement sortie de ses gonds si elle avait vu des Russes ou entendu leur langue, alors que j'avais essayé moi-même de la convaincre de réquisitionner des prisonniers. La ferme des Arm manquait de bras, le père de famille avait une jambe de bois, et l'aide que je pouvais apporter n'était pas suffisante. Mais les prisonniers étaient sous surveillance, ce qui n'était pas le cas des Allemands.

« Écoutez, jeune homme. Une séance, c'est très lourd, les esprits Lui pompent toute son énergie, étant donné qu'ils n'ont pas d'énergie propre. Il n'est pas possible de tenir plus d'une séance par semaine. Ne voyez-vous pas comme Elle est fatiguée ? Venez dans la cuisine, je vais vous faire une boisson chaude. »

Mme Vaik prépara du café de céréales et versa dans un verre un alcool qui sentait le tord-boyaux maison. Je savais qu'elle travaillait aussi comme accoucheuse pour les bâtards, qu'elle avait pansé les plaies de gens partis en forêt. Si je ne trouvais pas plus de secours auprès d'elle, je serais complètement désemparé.

« Je paierai, si vous rappelez Rosalie. Je paierai tout ce que vous voudrez.

– Nous n'invoquons pas les esprits pour l'argent. Vous reviendrez jeudi prochain.

– Je ne peux plus revenir, maintenant qu'on m'a vu. Je dois trouver le coupable. Autrement je ne serai pas en paix. Ni Rosalie.

– Alors vous devrez trouver le coupable tout seul. »

Le regard de Mme Vaik était contracté comme un nœud de cordonnier. J'ai observé les souricières dans les coins de la cuisine, mes mains habituées à l'action tressautaient sous la table. J'ai vidé mon verre si furieusement que je me suis cogné la dent. La douleur m'a éclairci la tête, mais sans chasser la conscience lancinante d'avoir perdu avec Rosalie un lien dont ces femmes disposaient encore. En outre, j'avais agi contre la volonté de Rosalie. Elle avait toujours dit qu'il ne fallait pas invoquer les esprits, qu'il fallait les laisser tranquilles dans leur royaume. Je ne m'en souciais plus. J'avais quitté les voies de l'Église, elles n'étaient plus pour moi. Elle avait renié Rosalie, l'Église.

Mme Vaik est allée inspecter un piège placé au pied du vaisselier ; elle en a détaché une souris, qu'elle a jetée dans le seau à ordures.

« Cela vous a-t-il soulagé de savoir que Rosalie n'a pas trouvé la paix ? m'a-t-elle demandé.

– Non.

– Et pourtant, vous avez cherché à le savoir. Sinon vous ne seriez pas venu ici. Nous ne sommes que des truchements. Les conséquences du savoir, ou ce qu'il apporte, cela n'est pas de notre ressort. Ainsi, vous n'avez rien voulu apprendre sur votre père. »

J'ai observé Mme Vaik. Elle secouait lentement la tête en me regardant droit dans les yeux.

« Dans le train. Il était déjà âgé. Il venait de monter dans un wagon pour la Sibérie. Mais vous avez dû le deviner. »

Je n'ai rien dit. Mme Vaik avait raison. Rosalie avait fait allusion aux souris qui étaient venues sous le lit de ma mère en juin, je n'avais pas voulu l'écouter. La fille de Mme Vaik, Marta, est entrée en faisant des bruits de vaisselle et s'est affairée à la cuisinière. Je n'aime guère les oreilles qui traînent, mais je ne m'en suis pas préoccupé, pour une fois.

« Votre fiancée est venue à une séance avec une amie, a dit Mme Vaik. Marta se souvient bien de cette soirée. Il y avait trop de gens, à cette séance. Des Allemands étaient arrivés à l'improviste et on ne pouvait pas les renvoyer.

– Rosalie s'inquiétait pour votre père, son amie pour son frère, ainsi que pour son mari, poursuivit Marta en écartant le fichu de sa tête pour révéler un regard compatissant que je n'ai pas pu soutenir. Seul votre père est apparu.

– Rosalie ne m'en a rien dit, elle n'aimait pas invoquer les esprits.

– Elle voulait savoir, a dit Mme Vaik. Et, une fois qu'elle a su, elle a estimé que l'espoir vous serait salutaire. »

J'ai bu un deuxième verre d'eau-de-vie, je ne sentais pas l'ivresse. La souris flottait dans le seau. Mon plan était prêt, Juudit allait m'aider.

Dans la cabane forestière, j'ai commencé mes préparatifs en faisant mon sac, en nettoyant mon Walther et en durcissant mon cœur aux événements à venir et passés. Je sentais la petite main de Rosalie sur ma nuque, là où elle l'avait posée lors de notre dernière rencontre, je la sentais en permanence. Personne n'avait prononcé son nom depuis longtemps, le silence qui l'entourait était une mer d'huile. Dès qu'ils me voyaient, les gens parlaient frénétiquement de la pluie et du beau temps, des fleurs des champs, et ils ne marquaient pas de pause entre leurs phrases, de peur que j'y intercale des paroles embarrassantes. Qui étaient-ils vraiment, ces gens ? Étaient-ils si épouvantés par les déportations de juin que tout le monde était prêt à se taire du moment que les Allemands tenaient les bolcheviks à l'écart ? Les Arm étaient-ils si joyeux qu'aucun d'eux n'eût été emmené, et que seuls mon père et le frère de Juudit eussent été pris dans les filets des bolcheviks, étaient-ils si joyeux qu'ils se taisaient au prix de la vie de leur fille, pourvu que les sauveurs teutoniques ne les abandonnent pas et ne les prennent pas pour des ingrats ? Avaient-ils même peur que j'agace les Allemands en allant revendiquer la ferme des Simson, et que Juudit aussi soit devenue une belle-fille indigne à cause de son frère parce que sa mère voulait faire restituer la ferme de Johan ? Edgar avait-il acheté un asile pour ma mère en la ferme des Arm grâce à ses fricotages allemands ? Jusqu'où était-on prêt à aller, dans la maison Arm ? Je ne les reconnaissais plus. Je pleurerais mon père plus tard, je continuerais mon travail sur les ravages des bolcheviks en honneur à sa mémoire – mais d'abord, je chercherais les coupables du sort de Rosalie. Le temps était désormais à l'action, plus à l'attente.

« Quels sont tes plans ? Tu ne vas pas faire de bêtises, hein ? »

Edgar s'était posé sur le seuil tel un oiseau de mauvais augure, le vent déployant les pans de son manteau comme des ailes noires. Je regrettais déjà d'avoir raconté à mon cousin ce que j'avais entendu en venant à la cabane : le gamin des voisins avait vu un Allemand sortir de la ferme des Arm la nuit où Rosalie était partie. Du moins, l'homme portait un uniforme allemand, le garçon n'avait pas vu son visage dans l'obscurité. L'intrus était-il passé uniquement pour les pots de graisse de Leonida ? Je n'y croyais pas.

« Le coupable court en liberté, et toi tu ne penses qu'à ton bizness, ai-je rétorqué.

– Ils ont parlé d'un vagabond, au village, a répondu Edgar. Va savoir où il peut être, à l'heure qu'il est.

– Tu sais très bien que c'est du bidon.

– Tu accuses tous les Allemands à cause d'un geste commis par un aliéné. T'as perdu la boule ? C'est toi qui te conduis comme un fou. »

La voix d'Edgar grinçait à mes oreilles. Il fallait que je me lève, j'ai remis des bûches dans le poêle, j'ai fait du bruit en refermant le crochet.

« Et à quoi ça aurait servi, si Leonida était allée à la police ? Ce n'est pas ça qui aurait ramené Rosalie. »

Edgar a puisé de la bouillie dans son assiette, d'abord de la main droite, puis de la gauche. Ses mots suçotaient au rythme de la cuillère, à grandes bouchées réprobatrices ; des gouttes de bouillie éclaboussaient la table.

« Pense un peu, si Leonida était allée porter plainte contre un Allemand inconnu qui avait fait quelque chose à Rosalie… Qu'est-ce qu'elles deviendraient, Leonida et maman, si les soldats se mettaient à éviter la ferme, alors qu'on est tellement dans le besoin ? Et c'est sûr qu'ils l'éviteraient, si on laissait courir des rumeurs sans fondement à propos de la maison. »

Pour conclure, Edgar a grimacé, creusant les rides accusatrices autour de ses lèvres :

« Regarde-toi, maintenant. Et regarde-nous, moi, Leonida, maman, nos amis. Notre vie va de l'avant : tu devrais faire pareil. Tu pourrais au moins te raser. »

Les paroles d'Edgar étaient insolentes. Elles l'étaient un peu plus chaque fois qu'il revenait de son bizness. Souvent, il restait déambuler dans la cour, comme s'il s'entretenait avec des gens, peut-être ses nouveaux amis ou je ne sais qui il pouvait rencontrer en ville. J'avais dit qu'il devrait élucider ce qui était arrivé à Rosalie, être attentif aux rumeurs. Quelqu'un devait bien savoir quelque chose : dans une petite localité, les secrets ne se gardent pas. J'attendais des nouvelles, Edgar rentrait toujours en secouant la tête. Finalement, j'ai cessé de croire qu'il faisait quoi que ce soit pour faire avancer l'affaire. Je ne pourrais plus aller chez Leonida et ma mère, j'avais trop peur de lever la main sur elles. Edgar allait voir ma mère de temps en temps, et si elle avait raconté quelque chose, c'était bien à lui, mais il n'a pas contraint sa maman chérie à parler, il n'a pas demandé de noms, il n'a pas posé de questions précises sur les soldats qui étaient passés à la ferme, non, malgré mon insistance.

« Et si ça n'avait rien à voir avec les Allemands ? Si tu les accusais à tort ?

– Qu'est-ce que tu insinues ?

– Si c'était un des prétendants de ta copine... »

Et voici Edgar étendu par terre. L'assiette de bouillie avait volé en éclats. Quand il a ouvert la bouche, ses dents étaient ensanglantées. J'étais immobile, tremblant. Il a rampé vers la porte. J'ai deviné qu'il se dirigeait vers l'écurie. J'ai pris les devants. Il ne me regardait pas en face, il avait toujours eu peur de la bagarre. Je craignais de le frapper à nouveau, cette fois je risquais de le tuer. Je me suis écarté de la porte, j'ai soulevé le crochet et j'ai ouvert :

« Disparais. »

Edgar a rampé dans la cour. J'ai refermé la porte derrière nous et suis passé dans la cour à bétail. Je surveillais l'écurie. Mais Edgar a pris une bicyclette. Il l'a poussée vers la route, puis s'est arrêté, devinant sans doute que je le suivais des yeux dans l'ombre d'un buisson.

« Ta copine, elle avait une réputation ! » il a crié.

Il s'était mis à courir, sans même enfourcher la bicyclette – c'est dire si j'avais dû le frapper fort.

« Tu ne te rappelles pas qu'elle avait une amie à la distillerie, ta copine, à la distillerie du manoir ? Elle allait là-bas en courant dès qu'on avait le dos tourné ! Pourquoi tu crois qu'elle courait ? Il y en avait, là-bas, des prétendants, pour ta copine, il y avait des Allemands, et des nôtres aussi ! »

J'ai failli fondre sur lui, mais j'ai bandé mes muscles pour les forcer à me tenir sur place. J'avais le cœur plein d'idées noires, encore plus noires que les images de mes cauchemars. J'étais comme un arbre réduit en miettes par un obus, sans branches et blessé, et je voyais le paysage inchangé autour de moi. Rosalie, ma Rosalie n'était plus. Je n'entendrais plus le rire cristallin de ma bien-aimée aux yeux graves, jamais je ne me promènerais avec elle au bord du champ, je ne ferais pas de projets d'avenir. Cela ne me rentrait pas dans le crâne, même si les pages de garde de mon calepin étaient pleines de croix pour mes frères. Mais c'était une autre histoire : ils étaient tombés au combat, eux.

Après avoir congédié Edgar, je me suis mis en route à mon tour. J'ai emporté les faux tampons habilement fabriqués par mon cousin, qui trouveraient sûrement une utilité. J'ai laissé mon hongre caché dans l'écurie des Arm. Il avait beau être à peu près mon seul ami en ces temps-là, je ne pouvais pas le garder en ville. Je ne me suis arrêté qu'en arrivant à Tallinn, devant le porche de la maison de Valge-Laeva. Je ne savais pas si Juudit était au courant et, le cas échéant, ce qu'on lui avait raconté. L'eau ruisselait sur mon imperméable, et je rejouais en pensée l'instant où Edgar se tenait sur le seuil et où les populages des marais cueillis par Rosalie tourbillonnaient par terre.

Quand la silhouette émaciée de Juudit est apparue à la porte d'en bas, je suis entré. Je la reconnaissais à peine. Elle a sursauté comme un oisillon délicat et j'ai senti un coup dans ma poitrine, car chaque femme délicate me rappelait ma chérie.

« Roland ! Que fais-tu ici ?

– Entrons. »

Mais ce qui m'amenait n'était pas plus facile à dire à l'intérieur. Je me suis encouragé en me rappelant que, si j'étais tout à l'heure un homme qui avait tout perdu, à présent j'étais un homme qui avait un plan : j'allais retrouver le coupable pour que Rosalie repose en paix. Cela ne me rendrait pas nos champs, ni mon père tué par les bolcheviks, ni Rosalie, mais j'aurais au moins creusé la terre sous les pieds de mon ennemi.

« Comment es-tu venu ? m'a demandé Juudit.

– Je suis venu comme je suis venu.

– Comment s'est passé le trajet ?

– Bien.
– Il est arrivé quelque chose ? »

J'ai regardé dans l'entrée. Une flaque s'étalait autour de l'imperméable que j'avais laissé sur une chaise. Les mots étaient si lourds que je n'arrivais pas à les laisser sortir. Je me suis assis dans la cuisine. Je lui demanderais plus tard des nouvelles de mon père : d'abord, je devais l'entraîner dans mon plan. Sur la table, il y avait des pots de graisse fondue dans une caisse. Je me sentais bizarre, assis là, comme ça, les mains désœuvrées. Parler serait plus facile si j'avais au moins un crayon à tripoter ou un harnais à graisser. Je me suis lissé la barbe, j'ai tâté mes cheveux hirsutes, j'étais malpropre à la table d'une dame de la ville. Voilà ce qui me venait à l'esprit, des futilités, pour m'empêcher d'en venir au fait.

Le silence était pesant, Juudit était agitée et, bien qu'elle eût clairement envie d'en savoir plus, elle se taisait ; elle s'est mise à ranger des ustensiles qui étaient déjà rangés, à déplacer une caisse de pots de poulet, elle a dit que Leonida les avait apportés en venant au marché pour en vendre d'autres, les Allemands envoyaient de la nourriture à leurs familles.

« En échange, on peut avoir n'importe quoi. Contre deux pots, je reçois deux paires de bas. Et des œufs en poudre. »

J'ai ouvert la bouche pour lui couper la parole. Cependant, je ne connaissais personne de mieux qualifié pour la mission que j'avais formée en pensée. Je me suis mordu les lèvres.

« Tu as de la fièvre, Roland. »

Elle a posé un mouchoir devant moi. Je ne l'ai pas pris. La porte du placard a claqué et Juudit s'est approchée de moi avec un thermomètre, elle a versé une goutte d'iode dans un verre d'eau, et elle m'a tendu le verre et le thermomètre. Je n'ai pas bougé. Juudit les a laissés devant moi, et elle a sorti du matériel de soins d'un panier, elle était déjà en train d'appliquer la batiste de Billroth et la flanelle.

« Tu as l'air malade, a-t-elle dit.

– J'ai un service à te demander. Il faudrait que tu cherches des renseignements chez les Allemands. Rien de dangereux, rien de trop compliqué, juste quelques trucs.

– Roland, de quoi parles-tu ? Je ne veux pas être mêlée à des âneries, a-t-elle protesté.

– Rosalie… »

Les mains de Juudit se sont arrêtées.

« Ma copine a été mise en terre derrière l'enceinte de l'église. Sans croix.

– Rosalie ?

– Les Allemands.

– Que veux-tu dire ?

– C'est les Allemands qui ont fait cela.

– Qui ont fait quoi ? Tu veux dire que Rosalie… ? »

Je me suis levé. Les pansements ont pivoté sur ma jambe. J'avais le front comme du soufre incandescent, j'étais incapable d'en dire plus. L'insensibilité de Juudit me frappait au visage comme un broc d'eau de source glacée.

« Roland, sois gentil, rassieds-toi et raconte-moi ce qui s'est passé, m'a-t-elle conjuré.

– Rosalie ne se trouve plus qu'en mon sein et en celui de la terre. »

Juudit se taisait. Ses cils battaient, leur mouvement faisait le même bruit que les ailes d'un oiseau à la surface d'un lac. J'avais les yeux cerclés de larmes.

« Ils l'ont enterrée à l'extérieur du cimetière. C'est un coup des Allemands.

– Cesse un peu de critiquer les Allemands.

– J'ai une mission pour toi, et tu vas l'accomplir. Je reviendrai quand tout sera prêt », ai-je dit, et je suis sorti. Juudit bredouillait encore quelque chose. J'étais arrivé en bas quand je l'ai entendue dévaler l'escalier derrière moi.

« Roland, dis-moi tout, il le faut.

– Pas ici. »

À l'intérieur, j'ai raconté ce que je savais.

Le panier de Juudit a roulé par terre, déversant ses bandages comme des linceuls.

Deuxième partie

« Notre objectif est de dénoncer les efforts des groupuscules fascistes d'outre-mer visant à réhabiliter les occupants hitlériens et leurs collaborateurs. »
L'État et le peuple estoniens dans la Seconde Guerre mondiale, Tallinn, Éditions La Patrie, 1964.

Tallinn
RSS d'Estonie, Union soviétique

Le plafond craque sous les pas. Le grincement se déplace vers l'emplacement de l'étage où se trouve la commode, de la commode à la fenêtre, de la fenêtre à la penderie, puis de nouveau à la commode. Les yeux du camarade Parts balaient le plafond dans une tension sèche, sans ciller. De temps à autre, il entend sa femme s'asseoir sur une chaise, le sol est entaillé par le pied de la chaise, et le front de Parts par ce bruit. Il presse ses doigts sur ses tempes moites, aux veines palpitantes, mais les pantoufles de l'épouse ne s'arrêtent pas, elles claquent sur place, leur martèlement creuse le plancher, crisse sur l'épaisse peinture beige, effrite le plâtre du plafond, en gratte les fissures, provoquant un vacarme insupportable qui empêche Parts de se mettre au travail.

Lorsque la pendule sonne onze heures, le matelas fait couiner ses ressorts dans la chambre à coucher, et quelques grincements persistent. Puis c'est le silence.

Le camarade Parts tend l'oreille. Le plafond ne fléchit pas, la lisière au-dessus de la corniche reste de niveau, la discrète oscillation du lustre s'apaise.

Le silence perdure.

Parts a attendu cet instant pendant toute la journée, prenant son mal en patience, régulièrement parcouru par des frissons exaspérés. Néanmoins, cette attente était relevée d'une pincée d'enthousiasme, d'un enthousiasme fougueux, tel qu'il n'en éprouve plus que rarement.

La machine à écrire l'attend. La lumière tamisée du lustre fait briller le métal de l'Optima, le clavier flamboie. Le camarade Parts redresse sa veste de laine, étire ses poignets et arrondit ses mains dans la bonne position, comme s'il donnait un concert à guichets fermés. L'œuvre sera un succès, il n'y aura pas de problème. Cela dit, Parts doit reconnaître que son col de chemise rétrécit toujours d'une taille lorsqu'il s'assied à sa table.

Sur le cylindre repose un feuillet avec copie carbone interrompu la veille au soir. Les poignets de Parts sont déjà en l'air, prêts à passer à l'acte, mais il les repose sur son pantalon aux plis bien nets. Son regard s'accommode sur les mots imprimés, il les reparcourt plusieurs fois en marmonnant, les goûte et les approuve. La narration lui semble toujours fraîche, le col lui paraît déjà un peu plus lâche. Ragaillardi, il empoigne le premier feuillet du manuscrit et va se planter au milieu de la pièce, en s'imaginant devant un public auquel il déclamerait en silence le paragraphe d'ouverture : *De quels forfaits inconcevables les malfaiteurs estoniens n'ont-ils pas été capables, de quels crimes terrifiants ! Les pages de cette étude dénoncent des conspirations fascistes et des actes meurtriers effroyables. Vous y lirez la preuve des tortures bestiales auxquelles les hitlériens se livraient en exultant, en se réjouissant et en se délectant sans aucun scrupule. Cette étude crie justice, et on retournera jusqu'au dernier caillou pour élucider ces crimes qui visaient à la destruction de citoyens soviétiques.*

Le camarade Parts est essoufflé, en arrivant au bout du paragraphe, aussi essoufflé que le texte, et il prend cela pour un bon signe. Le commencement, c'est toujours le plus important, ça doit être expressif et envoûtant. Celui-ci l'est, et il est également conforme aux recommandations du Bureau. L'œuvre doit se distinguer des autres livres traitant de l'occupation hitlérienne. Il a trois ans devant lui : c'est le délai accordé par le Bureau pour les recherches documentaires et pour la rédaction. En signe de confiance, et le geste est exceptionnel, il a même reçu une nouvelle Optima à domicile, sur son bureau personnel ; mais cette fois, il ne s'agit pas de réaliser une petite brochure de contre-propagande ni un recueil pour la jeunesse sur l'amitié des peuples, pas plus qu'un livre de contes édifiants pour enfants, mais rien de moins qu'une œuvre qui changera le monde – la grande patrie et l'Occident. Par conséquent, le commencement doit être à couper le souffle.

L'idée vient du camarade Porkov, et le camarade Porkov est un homme pragmatique, c'est pourquoi il aime les livres et le profit que ses méthodes peuvent en tirer. Car les gens qui achètent les livres paient les frais de l'opération. Porkov aime aussi les films, pour la même raison, mais ceux-ci ne sont pas du ressort de Parts, contrairement à l'expression littéraire, et les paroles de Porkov le réchauffent toujours dans les moments d'incertitude, même s'il sait bien qu'elles ne sont que flatterie : le camarade capitaine a dit qu'il avait recommandé Parts pour accomplir cette tâche parce qu'il ne connaissait pas de meilleur magicien des mots.

L'annonce de la mission fut un moment formidable. Ils étaient assis au QG secret dans le cadre de leur rendez-vous hebdomadaire, en train de faire le point sur le réseau épistolaire de Parts, et celui-ci ne se doutait pas que Porkov avait conçu d'autres projets à son intention. Que Moscou avait déjà donné son accord après avoir étudié son dossier. Que sa priorité, dans un moment, ne serait plus sa vaste correspondance avec l'Ouest, mais tout autre chose. De but en blanc, le camarade a dit que ce serait le bon moment. Quand Parts, un peu embarrassé, a demandé des précisions, Porkov lui a répondu :

« Pour que vous, camarade Parts, deveniez écrivain. »

Il recevra un à-valoir substantiel : trois mille roubles. La moitié reviendra à Porkov, parce que celui-ci a déjà fait une partie du travail en sélectionnant les matériaux censés donner naissance à l'œuvre. Ces documents se trouvent maintenant sous clef dans l'armoire de Parts : deux valises de livres traitant de l'occupation hitlérienne, y compris des publications occidentales qui ne sont pas destinées aux yeux des Soviétiques. Parts a parcouru les sources et il en a tiré une ou deux conclusions quant à sa ligne éditoriale. L'œuvre montrera que l'Union soviétique est extrêmement désireuse d'élucider les crimes hitlériens, avec autrement plus d'ardeur que les pays de l'Ouest. Ceci étant le centre de gravité, il est évident que des idées différentes se sont manifestées dans les publications occidentales. En effet, aux côtés des mots *Union soviétique*, il convient d'ajouter ici les notions de *justice* et de *démocratie* le plus souvent possible ; à l'Ouest, ils ne reconnaissent pas ces qualités à l'Union soviétique.

Le second fil conducteur est clairement lié aux émigrants estoniens : une grande partie des documents fournis à Parts sont de la plume de réfugiés prolifiques. Le Politburo est apparemment affolé par leur ampleur et par leurs opinions antisoviétiques, leur diffamation de la patrie. Et puisque Moscou se fait du souci, on a pris des mesures : il est temps de procéder à une riposte symétrique. Parts, lui, ne saurait trouver de meilleure méthode que de présenter les émigrants sous un jour qui les rendrait suspects aux yeux des Occidentaux. Quand le fascisme intrinsèque des nationalistes estoniens éclatera au grand jour, l'Union soviétique récupérera tous ses traîtres à la patrie sur un plateau, car personne à l'Ouest ne pourra défendre des hitlériens, les criminels devront donc être remis à la justice. Nul n'écoutera plus les lamentations et les appels des émigrants estoniens, nul ne se permettra de les soutenir en public : ce serait interprété comme une promotion du fascisme, et le gouvernement estonien en exil sera considéré comme une société secrète d'ordures fascistes. On n'aura même pas besoin de preuves, il suffira de semer le doute. Quelques mots, un chuchotis.

« Bien sûr, votre expérience personnelle apportera tout son piquant », a ajouté Porkov après avoir dévoilé à Parts sa nouvelle mission. Ils ne s'étaient jamais entretenus de son passé, mais Parts a compris le message, il n'a aucune raison de cacher les motifs pour lesquels il a été envoyé dans les camps de Sibérie. À présent, ces mêmes motifs sont devenus des qualités, chaque pas foulé sur l'île de Staffan a tourné à son avantage, comme autant de marques de compétence.

« Nous n'aurions pas aussi bien réussi à éradiquer ces vermines de nationalistes sans votre aide. Cela ne sera pas oublié, camarade Parts », a poursuivi Porkov.

Parts a dégluti. Le capitaine avait beau, par ces mots, lui laisser entendre qu'il pourrait lui en parler librement, ce n'est pas volontiers que Parts aborde ces questions-là, parce qu'en même temps c'est un sujet compromettant. Porkov voulait tout de même continuer sur sa lancée, Parts se forçait à sourire du coin des lèvres.

« Ainsi, entre nous, je puis vous assurer que personne n'a fourni au comité de sécurité d'État de renseignements plus complets sur les agissements antisoviétiques d'Estonie, sur tous les agents de liaison, espions anglais, bandits des forêts, avec toutes les adresses… Un travail remarquable, camarade Parts. Sans vous, le passage à l'Ouest du fasciste Linnas n'aurait pas été découvert, sans parler de tous les traîtres qui avaient assisté les émigrants estoniens et dont vous nous avez permis de retrouver les identités. »

Parts s'est senti nu. Porkov ne lui parlait de cela que pour lui montrer qu'il savait tout sur son compte. Parts n'en imaginait pas moins, certes, mais le fait d'énoncer les choses à voix haute constituait une démonstration de force. C'était une méthode bien connue. Il a contraint sa main à rester à sa place alors qu'elle était en train de se lever pour vérifier si son passeport se trouvait toujours dans sa poche de poitrine. Il a maintenu ses jambes immobiles et regardé Porkov dans les yeux en souriant.

« Dans mes missions sur le front antiallemand, j'ai pu me familiariser avec les activités des nationalistes estoniens, je les connais parfaitement. J'oserais même affirmer que je suis un expert en la matière. »

Le livre sera édité par Eesti Raamat. Porkov veillera à ce que la chose se déroule en toute simplicité. Parts pourrait déjà se préparer pour la signature du contrat d'édition, pour la fête de lancement, mettre le champagne au frais et commander un gâteau Napoléon, ainsi que des œillets pour sa femme. Il y aura des traductions, et beaucoup. Des médailles. Les tirages seront énormes. Lors des célébrations antifascistes, il sera un invité d'honneur.

Il pourra quitter son emploi au poste de garde de l'usine Norma, qui lui servait de couverture. L'à-valoir et les enveloppes brunes du Bureau lui assureront un niveau de vie suffisamment confortable.

Il aura le gaz à la maison.

Décidément, Parts ne peut pas croire son bonheur.

Seule l'ambiance de travail reste un problème : chez lui, la tranquillité n'existe pas. Le camarade Parts a sous-entendu qu'il avait besoin d'un bureau de chercheur, mais on n'a pas encore donné suite à sa requête, et il ne peut pas révéler à sa femme la nature de cette mission, pas même dans l'espoir que l'importance de l'affaire puisse avoir un effet apaisant sur ses crises de nerfs. Parts retourne à son bureau, défait les boutons de son col. Il faut se mettre au travail, Porkov attend une mise en bouche, les premiers chapitres, il y a tellement en jeu – tout le restant de ses jours.

Tallinn
RSS d'Estonie, Union soviétique

Dans la rue, le camarade Parts est assailli par le courant d'air qui sort de la cave de l'immeuble de Pagari, à cent lieues avant d'arriver aux portes métalliques de l'entrée. Ce souffle particulier lui rappelle les années soviétiques de sa jeunesse, avant l'arrivée des Allemands. Il était venu dans ce même immeuble rencontrer son collègue d'alors, Ervin Viks, pour des affaires concernant le commissariat du peuple à l'Intérieur, et Viks sortait justement de la cave lorsque Parts s'était arrêté pour secouer la pluie de son ulster. Les manchettes de Viks portaient des éclaboussures de sang, ses chaussures laissaient des traces rougeâtres sur les carreaux blancs. Le caisson hyperbare situé à la cave fait l'objet de toutes sortes de rumeurs populaires ; mais le pire, selon Parts, c'est ce vent, que les sous-sols dégageaient déjà à l'époque, et qui maintenant balaie toute la confiance en soi avec laquelle il était arrivé dans la rue. L'immeuble du comité de sécurité d'État donne la même impression d'une décennie à l'autre. Ce courant d'air ne se rencontre nulle part ailleurs, il vous suit dans l'ascenseur et dans les étages, il souffle directement à travers le parquet du bureau du camarade

Porkov et ébranle l'assurance de Parts, pourtant tissue avec soin, quand celui-ci se présente devant le capitaine. À travers ses semelles, Parts sent le parquet, chaque latte, chaque fibre. Comme si ses chaussures neuves avaient cédé la place à celles de sa jeunesse, celles qui étaient ferrées et dont les semelles étaient si usées que le sable lui rongeait les orteils.

Porkov sourit amicalement sous les portraits des chefs, derrière son bureau, le coude sur un classeur en carton qu'il a fermé avec une lenteur délibérée, une lenteur telle que Parts a pu apercevoir sa photographie à l'intérieur. Ils admirent un instant la vue ravissante par la fenêtre du cabinet de Porkov, qui donne sur la rue Lai, on voit même la mer, ainsi que le clocher de Saint-Olaf qui est agréable à Porkov. Parts cligne des yeux, le câble d'antenne reliant Pagari au clocher de Saint-Olaf se distingue à peine. Un instant éphémère, il imagine ce qu'il éprouverait s'il avait un jour un bureau semblable, son propre service, dont il emprunterait les couloirs avec l'impression d'arpenter les couloirs du pouvoir, et l'air froid de la cave soufflerait sur les chevilles des autres, pas sur les siennes. Il laisserait les employés prendre le vieil ascenseur de service tandis que lui-même se réserverait l'ascenseur principal, et il aurait les clefs de toutes les pièces : du central de communication, des archives audiovisuelles et des caves. Le message craché chaque nuit par le téléscripteur crépitant lui appartiendrait. Les vies de tous les citoyens. Chaque conversation téléphonique. Chaque lettre. Chaque mouvement. Chaque relation. Chaque voie. Chaque vie.

La jambe de son pantalon bat dans le courant d'air, Porkov se racle la gorge. Parts se redresse, tire les épaules en arrière. Une invitation dans le bureau lumineux de Porkov est un témoignage de respect, son attitude doit être à la hauteur, concentrée. Une carafe raffinée miroite dans les derniers rayons du soleil couchant. Porkov remplit des verres en cristal de Bohême, allume le plafonnier laiteux et fait part de son extrême satisfaction. Parts déglutit – on a pris connaissance de ses feuillets, Porkov est d'une humeur favorable, la centrifugeuse de ses paroles élogieuses donne le vertige à Parts, qui se trouve un instant dans un état d'esprit visqueux, tour à tour rougissant en silence et bredouillant des bribes de réponse.

Après le verre, il doit se pincer la main et se rappeler qu'il a du pain sur la planche. Il est déjà passé bien des fois, en rentrant chez lui, devant le 10 route de Pärnu comme si de rien n'était, regardant les fenêtres des étages et ressentant le désir d'entrer, de présenter l'avancement de son manuscrit aux employés de la *Glavlit**, qui ne manqueraient pas d'en saisir la portée, la perfection. Il pouvait toujours rêver, il ne le ferait jamais réellement, il ne verrait jamais les gens de la Glavlit qu'il avait à convaincre. À la place, il aurait affaire à la maison d'édition située dans le même immeuble, et il empocherait bientôt l'argent, mais chaque chose en son temps, il serait plus sage de rappeler l'à-valoir plus tard. D'abord, il faudrait s'assurer la satisfaction de Porkov, gagner sa confiance. Mieux vaut ne pas ébranler l'excellente humeur du camarade capitaine, pour que la demande de Parts ne soit pas jugée déplacée : il souhaite étendre ses recherches aux matériaux d'archives.

Porkov est un peu soûl, la moitié de l'eau-de-vie s'est déjà volatilisée et, quand il remplit de nouveau les verres, la conversation devient deux fois plus fluide. D'abord, il fait mine de ne pas comprendre que Parts vient d'insinuer une demande, une lueur d'étonnement passe dans ses yeux, assez perçante pour que Parts se rende compte que Porkov exagère son ivresse, tout comme il le fait lui-même. On pourra toujours mettre sur le compte de l'ivresse un comportement susceptible d'être pris pour de l'arrogance : avec cette idée en tête, Parts se force à formuler son vœu sans détour. En même temps, il laisse la vexation lui décomposer le visage, bafouille qu'il est sûr qu'il reconnaîtrait plus d'ordures, dans les matériaux d'archives, et qu'il serait capable de les identifier. Porkov éclate de rire, lui donne une tape dans le dos et répond : « On verra... Encore une goutte ? On verra... » Tout en remplissant les verres, Porkov lui jette un nouveau coup d'œil d'outre-ivresse, et Parts s'essuie les yeux, se laisse chavirer dans une mollesse grisée, fait mine de manquer la table en reposant son verre, et maîtrise sa main qui a failli épousseter les pellicules sur son épaule.

« Mais on vous a déjà donné de la documentation en abondance pour les besoins de l'œuvre, cela devrait suffire. Nous avons nos propres directives, camarade Parts. »

Parts s'empresse de lui faire part de sa reconnaissance pour les matériaux confiés et il ajoute :

« Je suis certain que le camarade capitaine serait considéré comme un héros, à Moscou, si le résultat final dépassait les attentes. »

À ces mots, Porkov s'arrête net.

« Il est vrai que vous pourriez trouver dans ces matériaux quelque chose qui aurait échappé aux autres.

– Exactement. J'étais sur place, moi, pour être témoin des crimes de ces ordures fascistes, et j'aurais perdu la vie si l'Armée rouge n'avait pas libéré le camp de Klooga. J'ai dédié ma vie entière à répertorier ses actes héroïques et à dénoncer les crimes de ce chancre hitlérien. Il se pourrait même que je reconnaisse les gardiens. Nombre d'entre eux étaient des nationalistes qui sont devenus des bandits par la suite. »

Porkov rit de nouveau, des postillons pleuvent jusque dans le verre de Parts ; en signe d'empathie, Parts se joint à cette causette assaisonnée par l'ivresse. Tout homme dans la situation du camarade capitaine rêve d'obtenir une promotion, et les initiatives de Porkov vont bon train. Le camarade pourrait-il résister à une voie pavée d'or pour Moscou ? Ces dernières années, il a paru une telle abondance de livres sur les aventures des hitlériens, et ils ont été répandus si largement à l'étranger, que Parts mesure l'importance de l'opération. Pour une raison ou pour une autre, le Politburo souhaite investir dans cette activité en Estonie. Cela suscite forcément des rivalités.

Porkov remplit une nouvelle fois les verres.

« Je donne une modeste soirée en ma résidence d'été. Venez donc avec votre épouse. J'aimerais bien la rencontrer. Nous avons tout lieu de planifier votre avenir. Les Estoniens cachent des nationalistes, ils ne se rendent pas compte du danger auquel ils s'exposent. C'est un problème moral, la morale de la nation doit être raffermie, et il est clair que vous êtes doué pour cela. »

Dans l'autobus, le ventre du camarade Parts commence à le tourmenter fâcheusement. Cela ne vient pas des verres remplis par Porkov mais du retour à la maison et de l'angoisse causée par l'invitation. Le camarade capitaine a semblé favorable au sujet de la requête des archives, mais ses faveurs tiendraient-elles toujours si Parts déclinait l'invitation ? Les autres immeubles déversent leurs bruits de couverts du dîner et leurs flots de lumière de cuisine, décourageants. Deux numéros plus loin, on prépare de la soupe aux quenelles le mercredi, le jeudi de la bouillie de nouilles pour les enfants, pour le mari on fait rôtir la viande. On fait des confitures. Parts est attendu chez lui par une grille de cuisinière gelée avec une marmite de pommes de terre couvertes d'eau froide, qui se sont substituées aux plats en sauce et aux escalopes Nelson des premiers temps de leur mariage après son retour de Sibérie. Les buissons de la cour ne donneront pas de baies : l'épouse n'a jamais daigné y épandre des cendres.

À la porte de la maison, cependant, c'est un spectacle hors du commun qui l'attend : le vent fouette des draps étendus sur une corde. Parts admire un instant les ondulations imprimées dans le linge par la bise, un spectacle des plus enchanteur – même si, à cette heure-là, il vaudrait mieux rentrer le linge à l'abri. Mais sa femme a fait la lessive, à la maison ! Soudain il n'est même plus énervé par sa manie pudibonde de suspendre ses sous-vêtements sous les draps, ni par le fait que la cuve était vide le matin et que quelques heures de trempage avec du Fermenta ne suffiraient en aucun cas à donner un bon résultat, ni par le fait qu'ils vont encore se chamailler au sujet du recours à une blanchisserie publique, alors que Parts connaît bien les dégâts dont ces établissements sont capables ; ils ont tout de même des dentelles faites par maman, ces draps. Mais trêve de bagatelles, la situation n'est peut-être pas désespérée, peut-être qu'une amélioration s'est produite. Peut-être qu'ils vont pouvoir accepter l'invitation de Porkov.

Parts s'approche de la porte d'entrée. Liszt jaillit du tourne-disque de sa femme pour retentir jusqu'à la cour, à l'escalier et à la rampe, dans lesquels il résonne pour se transmettre à la main de Parts quand il s'appuie à la rampe. Tiraillé entre l'espoir et un pressentiment de déception, il sort les clefs de sa poche, ouvre la porte avec un craquement, franchit le seuil sans allumer l'entrée. Il entend des pleurs dans le séjour, perçoit de la lumière par la porte vitrée. Le gémissement va et vient, parsemé de mots fredonnés. Parts espère toujours que la porte du séjour va s'ouvrir et que sa femme va venir à sa rencontre, elle sera juste un peu pompette ; mais le désenchantement sort de son enveloppe comme d'un oignon pourri qu'on effeuille, la lueur d'espoir caressée dans la cour s'éteint dans le cendrier débordant sur la table du téléphone. Parts pose sa serviette en maroquin contre le trumeau, suspend sa veste au portemanteau et enfile ses pantoufles ; il se résigne alors à entrouvrir la porte du séjour et à faire face à l'état de sa femme.

Elle se balance d'avant en arrière dans la lumière du lustre orangé, sa blouse retroussée jusqu'à la taille, les dentelles de son jupon tachées, la tumescence de son visage voilée par les cheveux emmêlés et par le vacarme du tourne-disque. Une cigarette incandescente empeste dans le cendrier, la bouteille de cognac Belyi Aist est à moitié vide, et sous la table s'élève une montagne de mouchoirs d'homme trempés de sanglots et froissés en boules. Parts referme la porte sans bruit et se rend dans la cuisine. Ses pas sont lourds, les draps pourront attendre. L'heureux déroulement du rendez-vous à Pagari avait eu le temps de le bercer dans un optimisme dérisoire. Il espérait, il espérait très fort qu'ils pourraient aller à cette soirée ensemble, en couple. Quel imbécile !

Dans le temps, les choses auraient pris une autre tournure. En Sibérie, Parts avait reçu une lettre de sa maman, où elle racontait que sa bru était en forme et s'occupait d'elle. Savoir que sa femme allait bien ne lui avait inspiré aucun sentiment, bien que ce message relatif à sa femme fût le premier du genre depuis des années. Il ne savait pas ce que sa femme avait fabriqué juste avant la retraite des Allemands. Lui-même avait été envoyé devant la justice et dans le train pour la Sibérie peu après, si bien que les nouvelles de sa femme n'étaient plus sa priorité ; mais quand il avait enfin pu regagner l'Estonie, il s'était félicité d'avoir un chez-soi où aller. Maman et Leonida étaient déjà parties, de même que sa mère biologique Alviine, des étrangers habitaient la ferme des Arm, il n'y avait plus personne. Il a retrouvé son épouse à Valga, dans une chambre petite mais propre, à l'air saturé par la puanteur des cabinets, les seuls de la *kommounalka*, situés derrière la porte des voisins. La chambre en soi était en ordre, l'épouse était raisonnable et attentive à son hygiène, et elle a hoché la tête lentement quand il a souligné que, si jamais quelqu'un posait des questions sur les années qu'il avait passées en Sibérie, elle ferait bien de se rappeler qu'il avait été condamné pour activité contre-révolutionnaire et intelligence avec des tiers – les Anglais –, qu'il avait pris dix ans pour avoir rassemblé ses propres troupes d'Estoniens après la retraite des Allemands et pour avoir suivi une formation d'espion sur l'île de Staffan ; elle pourrait bien en parler aux autres rapatriés de Sibérie, sans oublier le sort de son frère.

Elle n'a pas posé plus de questions, elle aussi voulait sans doute pouvoir se promener en toute sécurité après le coucher du soleil et elle avait compris que, pour que ce fût possible, il était important de se rappeler que Parts était un homme d'Estonie. Les temps étaient dangereux pour ceux qui avaient choisi – ou dont on savait qu'ils avaient choisi – d'autres partis que celui de l'Estonie ; et le Bureau, quant à lui, n'aimait pas ceux qui avaient choisi l'Estonie. Heureusement pour Parts, l'expérience des camps lui avait buriné un nouveau visage, et il était peu probable qu'il tombât sur d'anciens collègues : ils avaient probablement été liquidés. Cela faisait du bien, de commencer une nouvelle vie. Si la chambre à coucher n'avait jamais représenté pour lui et sa femme un espace de repos commun, ni de passion commune, ils avaient toutefois appris à partager le lit, et la froideur de leurs rapports préservait la fraîcheur des draps, même par temps de canicule ; ils avaient appris la camaraderie, sinon même l'amitié. Parts ne s'était pas plaint du nouveau logement et n'avait pas demandé ce qui l'avait poussée à quitter Tallinn pour emménager là. Pour un rapatrié de Sibérie, il était vain d'aspirer à mieux, l'autorisation d'habiter dans la capitale ne lui serait pas accordée. Il faudrait seulement se faire discret, laisser le temps lui éroder encore un peu les joues, les coussinets des lunettes lui creuser des fosses entre les yeux, construire une nouvelle figure. Il ne commettrait plus d'impairs.

Parts habitait ainsi à Valga en toute tranquillité depuis un certain temps, lorsqu'un inconnu avait imposé sa compagnie sur le chemin de la maison. Parts avait tout de suite compris de quoi il était question. Les consignes étaient claires : il devait se lier d'amitié avec les employés du combinat qui étaient revenus de Sibérie, et faire des rapports aux organes sur leur état d'esprit et sur les degrés d'antisoviétisme, estimer leur capacité de sabotage, et lister les réactions provoquées par les lettres de l'étranger. Il s'était acquitté de sa mission avec succès, tant et si bien qu'on l'avait considéré comme une personne appropriée pour entretenir une correspondance épistolaire au nom d'un collègue qui lui rendait visite en soirée. Parts avait donc compris que le Bureau appréciait son talent d'écrivain. Par la suite, il apprendrait qu'il avait même fait des envieux parmi les spécialistes d'arts graphiques et d'écriture au comité de sécurité.

En raison de ses compétences, le camarade Parts a continué avec les émigrants. Il a élaboré des outils inspirant confiance en retouchant des photographies pour s'y affubler de l'insigne de Laidoner et en se livrant à de subtiles narrations du jour où cette distinction honorifique lui fut remise par le général Laidoner en personne. Le Bureau était satisfait du style façonné par Parts et de tout son répertoire de phrases minutieusement ciselées. Parts n'est jamais trop tranchant, il sait éviter ce ton polémique typiquement soviétique, car seuls des crétins d'Occidentaux bien-pensants auraient la naïveté de croire qu'une lettre débordant d'opinions nuisibles à la patrie ou à la stabilité de la société puisse passer la frontière en échappant à la bénédiction du contrôle PK et du Bureau.

Au bout de deux semaines, il recevait déjà une réponse à une lettre rédigée selon les recommandations, qu'il avait envoyée à un certain Villem à Stockholm. Ils avaient étudié à Tartu à la même époque ; Villem s'était réjoui de recevoir un message de son pays. Le Bureau ouvrit un nouveau dossier au nom de Villem, le service du PK accéléra le courrier de la mère de Villem vers la Suède et, au bout d'un mois à peine, Parts avait filé à Tartu en véhicule de service afin d'y procéder au recrutement de la mère. En deux mois, Parts rassembla assez de preuves pour accuser Villem d'appartenir à un cercle d'espionnage américain, et il fut récompensé par la permission de regagner Tallinn avec sa femme. Lui entra à l'usine Norma, elle devint surveillante à la gare, avec son propre siège sur les quais des trains de grande ligne. Enfin, ils eurent de la place aussi pour un canapé-lit supplémentaire, qu'elle lui préparait tous les soirs dans le séjour. Après tant de succès, voici qu'il n'est plus en mesure d'obtenir de sa femme une sobriété suffisante pour la soirée chez Porkov. Ils ne pourront pas y aller. Ils ne pourront jamais y aller. Parts ne dégustera pas le beluga servi chez Porkov.

Le cap de leur froide vie commune fut franchi il y a deux ans, avec le procès d'Ain-Ervin Mere. Parts y était convoqué en tant que témoin oculaire des horreurs perpétrées par le chancre fasciste, et il se tira fort bien d'affaire : il suivit d'abord assidûment la formation organisée pour les témoins rue Maneeži, après quoi il se présenta au procès comme quelqu'un d'expérimenté, critiquant l'accusé, utilisant avec brio tout ce qu'on lui avait appris. En même temps, il était content que l'Angleterre eût refusé de remettre Mere à l'Union soviétique : il eût été délicat de rencontrer le major entre quatre-z-yeux. Les ondes radio convoyèrent toute la force du témoignage de Parts, le rescapé de Klooga fit couler beaucoup d'encre et il fut même amené dans une école maternelle pour y être couvert de fleurs, les lampes flashes clignotaient et, dans une émission radiophonique consacrée à cette visite, on pouvait entendre le personnel de l'école pleurer et les enfants chanter.

Le Bureau était satisfait, mais pas l'épouse. Le changement a été radical : elle a commencé à sauter des journées de travail, des relents d'alcool rance imprégnaient les tapisseries, son apparence autrefois toujours soignée se relâchait mèche après mèche, sa peau pâlissait aussi vite que la cendre teignait les coiffures des femmes après les bombardements. Parts a appris que son épouse puait aussi l'alcool à la gare, et qu'il lui était même arrivé de tomber de son siège de surveillante. Les bons jours, elle peut commencer les travaux ménagers avec entrain – comme la lessive aujourd'hui –, mais, après le premier verre, elle oublie de fermer les robinets et d'ouvrir les clapets du poêle, elle laisse la baignoire déborder. À présent, Parts vérifie les clapets plusieurs fois par jour et renifle sans cesse pour déceler une éventuelle odeur de gaz.

Les sentences de Karl Linnas et d'Ervin Viks ont accéléré le processus et transformé ses déambulations nocturnes autrefois occasionnelles en une activité désormais ordinaire. Parts revoit bien la scène où il a surpris sa femme en train de lire l'ouvrage d'Ervin Martinson sur les procès de Linnas et de Viks, les mains tremblantes, un filet de bave assombri par le tabac au coin des lèvres. Chaque bouffée d'exaltation faisait sortir une bulle de salive. Parts s'est emparé de l'ouvrage et l'a mis sous clef dans l'armoire de son bureau. La voix de sa femme était emplie d'effroi. Comment savait-il à quel endroit se tiendrait le procès suivant ? À quoi tout cela mènerait-il ? Qu'allaient-ils devenir ?

Quand l'épouse a perdu les pédales avec le cas d'Ain-Ervin Mere, Parts a décidé d'agir à rebours. Le procès à la Maison des Officiers avait pris un nouveau tournant et Parts a saisi l'occasion qu'elle lui offrait, il tournerait tout à son avantage. Une carrière en tant que témoin oculaire et victime du sadisme des hitlériens garantit à elle seule un avenir sûr. Il pourra être convoqué à d'autres procès, même à l'étranger, on a besoin de lui. Pourquoi ne comprend-elle pas cela ?

Son livre ne fait qu'apporter de nouvelles dimensions, de plus vastes perspectives. Dans le meilleur des cas, il lui permettra de recueillir des informations qui, exploitées de façon adéquate, leur garantiront une vie confortable, des vacances au bord de la mer Noire, l'accès aux magasins spéciaux.

Les cas de Karl Linnas et d'Ervin Viks seront suivis d'un grand nombre de prestations du même ordre, Parts en est certain. Il y en a déjà eu, et d'autres affaires juridiques sont en préparation ailleurs, en ce moment même : en Lettonie, en Lituanie, en Ukraine, en Bulgarie. Les échecs touchant au procès de Linnas, à mettre sur le compte du manque d'habitude, ne se répéteront pas. La *Sotsialistitcheskaïa Zakonnost* avait rédigé un compte rendu du procès de Linnas et compagnie dès la fin 1961, alors que ledit procès ne s'était tenu que l'année suivante. Ce genre de chose faisait rire Parts, mais il veillait à ne pas sourire lorsqu'il en discutait avec d'autres personnes. En fin de compte, les progrès du Bureau étaient considérables, de nouveaux outils voyaient le jour, le service technologique se développait à toute allure et le réseau des agents s'étendait. Il faudrait davantage de livres sur le sujet. Parts avait de la chance, l'occasion qui se présentait coïncidait on ne peut mieux avec un point de rupture notable dans l'activité du Bureau.

Et s'il arrive à contenter le Bureau malgré les sautes d'humeur de sa femme, qui sait, peut-être poindra un jour où le camarade Parts entrera nonchalamment dans un studio de photographie pour réaliser des clichés destinés à un passeport pour l'étranger, tout simplement, il dira cela comme si c'était son quotidien, comme s'il avait toujours été un *vyïezdnoï*, un bon citoyen soviétique avec un visa étranger. Après cela, certains collègues et camarades qu'il ne se rappellera même pas avoir connus le supplieront de leur rapporter des magazines de sexe, voire des cartes à jouer représentant des corps féminins dénudés. L'image de la guide joufflue de l'Intourist glisse dans les yeux de Parts. Il paraît qu'elle a un contact de l'Ouest qui n'oublie jamais d'apporter quelques magazines collés contre son ventre avec du ruban adhésif. Ce petit jeu dure depuis longtemps ; pourtant, la guide est toujours passée à travers les contrôles : le Bureau aussi a besoin de ses magazines.

Le livre de Parts ne paraîtra pas à temps pour les réjouissances de l'année prochaine, où l'on célébrera les vingt ans de la libération de Tallinn d'entre les griffes de ces crapules d'envahisseurs fascistes, mais quand viendra l'heure du vingt-cinquième anniversaire, le camarade Parts sera de la fête en tant que héros renommé, écrivain couvert de fleurs et témoin. Peut-être le public du Salon philatélique de Tallinn admirera-t-il ses traits sur les timbres et les enveloppes premier jour. Il n'aura plus besoin de passer un temps infini à entretenir son réseau épistolaire, il ne sera pas obligé de jongler pendant des heures avec des lettres, ni fausses, ni vraies, ni de désinformation, ni de prévention, ni de sondage d'ambiance. Le recrutement des émigrants rapatriés sera fini. Le Bureau comprendra qu'il a besoin d'un atelier de travail, le magazine *Cross and Cockade* lui demandera de nouveaux articles sur les pilotes de chasse soviétiques, ainsi que d'autres périodiques occidentaux. Tout au plus, il poursuivra sa correspondance avec les individus désireux d'échanger des réflexions avec un écrivain soviétique honoré ou de s'entretenir avec lui de sa spécialité : les aviateurs soviétiques. Mais la couverture à l'usine et les états d'âme des exilés estoniens ne seront plus qu'un lointain souvenir, d'autant plus qu'il sera devenu impur à leurs yeux. Il sera un homme neuf, avec une vie nouvelle.

Le seul problème, ce sont les nerfs de son épouse. Après toutes ces années, ils défaillent irrévocablement… alors que la voie est enfin libre, à présent, et que Parts a le soutien du Bureau.

TALLINN
RSS d’Estonie, Union soviétique

Le QG secret est désert à l’exception des camarades Porkov et Parts, de deux tables, d’un magnétophone, de quelques chaises et de l’incessante sonnerie du téléphone. Parts n’en revient pas : il tient dans ses mains des classeurs contenant les registres du camp de Klooga, et il s’étonne un instant du ronronnement qu’il entend – serait-ce le camarade capitaine ? a-t-il amené un chat au QG ? –, jusqu’à ce qu’il ait la présence d’esprit de se taire : le son vient de son for intérieur. Le vert des tapisseries est devenu si éblouissant que Parts doit plisser les yeux. Le camarade Porkov lève le menton vers les registres et dit qu’ils ne sont pas complets. Les fascistes ont emporté leurs archives en partant, mais le comité de sécurité d’État s’est tout de même procuré une masse de renseignements utiles, et la commission spéciale chargée d’enquêter sur les crimes fascistes a accompli un travail remarquable.

« Une grande partie des victimes n’ont toujours pas été identifiées, bien sûr, et nous serions heureux de compléter cette liste, dit Porkov. Malheureusement, de nombreux meurtriers sont restés dans l’ombre, eux aussi. Bien trop nombreux.

Je compte donc sur votre assistance dans cette affaire. Que des criminels échappent à la justice, cela n'est pas conforme à la morale du citoyen soviétique. Nous ne saurions agir ainsi. Je vous invite à prendre connaissance de ces documents quand vous serez chez vous. »

Les classeurs de Klooga picotent le camarade Parts tout l'après-midi et lui démangent les jambes à travers le porte-documents posé par terre au poste de garde de l'usine. Il a envie de les sortir, juste pour y jeter un coup d'œil, à peine, mais comment réagirait-il s'il trouvait quelque chose ? Il a toujours les nerfs à fleur de peau, même si les couleurs sont redevenues normales. Le soleil est plus haut que d'habitude, cependant, le jour plus clair, Parts garde la main en visière sur les yeux, même à l'intérieur du poste, et il essaie de penser à tout le reste, à cette journée qui passe, il cherche à se comporter le plus ordinairement possible, à se concentrer sur les petites choses de la vie quotidienne, sur les gens qui affluent par les portes, sur la taille des femmes dont les sous-vêtements sont remplis de marchandises de l'usine, sur le renflement des poches intérieures des hommes, il suit le charivari provoqué par la visite de l'inspectrice, qui est déjà bien rouge après le cognac qu'on lui a servi et qui glousse au milieu des plaisanteries des hommes papillonnant autour d'elle tandis que tout ce petit monde traverse la cour de l'usine. La visite de l'inspectrice est prise en charge par les plus beaux gars de l'usine. Parts reçoit avec flegme quelques tablettes de chocolat, donne sa bénédiction au conducteur qui s'en va acheminer une cargaison de tôle jusqu'au jardin de l'inspectrice, et il pense à sa femme qui a promis d'aller à la crémerie, mais il se doute bien que, s'il ne va pas chercher le lait lui-même, ce soir, dans le réfrigérateur, il ne trouvera que des bouteilles avec, au fond, une couche pâle de deux centimètres de petit-lait. Il s'efforce de penser à tout sauf au contenu de la serviette mais, tandis qu'il rentre chez lui, il appréhende ce qu'il pourrait découvrir dans les dossiers. S'il trouvait quelque chose, quelles en seraient les conséquences ? Dans cet énervement, il en a oublié la crémerie. Au réfrigérateur l'attend une ribambelle de bouteilles de lait arborant des dates passées sur leurs bouchons d'aluminium. Parts les vide dans l'évier et, après y avoir passé le goupillon, les dispose en une rangée que l'épouse ne rapportera jamais au magasin ; il change la bonbonne de gaz, retient son souffle et ferme les yeux un instant, s'assied. Inutile de s'affliger encore une fois pour ces bouteilles de lait. Il faut se concentrer sur l'essentiel : les registres de Klooga. Il a l'idée de remplacer le lait par de la crème aigre ; à grands tintements de cuillère, il y mélange du sucre et de la compote de pomme achetée au magasin, et il part vers son bureau. Le voici donc qui examine les listes ; au cas où les documents de Klooga ne révéleraient rien d'intéressant, il examinera les registres des autres camps, l'un après l'autre. Porkov s'est montré si favorable qu'il sera parfaitement possible d'obtenir d'autres données. Si Parts ne tombe pas sur des noms embarrassants pour sa position, il épluchera d'autres listes, n'importe quelles listes, il les passera au peigne fin et fera des recherches approfondies sur chaque personne susceptible de l'avoir connu, pour déterminer si elle est encore en vie et, si oui, où elle habite aujourd'hui.

Son instinct ne l'a pas trompé. La liste de 1944 contient un nom qu'il connaît. Un simple nom, sans date de décès, sans mention d'un transfert vers un autre camp ou d'une évacuation en Allemagne. Un nom qu'il aurait espéré être celui de quelqu'un d'autre. N'importe qui. Il cherchait n'importe quel nom qu'il reconnaîtrait, mais celui-ci est exactement celui qu'il n'aurait pas voulu trouver, un nom qu'il a du mal à prononcer sans avoir l'impression que sa langue se recouvre de cloques. Un nom qui ne devrait même pas figurer dans ce registre.

Son cousin s'était éclipsé presque aussitôt que les Allemands étaient arrivés, après quoi Parts n'avait plus entendu parler de lui, pas le moindre ragot ou on-dit, pas même par sa maman, qui l'aurait répété, si elle avait su quelque chose. Parts avait présumé que Roland était ou bien réfugié à l'Ouest, ou bien mort avant l'arrivée des troupes soviétiques, aussi la question se pose-t-elle vraiment de comprendre comment Roland a pu se trouver précisément à Klooga plutôt qu'ailleurs ! Mais surtout : pourquoi le nom même de Roland Simson, pour commencer, figure-t-il sur la liste des prisonniers de Klooga ? Parts feuillette fébrilement les papiers et se rafraîchit la bouche de temps en temps avec une gorgée de crème aigre. Le nom de Roland est mentionné par trois prisonniers, lui-même n'a pas laissé de témoignage de sa main. Un Finlandais dénommé Antti évoque l'arrivée de Roland : c'était le jour de son anniversaire et il avait décidé de donner son pain au premier prisonnier qu'il rencontrerait. Roland Simson venait d'être amené, et cet homme se présenta à lui dans un estonien limpide, désirant se comporter comme s'ils n'étaient pas du tout dans un camp. Antti le voulut dans son équipe : les Juifs étaient dans un piteux état, et Roland se révéla un travailleur vigoureux. Parts serre le poing si fort que ses ongles s'enfoncent dans la chair, maudissant les anniversaires du monde entier. La douleur lui éclaircit la tête. La date d'entrée de Roland est proche de celle du départ des Allemands. Il aura donc vraisemblablement été exécuté au camp et son corps n'aura jamais été identifié ; ou bien, en admettant qu'il en soit sorti vivant, il aura été abattu en forêt ou peu après l'arrivée de l'Armée rouge. Mais qui a-t-il rencontré, entre-temps ? À qui a-t-il eu le loisir de parler ? Combien de temps est-il resté en forêt ? Dans quelle troupe ? Il existe forcément un dossier sur Roland, on doit pouvoir trouver des renseignements sur son exécution ou son emprisonnement. Parts se casse un ongle à force de le ronger. Il faut s'en assurer.

TALLINN
RSS d'Estonie, Union soviétique

Dans le tas de documents, Parts voit passer un carnet à reliure de moleskine. Un journal intime. Il reconnaît aussitôt l'écriture ; le sol de la salle de lecture manque de se dérober et le coin de la table semble céder sous lui. Il ne s'attendait pas cela. À tout mais pas à cela. Malgré les précautions qu'il a prises pour se préparer à cette visite aux archives, Parts est incapable de garder son sang-froid, sa trouvaille est beaucoup trop grave. Il passe un moment à tenter de stabiliser sa respiration et parvient à raidir ses jambes, à garder la tête droite après quelques mouvements convulsifs et autres tics d'anxiété qui secouent son visage, à piquer du nez dans les matériaux d'étude, alors que la table et la chaise ne sont plus qu'une pâte à modeler qui fond dans l'étrange chaleur ambiante, il sent le bois s'affaisser sous lui, il l'entend presque éclater et il se répète que ce n'est qu'une illusion, que son esprit lui joue des tours, rien d'autre. Il s'agrippe au bord de la table comme à un manche de pilotage et ouvre le journal au hasard. L'année écrite dans la marge supérieure le frappe comme un missile.

Pendant que le surveillant va tenir à l'œil un usager assis un peu à l'écart, le carnet glisse dans la chemise de Parts comme par magie. Il ne comprend pas vraiment ce qu'il a fait, et cependant il comprend. Chiper un document est un acte répréhensible, facile à dépister si quelqu'un éprouvait le besoin de comparer les matériaux présents dans les archives aux colonnes où sont notés les documents prêtés à Parts, ou si l'on examinait la liste des personnes qui ont consulté le carnet en question. Il ne procédera même pas à sa restitution, il est trop tard pour se repentir. Le carnet est déjà contre lui, et Parts sent une odeur de brûlé, il est touché au fuselage.

Après l'escamotage, le camarade Parts essaie de se comporter normalement, de se concentrer sur l'étude des autres documents étalés sur la table ; mais, sous le carnet, la peau suppure dans une sueur fétide, les bruissements de papier des autres tables lui écorchent les oreilles, et chaque toussotement ou raclement de gorge manque de le faire sauter en l'air, tant il est sûr que le moindre son est un signe réprobateur lui indiquant que son acte a été remarqué, que les spasmes de ses joues l'ont trahi. Les yeux de Parts tombent sur ceux du surveillant qui monte la garde face aux tables de lecture et il tient ses pupilles sous contrôle, elles ne se dilatent pas et son regard n'esquive pas trop rapidement, Parts en est sûr, comme il est sûr de lire de la méfiance sur le visage du surveillant. Un soupçon à son égard. Néanmoins, le surveillant retourne à ses registres, visiblement des demandes de lecture, comme s'il ne s'était rien passé d'anormal, et il commence à les examiner, à cacher les paragraphes inconvenants en fonction du prochain lecteur qui va les consulter.

Parts a déjà eu l'occasion de consulter des livres particulièrement dangereux, marqués de deux étoiles à six branches ; mais, à présent, il vient de mettre la main sur un document encore plus brûlant, et qu'a-t-il fait ? Il est allé compromettre ses futures opportunités. La permission de prendre connaissance de matériaux des bibliothèques et archives spéciales a été accordée quelques mois à peine après que les camarades Parts et Porkov avaient picolé ensemble. Une fois de plus, cela soulignait sa position. L'ouverture de la porte d'acier des archives fut un moment triomphal : Parts avait l'honneur de la franchir, on l'ouvrait exprès pour lui. Tandis qu'il présentait ses papiers au directeur du service, il se sentait privilégié. Il n'était pas n'importe qui. Mais, bientôt, il risque d'être n'importe qui. Il risque même de n'être plus personne. Il a tout compromis à cause d'un journal intime !

Parts essaie de se concentrer à nouveau, il se force à examiner des dessins de casemate, accommode soigneusement son regard sur chaque titre dans les tracts des bandits. Il devrait se comporter aussi ordinairement que le surveillant, comme tous les autres dans la salle de lecture, et il devrait puiser tous les renseignements possibles dans les matériaux qui lui sont donnés, d'autant plus qu'il ne sait pas s'il aura d'autres occasions de consulter la presse quasi professionnelle des illégaux, s'il pourra jamais remettre la main dessus, s'il se fera arrêter ou pire encore. La plupart de ces périodiques ne sont que des feuilles recto verso, mais il y a aussi, dans le tas, quelques brûlots de quatre ou six pages. Leur langue enragée est caractéristique, Parts se rappelle l'avoir entendue à longueur de journée sur l'île de Staffan. À cette époque, il s'était aventuré dans l'élaboration d'un groupe idéaliste qui était censé compter au nombre de ses exploits l'expulsion de l'Armée rouge du sol d'Estonie, rien de moins ! En d'autres temps, il serait tenté de sourire à la mémoire de ces enfantillages ; à présent, il en est bien incapable ; mais il en sourira encore, il veillera à pouvoir en sourire encore et, pour ce faire, il doit d'abord assumer son escamotage sans se faire prendre. Si l'objet dérobé était moins significatif ou si la date dans la marge supérieure était une autre, il n'aurait pas pris la peine de commettre cet acte. Mais l'année et l'auteur du journal n'augurent rien de bon pour lui, et la moleskine brûle sa peau nue, lui écorche le ventre ; Parts met les gaz en plein océan avec les ailerons en fumée. Il passe un index chancelant sur les lignes des schémas, reprend l'équilibre sur les cheminées, les poêles, les couchettes relevées contre les murs et les conduits de ventilation, et bien qu'il tente de redresser la barre, les coups portés dans son fuselage sont des faits, eux, et ils font dévier son doigt du dessin et le forcent à ouvrir le col, les veines du cou palpitent contre le tissu, elles palpitent avec violence, son cœur bat la chamade contre le journal, la région du nombril est glissante de sueur, des fragments d'hélice sombrent dans les vagues. Un claquement de langue retentit derrière les tables de lecture, c'est un homme qui suçote une pipe, son allumette craque contre le frottoir et il se lève, fixe Parts droit dans les yeux, expire la fumée par la bouche. A-t-il remarqué quelque chose ? Parts ne tient plus en place, il doit quitter le cockpit, abandonner sa recherche, il doit sauter.

La chaise pousse un cri strident quand il la recule sur le parquet, la main méticuleuse du surveillant s'interrompt, il lève les yeux. Parts s'approche du bureau et pose devant lui les documents empruntés. Ses doigts moites de sueur ont laissé des traces sombres sur les illustrations, mais le surveillant ne fait pas de remarque. L'homme est lent, l'encre trace des indications dans les colonnes avec une précision pénible et Parts s'apprête à protester au cas où on lui demanderait pourquoi il manque un document dans la pile restituée. Il affirmera qu'il ne l'a pas reçu, il se prépare à ouvrir le feu, à recharger la colère dans sa voix pour tirer une salve d'injures sur la négligence du service, et en particulier sur la demoiselle qui lui a remis les matériaux, mais voici que la porte d'acier s'ouvre en tintant : c'est la femme en question qui revient dans la section. Parts se raidit, la femme essaie de se faufiler derrière le bureau pour s'approcher du fichier, et ses larges hanches revêtues de chintz bariolé renversent le cendrier de verre posé au coin du bureau, qui se fracasse par terre avec un tel raffut que tous les regards de la salle se braquent aussitôt sur le surveillant ; la femme sursaute, l'encre trace de vilaines bavures dans la colonne, le surveillant l'invective, l'encrier se renverse, le surveillant empoigne une pile de buvards, les jurons russes jaillissent, le surveillant ordonne aux usagers de se concentrer sur leur travail, la pile de livres érigée au coin du bureau se renverse, Parts déclare alors d'un ton sec qu'il est pressé et qu'on n'a pas besoin de lui pour réceptionner les retours. Il laisse le surveillant se disputer avec l'employée, l'encre se répandre dans les colonnes, le nuage de cendres flotter en l'air, et il attrape les clefs lâchées par la femme sur le bureau, les utilise pour ouvrir la porte d'acier puis les lance au lecteur le plus proche avant de sortir sans que personne lui prête la moindre attention.

TALLINN
RSS d'Estonie, Union soviétique

Le camarade Parts pose la main sur la table à côté du carnet. L'étage est silencieux, l'épouse a fini par s'écrouler. Le papier est piqué par l'humidité, les bords ramollis par l'usure. Parts prend son souffle, soulève la couverture avec son pouce et déploie les premières pages. Il a beau l'avoir déjà parcouru bien des fois, le journal lui fait toujours le même effet : son pouls s'accélère, des souris lui galopent sur l'échine. Les lignes paraissent remplies à la va-vite, le crayon alterne avec de l'encre délavée, la forte pression de la pointe a percé le quadrillage parsemé de bavures mauves. Parts sait lire aux courbes des lettres le sentiment sous lequel elles furent tracées, mais les pages ne mentionnent aucun lieu et encore moins une seule personne par son vrai nom. Quant aux pseudonymes, ils sont étranges, clairement inventés par l'auteur, on ne les retrouve pas dans les autres écrits clandestins étudiés par Parts.

Certains teneurs de calepin notaient des renseignements exhaustifs sur les membres de leur groupe, les localisations des casemates, vraiment tout, les dates d'incorporation, les quantités de nourriture et les heures des repas, les lieux de stockage des équipements, les caches d'armes – absolument tout, avec une inconséquence ahurissante. Sauf cet auteur-ci, qui est une exception dans son genre. Le journal était répertorié dans les archives comme ayant appartenu à un bandit non identifié et provenant d'une boîte métallique ramassée dans une casemate incendiée. Trois corps avaient été trouvés dans cette casemate : trois bandits appartenant à l'*Alliance de la lutte armée**, identifiés mais inconnus de Parts. Le rapport avait conclu que le journal ne pouvait être à aucun d'eux, puisqu'on avait reçu du *Département de lutte contre le banditisme** des échantillons d'écriture des trois morts et qu'aucun ne correspondait à ce carnet. Ce journal anonyme est donc l'unique preuve de l'existence de ce bandit, et seul Parts peut savoir qu'il s'agit là de son cousin Roland Simson.

Les notes débutent en 1945 et se terminent, sur les dernières pages, dans les années 1950-1951. Ce sont précisément les dernières pages qui sont bouleversantes – non pas pour leur contenu, mais à cause des dates. En effet, les dernières phrases furent écrites sept ans après l'instauration du régime soviétique et la fermeture des frontières. Cela prouve que Roland était encore en vie deux ans après les déportations de mars, au cours desquelles les troupes de soutien des bandits avaient été éliminées dans tout le pays, les auxiliaires sarclés comme des mauvaises herbes, il n'était plus resté une seule ferme pour épauler les gens de la forêt, tout était collectivisé, la résistance anéantie.

Contrairement à ce que Parts avait présumé, Roland n'a pas été abattu d'une balle dans le dos à Klooga, il n'a pas fini dans une tombe anonyme dans la cave d'un bâtiment incendié par les Allemands, il n'a pas été emprisonné avant de mourir de blessures par balles en forêt. En détention, il n'a pas pu s'enfuir du pays, il n'a pas eu le temps d'être évacué. S'il s'en est tiré jusqu'en 1951, ici même, en vie et en liberté, alors rien d'autre ne l'aura tué. Il est là.

Parts a décidé de ne pas se laisser démonter. Il réglera l'affaire, il réfléchira, il apprendra à connaître Roland comme il se connaissait lui-même, il devra être comme Roland. C'est la seule façon de retrouver sa piste. Plus vite il comprendra les auteurs de carnets illégaux, plus vite il traquera les hommes disparus dans la clandestinité, en particulier celui qui a tenu ce journal. Il devra comprendre leurs mécanismes de pensée mieux que les siens propres. Car même si une personne réussissait à prendre une nouvelle identité, un nouveau nom, à se construire un nouveau passé, elle pourrait toujours être trahie par un élément de sa vie antérieure. Le camarade Parts en sait quelque chose.

Le profil esquissé par le journal intime ne répond pas complètement au personnage que Parts a connu. À l'époque, le cousin se jetait dans le combat sans peur, téméraire ; l'auteur du journal, lui, est beaucoup plus circonspect. Cependant, il a rédigé ses notes comme si elles devaient avoir un futur lecteur. Cela, Parts ne le comprend pas. Roland vivait dans la vallée de la mort, sans espoir de retour à une vie normale, sans aucune possibilité de salut : d'où avait donc jailli l'intime conviction que sa voix serait entendue un jour ? Il est vrai que, sur ce point, Roland n'était pas un cas isolé. Parts se rappelle bien la fièvre frénétique avec laquelle, en Sibérie, on fourrait dans des bouteilles ses mémoires, ses souvenirs – *dans ces pages sont recueillis des renseignements sur les crimes des bolcheviks à l'intention des générations futures* – et toutes sortes de messages qui devaient être enterrés en secret avec leurs auteurs, dans des tombes anonymes. Le contenu d'une partie des bouteilles repose vraisemblablement dans des archives quelque part, sous scellés, tout comme ce journal que Parts a diligemment subtilisé, et il n'est consulté que par des personnes approuvées par les organes de sécurité ; d'autres bouteilles ne seront jamais retrouvées, jamais lues. Parts se rappelle aussi son collègue qui avait été emmené, enfant, à Katyń. En des mots ramollis par l'alcool, cet homme avait murmuré qu'ils réalisaient ce qui arrivait aux Polonais, bien sûr, et que les Estoniens seraient les prochains. « Tu aurais vu la tête que faisaient les mères ! » Tous les Polonais furent vaccinés, emmenés dans un autocar, et personne ne résista : enfin, quoi, on ne donnerait pas des paquets d'aliments secs comme provisions de voyage à des gens qui vont mourir ! On ne prendrait pas la peine de les vacciner ! « Nous, les Estoniens, nous comprenions bien. Sur le wagon qui nous a transportés, il était écrit *Capacité : 8 chevaux.* » Mais pourquoi les Polonais avaient-ils tapissé les murs de leurs cellules, dans le monastère transformé en prison, avec leurs noms et leurs grades, que leurs successeurs recouvriraient avec les leurs ? S'agissait-il de la rage d'écrire inhérente à chaque mortel, du besoin de laisser une trace ici-bas ? Roland avait-il cette rage ? Nourrissait-il l'idée fallacieuse que l'ultime vérité finirait fatalement par se manifester ? Oui, Roland avait cette rage.

Et Roland était-il comme ce Russe qui racontait qu'il avait fait des expériences de gaz moutarde au bureau spécial de Moscou, et qui griffonnait désespérément des formules chimiques dans un coin de son plumard ? Parts partageait une piaule exiguë avec le bonhomme dans un camp d'étape et celui-ci lui expliqua que le directeur du bureau spécial s'intéressait particulièrement aux effets du gaz sur la peau humaine. Aux injections de curarine. Au ricin. Évidemment, les résultats les plus significatifs étaient obtenus avec les humains. « Je me suis occupé d'un soldat allemand à quatre reprises, et ce n'est que la cinquième fois qu'on a trouvé la dose mortelle. » Parts ne put graver dans son esprit les formules du chercheur, alors qu'il avait tout de suite compris que les recettes du bonhomme ne manqueraient pas de prendre une excellente valeur marchande. De nombreux pays se l'arracheraient – mais, à cette époque-là, faire du commerce avec l'étranger n'était qu'un rêve lointain. Il était plus sage de laisser faire les laboratoires du directorat technologique, le type affirmait qu'aucun de ses collègues n'était encore en vie. C'était peut-être précisément pour cette raison qu'il éprouvait le besoin de transmettre ce qu'il savait. Était-ce aussi la motivation de Roland pour tenir un journal ? La certitude que ses jours étaient comptés ?

Parts répète le nom de Roland. Il s'y habitue peu à peu, il faudra bien qu'il s'y habitue. Les prochaines années, ce nom lui passera dans le cerveau une infinité de fois, et il devra le laisser circuler s'il ne veut pas s'y brûler comme maintenant.

À la fin du carnet sont dessinées des croix. La page de garde est remplie de petits signes de croix pour les morts, le labour du crayon a quasiment lacéré le papier. Mais aucun nom.

Le camarade Parts pose prudemment le carnet sur la table et retourne aux notes qu'il a tirées des fascicules des bandits. Vers la fin, les nouvelles sont rapportées d'une façon relâchée : de toute évidence, on cherche à remonter le moral. Dans le carnet aussi, il plane une certaine inquiétude devant le fait que les troupes manquent de sang neuf. La plupart des illégaux furent éliminés avant la mort de Staline : 662 groupuscules de bandits et 336 organisations clandestines. Combien ont encore réussi à se cacher dans les forêts, ensuite ? Des centaines, quelques dizaines ? Dix ? Cinq ? Roland est-il toujours en forêt ? Seul ou avec quelqu'un, voire avec toute une troupe ? Ou a-t-il accepté l'amnistie ? C'est ce qu'ont fait beaucoup de ceux qui se cachaient dans les forêts – mais alors, il devrait y en avoir une mention quelque part et, suite à la légalisation, il aurait été interrogé sur les incidents de Klooga, on aurait cité son témoignage. Non, Roland n'a pas accepté l'amnistie. Aurait-il réussi à endosser une nouvelle identité ? L'immigration massive d'Estoniens de Russie et d'Ingriens a donné à beaucoup d'illégaux une occasion facile de se procurer un passeport provisoire : les vols de passeports étaient courants, dans les trains. Pendant un certain temps, il suffisait de déclarer la perte de sa pièce d'identité et d'afficher quelques rudiments de russe pour obtenir la délivrance d'un passeport, dès lors qu'on se prétendait originaire de l'oblast de Leningrad et qu'un résident acceptait de vous héberger. Mais ces imposteurs étaient piégés, après la date d'expiration de leurs passeports. En admettant que Roland fît partie de cet ensemble, comment aurait-il réussi à renouveler ses papiers ? Et à qui a-t-il pu parler, pendant toutes ces années, à qui a-t-il eu affaire ? Il a dû recevoir de l'aide, il doit en bénéficier encore, qu'il soit en forêt ou en société.

Parts empoigne son crayon et esquisse quelques bribes de mots, pour voir, sur le buvard : « Il paraît que mon cousin est au Canada ou en Australie, tous les renseignements le concernant seront les bienvenus, je n'ai plus d'autre famille. » Il enverra l'annonce le lendemain à la rédaction du journal *La Patrie*. Du moment que le Bureau ne sait pas qu'il est sur la piste de l'auteur du carnet, il peut sans crainte rechercher son cousin et les gens qui l'ont connu, en expliquant qu'il s'agit d'une méthode censée lui attirer la sympathie des Estoniens de l'étranger pour le rendre plus crédible à leurs yeux. Grâce au journal, Parts a déjà réussi à retrouver plusieurs personnes et à créer des contacts confidentiels : spécifiquement destiné aux Estoniens de l'étranger, *La Patrie* a reçu un accueil enthousiaste chez les émigrants. La rubrique des annonces dédiée aux parents et amis disparus était appréciée même par ceux qui restaient méfiants vis-à-vis de l'Union soviétique – la création du journal fut incontestablement une mesure géniale du Bureau. Jusque-là, tout ce que Parts avait à faire était de sonder l'état d'esprit des émigrants et leurs pensées débridées sous l'effet du mal du pays ou de la confiance ; mais la situation a changé. Peut-être pourrait-on suggérer franchement aux organes de concocter des annonces de parents éplorés, dans le journal *La Patrie*, par lesquelles on rechercherait en fait les témoins de Klooga répertoriés sur les listes. Il y a toujours quelqu'un qui sait quelque chose, qui connaît quelqu'un qui connaît quelqu'un, et Parts a le pouvoir d'inspirer confiance : c'est un homme qui a été en Sibérie, qui n'est pas membre du parti et qui a été décoré par Laidoner.

Il n'a échoué qu'au sujet d'Ain-Ervin Mere. Quand Parts fut interrogé sur l'époque où Mere était à la tête de la *Gruppe* B, il n'aurait pas dû exagérer la profondeur de leur amitié – mais qui aurait pu se douter que Mere refuserait de collaborer avec le Bureau ? Sa décision était surprenante, d'autant plus que les renseignements remis par le comité de sécurité contenaient des matériaux bien adaptés pour un recrutement : avant l'arrivée des Allemands, Mere avait été tchékiste au commissariat du peuple à l'Intérieur. Parts avait reçu la recommandation de révéler ce renseignement lorsqu'il contacterait Mere – ou « Müller », nom sous lequel il était connu à l'époque du commissariat du peuple à l'Intérieur. Aussi Parts rappela-t-il, dans les lettres bien tournées qu'il lui adressa, leur rencontre au vieux moulin, en s'amusant à appeler son ami « Ain Müller ». Mere ne répondit jamais, et ce fut une pure idiotie de la part du major. Parts était certain qu'il aurait obtenu de meilleurs résultats si on lui avait permis de rendre visite au major en Angleterre, mais non, il ne pouvait qu'écrire. Et l'Angleterre n'avait pas extradé Mere vers l'Union soviétique. Parts n'échouerait pas une deuxième fois. Il veilla à ce que son témoignage au procès d'Ain-Ervin Mere soit passé sous silence dans les pages de *La Patrie*, qui, par ailleurs, parlait abondamment de l'affaire ; cela ne convenait pas à l'image que Parts donnait de lui aux Estoniens de l'étranger, eux qui n'avaient pas foi dans la justice de l'Union soviétique.

C'est un petit miracle que Roland n'ait pas encore été cherché ni trouvé – d'autant que ses données apparaissent noir sur blanc sur les listes de Klooga –, ne serait-ce que parce que les Estoniens qui ont été emprisonnés mais qui ont survécu et ceux qui ont échappé à l'évacuation des Allemands sont forcément soupçonnés d'espionnage. Parts ne sera donc pas le seul à se lancer aux trousses de Roland, mais il faut qu'il le trouve avant d'être appelé avec lui sur le banc des témoins. On a un grand besoin de rescapés de Klooga, maintenant que les activités des hitlériens sont scrutées à la loupe. Parts est bien placé pour le savoir. Nul ne sera épargné. L'œuvre en chantier lui offrira la meilleure couverture possible pour mettre la main sur Roland.

Tallinn
RSS d'Estonie, Union soviétique

Mark était l'exemple type de la dégénérescence et du fascisme des Estoniens : Parts déguste la phrase qu'il vient de taper. Un train ébranlant la fenêtre brouille le rythme, faisant trembler le manuscrit érigé feuillet après feuillet à côté de l'Optima. La phrase est concise et assez chargée de sens, mais elle demeure trop froide, elle n'éveille pas d'émotions. Des cauchemars, il faut leur donner des cauchemars, aux lecteurs. Voilà pourquoi le « cannibalisme » de Martinson était un travail de génie – alors que Parts ne qualifie pas volontiers cet homme de génie. Il n'y aura aucun enfant que l'anthropophagie ne viendra pas hanté dans son sommeil, et un choc émotionnel aussi précoce sera impossible à effacer ensuite : nul ne saurait revenir sur un vieux préjugé contre un individu défini dès la plus tendre enfance comme un « anthropophage ». Au moyen d'un seul mot, Ervin Martinson a tourné la roue de l'histoire mondiale dans la direction souhaitée par le service. D'un seul mot ! L'émotion est plus forte que le bon sens, on a déjà discuté cette question avec le Bureau. L'émotion résiste au bon sens, c'est pourquoi il faut provoquer une réaction émotionnelle.

Parts essuie ses doigts poisseux de Pastilaa, enroule une nouvelle feuille avec copie carbone dans la machine à écrire et feuillette la dernière édition du guide *Informations interdites dans la presse, les émissions radiophoniques et la télévision* ainsi que les lexiques qui l'accompagnent. Le camarade Porkov a hésité avant de tendre ce guide à Parts, mais il l'a jugé qualifié pour recevoir l'ouvrage. Dans les lexiques, les mots sont rangés dans deux colonnes en fonction des émotions qu'ils suscitent : une pour les négatives, une autre pour les positives. Parts a d'abord pensé qu'un harnais aussi serré nuirait aux possibilités de développer sa propre langue, d'en aiguiser l'essence, mais il a fini par s'y conformer naturellement : le tamis est en place. *Il paraît que Mark avait pris modèle sur son supérieur quant à la façon de décorer son sapin de Noël. Il l'ornait avec les bagues en or des citoyens soviétiques qui étaient arrivés au camp et n'en étaient jamais repartis, et il laissait les enfants danser la ronde au pied du sapin, ravi par ce spectacle.* Parts fait craquer ses doigts. Il ne se rappelle pas précisément où il a vu un sapin paré de la sorte, ou s'il en a même jamais vu, mais l'image est si forte qu'elle mérite d'être employée. Au passage, on renforce ainsi la conception négative du sapin de Noël en général, ce qui n'est pas mal non plus. A-t-il trouvé le ton juste ? Parts se tord la bouche. Peut-être bien. Peut-être bien qu'il devrait rajouter des informations importantes sur les témoins. Une femme qui aurait assisté à ce spectacle grotesque. *Maria, déportée au camp de concentration de Tartu, avait eu la chance d'être placée comme domestique chez Mark. C'était une chance, en effet, parce que cela lui épargnait un sort plus cruel, et parce qu'elle parvenait ainsi à dérober des restes de nourriture à la famille de Mark ; mais c'était aussi une malchance, dans la mesure où elle devait servir le repas de Noël devant les bougies du sapin qui versaient leur suif sur les bagues des citoyens soviétiques assassinés. Celle de sa mère en faisait-elle partie ? Et celle de son père ? Maria ne le saurait jamais.*

Le camarade Parts martèle l'Optima avec tant de passion qu'il en perfore le papier, les tiges porte-caractères s'emmêlent, les touches refusent de bouger. Sur les bagues des citoyens soviétiques ? Ou des Juifs ? Le fait de mentionner les Juifs risque-t-il de faire passer en arrière-plan les souffrances des citoyens soviétiques ? De diminuer le martyre et la grandeur du peuple soviétique ? Voire de constituer une menace ? Dans les livres parus à l'Ouest verrouillés dans son armoire, Parts a remarqué que la judaïté était nettement mise en avant.

Parts démêle les tiges, dégage le papier du cylindre et se lève, s'essaie à lire quelques phrases à voix haute. Le texte commence à avoir de la force. Les femmes, il faut se concentrer sur les femmes, cela suscite toujours des émotions, Maria est clairement un bon personnage, qui inspire de la pitié. Mark ne serait pas assez méchant s'il n'était accompagné d'un personnage qui mette en valeur sa méchanceté, quelqu'un à qui le lecteur pourrait s'identifier pour voir par ses yeux le mois de décembre, le réveillon de Noël. Oui, on a besoin du témoignage de Maria. À moins que… où se trouve la limite de la sentimentalité ? Non, il y a encore de la marge. Jamais de la vie il ne se permettrait d'ajouter l'anthropophagie. Il est bien suffisant que Parts doive sans cesse citer les livres de Martinson, étant donné qu'ils font partie des références incontournables. Certes, à l'avenir, son œuvre à lui fera l'objet d'une avalanche de citations semblables, chacune contribuant à l'édification de son prestige, de sa force de conviction ; pour autant, ce n'est pas d'un doigt léger qu'il tape le nom de Martinson.

Parts recroqueville ses orteils sur ses pantoufles, coupe un Pastilaa en deux. Le livre de Martinson contient un personnage parfaitement adapté aux objectifs de Parts : Mark, un sadique non identifié et sans nom de famille, un criminel de guerre qui ne fut jamais arrêté et dont on ne peut même pas dire si son nom n'était qu'un pseudonyme ou si ce Mark, dans l'exercice de ses fonctions, utilisa son véritable nom de baptême. Par conséquent, l'histoire est facile à développer. Les œuvres de Mark fournissent des témoignages, mais rien de personnel. Parts secoue la tête, émerveillé par les erreurs de ses collègues qui finissent par tourner à son avantage. Dans les documents, il apparaît que les organes de sécurité employaient une main-d'œuvre jeune et inexpérimentée, les directives étaient imparfaites, les officiers compétents faisaient manifestement défaut. Au cours des interrogatoires, personne ne pensait à demander des précisions ou des données personnelles, de nombreux témoins ne désignaient les gens que par leur prénom ou par leur nom de famille, de sorte qu'il était impossible ensuite de retrouver leur piste. Ce n'est que plus tard qu'on se rendit compte du problème posé par ces méthodes de la fin des années 1940. Or il n'y avait presque plus de témoins en vie, car une arrestation était souvent une preuve suffisamment convaincante pour une sentence d'exécution. Le fait que les données de Roland soient si bien recensées dans les papiers de Klooga est une ironie du sort.

Mark était musclé, il avait des épaules larges, dégageant une force qui terrassait sur-le-champ quiconque était victime de sa cruauté, et il était souvent ivre. Maria, qui passait de nombreuses soirées à lustrer ses bottes, savait bien comment il présentait ses calculs : combien on pourrait faire de clous avec le fer de Maria, combien d'allumettes avec son phosphore, combien de savon avec sa graisse. Elle racontait aussi que Mark enseignait les mathématiques aux enfants en calculant le nombre de prisonniers qu'on pouvait faire rentrer dans un camion gris de la chocolaterie Brandmann pour les conduire au camp. La portière grise du camion de Brandmann claqua…

Les doigts qui faisaient pétarader le clavier s'immobilisent. Le claquement n'était pas produit par la portière du véhicule, il venait de l'étage. Les épaules de Parts se raidissent, il tend l'oreille. Silence. Mais le silence ne lui apaise pas la nuque, il ne fait que la contracter davantage. Parts sort du tiroir de son bureau une boîte d'aspirine, ouvre le carton d'emballage et déploie le papier enveloppant les comprimés. Il a perdu le fil de la phrase, elle est partie, la tension de la nuque est en train de grimper dans son crâne. Ce n'est pas le moment d'avoir une migraine, Parts se lève pour aller chercher l'Analgin dans la cuisine, derrière les flacons de valériane de sa femme, mais il se rassied et avale l'aspirine à sec. Le travail doit avancer, le Pastilaa dissout le goût du médicament dans la bouche. Parts porte les mains au clavier, redirige son esprit vers la silhouette de Mark, forte et musclée. Suffisamment de vérité : voilà le secret. Suffisamment pour que le texte soit crédible. Un seul mot suffira. Un seul mot, et son livre sera dans toutes les librairies de l'Est, de l'Ouest, du monde entier. Il a essayé d'ajouter dans le tas quelques citations tirées du carnet, témoignage authentique. Mais la langue y est très différente et trop floue – le manuscrit a besoin de concret, lui. Les croix sur la dernière page de garde pourraient être mentionnées comme des signes que Mark dessinait pour chaque créature assassinée – mais le Mark de son livre est-il un personnage qui tient le compte de ses victimes ?

Sans aucun doute, Martinson façonne en ce moment même sa prochaine œuvre, peut-être qu'il continue sur le thème de l'anthropophagie, expliquant que c'est dans la nature estonienne, au point de dépasser toutes les limites parmi les fascistes estoniens et que, sans la libération apportée par l'Union soviétique, les Estoniens se seraient dévorés jusqu'à l'extinction de l'espèce. L'angoisse lui oppresse la poitrine, il faudra se montrer capable d'un meilleur effet que Martinson, le meilleur de tous, il ne laissera personne le devancer, et juste quand il est en train de rattraper l'idée qui sous-tendait la phrase interrompue, les pieds pesants de son épouse percutent le plancher et recommencent à lui tambouriner sur la tête ; d'abord quelques pas, un aller et retour entre le lit et le tiroir, comme si elle travaillait sa vitesse de marche. Comme si elle n'avait pas l'intention de se recoucher. Parts pose les mains sur les genoux. Maman avait le même type de problème, à la campagne, au début des années cinquante. Les rats couraient en meutes, sous le plancher, derrière les murs, et maman n'arrivait pas à dormir. Elle lui racontait cela, dans une lettre qu'il avait reçue en Sibérie. C'étaient d'autres temps, et les rats proliféraient. Des rats d'alerte, on les appelait. À présent, il a une femme qui est comme un rat.

Parts ferme les yeux, laisse la moelleuse saveur sucrée du Pastilaa distraire son ouïe, il ferme les yeux et se concentre sur sa recherche. Le protagoniste de l'œuvre, Mark, se développe bien. Au Bureau aussi, ils devraient apprécier les possibilités qu'offre un personnage comme Mark, ils aimeraient bien trouver quelqu'un pour incarner Mark, parmi les émigrants estoniens : à ce moment-là, on pourrait forcer le pays d'accueil à extrader un tel criminel de guerre. Mais, à cet effet, Parts pourra aussi bien piocher un autre nom dans les listes, et en façonner un autre personnage de son livre. Mark, il le gardera pour lui : Mark est son étoile, et dévoiler l'identité de Mark au monde entier sera son heure de gloire. Il attendra le dernier moment pour donner au Bureau tous les renseignements requis. Pas encore. Ensuite, le Bureau pourra se charger des mesures finales. À l'heure qu'il est, le vrai Mark peut être n'importe où, au Canada, aux États-Unis, en Argentine ou six pieds sous terre, et, en admettant qu'il soit en vie, il n'aurait guère à redire à ce que quelqu'un d'autre réponde de ses actes.

1963, Tallinn

Il est regrettable, bien sûr, que ce soit à Roland de répondre des actes de Mark... Mais il se trouve que Mark est un personnage parfait. Des activités de Roland, Parts se réserve les meilleurs morceaux, depuis des années, pour sa gloire personnelle.

Troisième partie

« Nous savons tous que des femmes aussi prenaient part au terrorisme fasciste, malgré la sensibilité et la force génitrice caractéristiques de leur sexe. Les êtres féminins qui s'étaient vendus aux hitlériens n'étaient plus des femmes, elles n'avaient plus l'apparence de spécimens de la gent féminine. Elles devenaient des spécimens de ces crapules d'envahisseurs. »
Edgar Parts, *Au cœur de l'occupation hitlérienne*, Tallinn, Eesti Raamat, 1966.

Reval
Commissariat général d'Estland, Reichskommissariat Ostland

Assise au café Kultas, Juudit minaudait d'une façon indécente, pour une femme mariée devant un inconnu. Elle roucoulait et faisait la douce, passait la main dans ses cheveux pour les aérer ou les lisser ; pendant ce temps, Roland, qui flânait à un jet de caillou en feignant l'insouciance, la voyait flirter si nettement, en pensée, qu'il se heurtait sans cesse aux autres passants. Roland n'avait pas eu la certitude qu'elle se conformerait à son plan avant de la voir sortir de la rue Viru pour s'approcher du café et de la Galerie d'art. Il avait alors consenti à tourner les talons, rassuré, et à disparaître dans l'animation de la place de la Liberté déployée devant le café, pour ne pas se faire repérer par Juudit. Il n'avait pas tenu la promesse qu'il lui avait faite, la promesse de ne pas venir patrouiller dans les parages. La mission qu'il lui avait confiée était trop importante, il s'était senti obligé de venir, et il se sentait obligé de se promener encore dans le coin, mine de rien, fixant d'un regard inquiet le toit de la Compagnie d'assurances estonienne et baissant discrètement les yeux le long de l'immeuble jusqu'aux vitres du café. Ses yeux effectuaient la même trajectoire, encore et encore.

Un officier allemand était assis en face de Juudit, oui, mais ce n'était pas le bon. Le bon Allemand dégustait son café à l'autre bout de la salle en remuant son journal et en tirant sur sa pipe. L'écusson flottant sur le col de l'homme grattait le coin de l'œil de Juudit, elle se cramponna aux accoudoirs avec ses doigts moites de sueur, sa poitrine tambourinait et elle ne savait que dire. Une tasse de chocolat chaud fumait devant elle, sa paume glissa sur l'accoudoir, une perle de sueur lui roula sur la lèvre et, sous son front, s'ouvrit un abîme sans paroles ; elle ne souffrait plus de la pénombre du couvre-feu, elle ne regrettait plus les néons de l'immeuble de la Compagnie d'assurances et les réverbères, car elle-même s'était illuminée tout entière. Son âme était transportée par un élan puissant, submergée par le désir impérieux de sortir avec cet Allemand assis face à elle. Son cœur ne tenait plus en place, ses joues rougeoyaient comme si elle n'était encore qu'une jeune fille inconsciente de ses désirs, et les plis de ses jarrets étaient humides malgré la fraîcheur du sol sous ses pieds revêtus de ses seuls bas. La chambre froide dans le dos, une chaude journée d'été devant elle, elle était tiraillée entre des sensations brûlantes et glacées.

Elle aurait encore pu se lever, abandonner l'homme en train de lui servir des biscuits avec une pince à pâtisserie, et elle aurait élaboré un plan de secours pour aborder l'Allemand désigné par Roland, le séduire et lui passer ses tendres bras autour du cou, mais non, elle avait tourné son visage vers la mauvaise personne, tourné son visage, regardé dans ses yeux, et pire encore… Quand la bouche de l'homme avait formé un sourire, elle avait tout oublié : Roland, la mission, Rosalie ensevelie dans un tombeau sans nom, tout ce qui s'était passé au cours de ces dernières années. Elle avait oublié les bombes et les corps gisant sur les routes, les scarabées et les mouches à l'assaut des cadavres, le commerce désespéré des pots de graisse, son état matrimonial et la bienséance y afférente. Elle avait oublié aussi qu'elle était en pieds de bas, qu'on venait de lui voler ses chaussures, les seules qu'elle avait, elle ne se souvenait même plus de la bande de voyous qui l'avaient culbutée devant la Galerie d'art et lui avaient arraché ses souliers. Elle avait oublié la douleur et la honte, les larmes d'embarras et d'indignation, dès l'instant où l'officier lui avait tendu la main, l'aidant à se relever et la conduisant dans la chaleur du Kultas – car elle avait commis une erreur fatale en le regardant dans les yeux.

« Mademoiselle doit absolument me laisser la raccompagner chez elle. Vous ne pouvez pas marcher dans la rue en pieds de bas. Fräulein, soyez gentille. Ou si la Fräulein m'accordait l'honneur de passer chez moi, je pourrais demander à ma domestique d'aller vous chercher des chaussures neuves. J'habite tout près, de l'autre côté de la *Freiheitsplatz*. »

Tandis que Juudit tombait amoureuse au café Kultas, Roland tournait en rond parmi les chevaux qui s'ébrouaient, les sabots qui clappaient, les soldats de la Wehrmacht qui passaient et les chochottes qui portaient gracieusement leur sac à main, il se promenait devant les affiches du Gloria-Palace, sur lesquelles il était incapable de se concentrer, et il se promenait devant les fenêtres d'une cantine, le ventre gargouillant à la vue des serveuses qui agitaient leurs ciseaux sur les coupons alimentaires des clients, il se promenait parmi les colporteurs, les garçons de courses, les crottins fumants et les citadins au dos droit, et ses pas le portèrent devant le regard soupçonneux du portier de l'hôtel Palace, il se détourna du Palace et, quand vint l'obscurité, il se promena parmi de simples silhouettes, parmi ses pensées, parmi les automobiles aux yeux bleuâtres, il bouscula une jeune fille et, pendant que celle-ci poussait un cri strident, Juudit était déjà engagée sur la voie de l'amour.

Juudit remit son manteau et ses gants à la domestique, se réservant le soin d'ôter les chiffons de fortune qui emmaillotaient ses pieds : l'humiliation avait ses limites. Elle avait été conduite directement dans le salon, non sans tenter de se dérober, et ses pieds laissaient des taches humides sur les marqueteries du parquet. Elle était écarlate, plus d'embarras que de froid ; quand l'Allemand sortit chercher un remontant dans la bibliothèque, elle poussa discrètement ses guenilles sous le fauteuil, à l'écart du tapis. C'était lui, au Kultas, qui lui avait enveloppé les pieds dans des torchons avec l'aide de la serveuse ; il avait ficelé le tout avec du ruban d'emballage, et il avait dédommagé les demoiselles du café pour les frais occasionnés, en dépit des protestations de Juudit. Dans la pénombre du café, le fil gris sautait aux yeux de façon embarrassante, là où les bas étaient reprisés, au moindre point de piqûre. Les torchons avaient totalement dissimulé les pointes de coton, mais à présent le lustre en cristal du salon les dévoilait impitoyablement, et Juudit recroquevillait les orteils pour tenter de les dissimuler. Devant elle, une cuvette d'eau fumante avait fait son apparition en un clin d'œil ; à côté, de la poudre de moutarde, des serviettes et des pantoufles dont la houppette de plumes ébouriffées remuait dans le courant d'air. Une chaufferette à charbon et une bouillotte avaient pris place sur le canapé, Liszt tournait sur le gramophone. Juudit ne demanda pas comment la domestique de l'Allemand produirait les souliers promis. Elle avait les lèvres engourdies, alors qu'il faisait chaud dans le salon, et elle osait à peine lever le regard vers l'homme lorsqu'il revint avec une carafe en cristal et deux verres. Elle ferma les yeux, imprimant le visage dans son esprit, derrière ses paupières serrées, car elle ne voulait pas l'oublier : une telle beauté ne devait pas être oubliée. Son pouls effarouché palpitait contre le mouchoir bourré sous sa manchette, la lettre J brodée dessus lui grattait la peau – J tout court, sans nom de famille. L'homme posa le plateau sur la table basse, servit du vin et tourna le dos avec tact pour permettre à Juudit d'enlever ses bas. Elle saisit le message, mais elle ne savait pas comment procéder, si bien qu'elle prit d'abord un verre de vin et l'avala d'un trait comme si c'était de l'eau, goulûment, pour se rappeler comment être une femme, comment se comporter en femme. Jusque-là, toutes ses tentatives s'étaient soldées par des humiliations dans le lit conjugal et elle ne voulait pas se rappeler ces moments-là, et elle but encore du vin, elle se servit à la carafe comme une malpropre et elle but ; intrigué par le son du cristal, l'homme tourna un peu la tête et son regard furtif attrapa les cils écarquillés de Juudit, et ce regard furtif n'était pas plus courageux que le sien, pas plus élégant que sa main figée sur le haut de ses bas.

En se levant le lendemain matin, Hellmuth recouvrit Juudit avec soin, il lui enveloppa doucement les pieds dans le duvet, mais elle l'écarta pour laisser le doux air de la chambre lui caresser la peau. Elle posa ses pieds nus sur la descente de lit, étira ses chevilles comme si elle tâtait l'eau du bain, tendit les bras, courba la nuque et savoura l'air coulant sur la peau comme du lait bourru. La pénurie de combustible avait aiguisé son désir de chaleur. Mais elle n'en avait pas honte, non, pas plus que de tourner en rond toute nue sur l'épaisse descente de lit, ni d'être seule à seul dans une chambre avec un homme rencontré la veille. Un arôme de vrai café flottait à ses narines, mêlé à celui du vin de la nuit. Car ils avaient bu sans retenue, pour s'égayer, ou plutôt pour cacher leur embarras devant ce qu'ils avaient découvert entre eux, il en avait été ainsi.

Dehors résonnaient les sabots de prisonniers de guerre russes, Hellmuth mit du Bruckner sur le gramophone et invita Juudit à l'accompagner le soir même au théâtre Estonia.

Juudit remonta sur le lit et tira la couverture sur ses jambes.

« Je ne peux pas venir.

– Pourquoi, Fräulein ?

– *Frau.* »

Hellmuth resplendissait dans son uniforme, il était beau à voir. Il fit face au miroir pour suspendre la *Ritterkreuz* à son cou.

« J'aimerais bien, ajouta Juudit.

– En ce cas, ne le pourriez-vous pas, belle dame ?

– On pourrait nous voir, chuchota-t-elle.

– Je vous en prie. »

Hellmuth vint se placer à côté d'elle, tira une cigarette de son étui métallique et l'alluma, regardant ses mains de telle façon que Juudit devina qu'il avait peur d'un mot négatif de sa part autant qu'elle de la réciproque.

« Pardon, mais pourriez-vous m'en offrir une ? demanda Juudit.

– Bien sûr. Je suis désolé. Apparemment, j'ai vécu trop longtemps à Berlin.

– Comment cela ?

– Vous avez l'air si jeune. Chez nous, le tabac est interdit aux femmes de moins de vingt-cinq ans.

– Pourquoi ?

– Sans doute imagine-t-on que c'est mauvais pour la fertilité. »

Juudit était gênée. Hellmuth grimaça :

« Je ne me suis pas fait prier, pour mon détachement en Ostland : je devinais que je pourrais fumer dans mon bureau, ici. Le Reichsführer nous l'a interdit pendant les heures de travail, mais il a sans doute mieux à faire que de venir nous surveiller jusqu'ici. Naturellement, fumer est aussi interdit dans les administrations, et ainsi de suite : on lutte continuellement contre le tabagisme passif.

– Passif ?

– L'exposition à la fumée de cigarette exhalée par autrui.

– Ça a l'air bizarre, dit Juudit dans un regain d'embarras. Je ne voulais pas critiquer.

– Tout ce que souhaite le Reichsführer, c'est la meilleure fertilité possible, lui que préoccupe la dégénérescence de notre race. Et cela, ne devrais-je pas m'y opposer par tous les moyens ? »

Hellmuth alluma une nouvelle cigarette et la plaça entre les lèvres de Juudit. Elle ne savait pas si ce qui lui faisait tourner la tête était la cigarette ou le geste qu'il avait fait en la lui offrant. Elle voulait que cette matinée ne finît jamais, sa tête était toujours pleine de rosée nocturne, ses cheveux bouclés portaient encore les gouttelettes de la nuit, et quand Hellmuth la regarda dans les yeux, elle sentit, sous le verbiage, le mouvement convergent de leurs cœurs, et il était impensable que ce mouvement eût une fin.

« Il y a de plus en plus d'interdictions : mieux vaut donc en profiter tant que c'est encore possible. À Riga, on ne peut déjà plus fumer au théâtre ; ce sera peut-être bientôt le cas à l'Estonia, même si je me demande qui prendra le temps de venir vérifier que ces règles sont respectées. Mais je dois y aller, le devoir m'appelle ; nous nous verrons donc ce soir à l'Estonia ? Qui sait, nous pourrions y savourer ensemble une dernière cigarette sous le signe de l'art. »

Son clin d'œil pétillait d'étincelles, et les étincelles pétillaient de promesses.

Reval
Commissariat général d'Estland,
Reichskommissariat Ostland

L'Allemand que j'avais choisi est ressorti tout seul du Kultas. J'ai regardé s'éloigner sa casquette, les pans de sa pèlerine, et je me suis précipité dans le café. Juudit n'y était plus. Les serveuses se sont méfiées quand je les ai interrogées au sujet d'une dame répondant au signalement de Juudit, et elles ont secoué la tête. Le lendemain, j'ai téléphoné sans relâche à l'appartement de Valge-Laeva : pas de réponse. Je suis allé frapper à la porte, en vain. Juudit avait disparu. Je commençais à me faire du souci. Finalement, j'ai demandé à un contact de la B IV de chercher une femme du nom de Juudit Parts, et j'ai appris ainsi qu'elle était devenue la petite amie d'un Allemand que je ne connaissais pas mais qui n'était pas moins qu'un SS-Hauptsturmführer. J'ai d'abord digéré la nouvelle, ravalé ma déception, puis j'ai déniché l'adresse du Chleuh en question en me régalant à l'idée de lancer mes hommes aux trousses de Juudit ; je la terroriserais avec mes renseignements, je me pointerais devant elle à l'improviste et je lui raconterais qu'on la surveillait constamment, qu'on l'avait vue à tel moment au Restaurant du Nord avec son Fritz, à tel autre au casino. Je l'imaginais devenir blanche comme un linge, enfoncer sa tête dans son renard, y faire disparaître sa bouche couverte de rouge à lèvres et de fourberie : elle aurait peur. Voilà qui soulageait ma démangeaison. Cependant, je n'ai pas mis mon fantasme à exécution : en effet, selon mes renseignements, sa conquête s'avérait une meilleure proie que l'Allemand de mon plan initial, et je ne voulais pas que Juudit attire l'attention des membres de notre cercle. C'était plus sûr, je ne communiquerais plus son nom à des tiers. Je la suivrais moi-même et, lorsque je tiendrais son avant-bras entre mes doigts, je n'hésiterais pas à le serrer avec force, pour lui faire comprendre qu'elle n'avait pas d'autre choix que de coopérer si elle ne voulait pas que son mari soit au courant de ses aventures ou que son Boche apprenne son double jeu. Je lui dirais que je ne la laisserais jamais tranquille.

Reval
Commissariat général d'Estland,
Reichskommissariat Ostland

Roland dénicha un endroit où dormir à Roosikrantsi. Dès qu'il sortait de son travail au port, obtenu grâce à des papiers d'identité fournis par son contact de la B IV, il espionnait Juudit. Au port, les journées étaient longues : il partait tôt le matin, sans doute avant même qu'elle fût réveillée, et il rentrait tard dans la nuit. Les billets qu'il glissait sous la porte de l'appartement de Valge-Laeva n'étaient jamais honorés d'une réponse, Juudit n'y mettait plus les pieds, elle était entrée dans un monde dont les portes se refermaient sur lui, et des semaines s'écoulèrent avant qu'il la revît enfin : son foulard flottant à tout vent se glissa dans une automobile venue la chercher devant l'immeuble et Roland, impuissant, ne put que suivre des yeux l'Opel Olympia mettant les gaz avec entassée à son bord une turbulente compagnie. Il nota les noms des hôtes qui venaient de quitter l'immeuble : le commissaire général Litzmann, ainsi que Hjalmar Mäe, qui bêlait de partout. Une autre fois, ce fut le *Kommandeur** Sandberger en personne qui passa le seuil. Le Boche de Juudit recevait des invités de marque, et beaucoup d'entre eux allaient et venaient en plein black-out, certains par la porte de service. Les communiqués de Richard, qui travaillait à la B IV, ne présageaient rien de bon quant à ces visiteurs.

L'éclat de rire de Gerda dans l'Opel retentit jusqu'à l'escalier. Juudit vint prendre place à côté d'elle, blottit sa main dans celle de Hellmuth, et ils s'en allèrent tout droit vers le coucher de soleil sur la mer. Là-bas, après avoir laissé la bouteille de champagne se vider et la pluie d'été mouiller les coiffures des dames, ils décidèrent de délaisser le Pavillon balnéaire et de reprendre la voiture pour aller s'attabler aux tables pétillantes du Restaurant du Nord. Hellmuth affirmait qu'on y trouvait un meilleur cuisinier, un meilleur riesling, et Juudit était reconnaissante à Gerda de ne pas la juger, à Gerda en compagnie de qui elle n'avait pas besoin de cacher qu'elle était amoureuse, à Gerda qui examinait la situation de Juudit avec lucidité. En effet, tandis qu'elles étaient assises toutes les deux sur le divan du cabinet de toilette du Restaurant du Nord, Gerda demanda en rafraîchissant son rouge à lèvres :

« Tu te fais sans doute du tracas pour ces histoires. »

Juudit rougit.

« Je m'en doutais, chuchota Gerda. Pas étonnant que Hellmuth se soit entiché de toi. À Berlin, une telle innocence est rare, c'est moi qui te le dis. Le meilleur ami de la femme, c'est le pessaire contraceptif, tout le reste est de la foutaise. Je connais un médecin qui pourra t'en avoir un. Ça coûte cher, mais ce ne sera sûrement pas un problème. Crois-moi, ça passe complètement inaperçu ; après, tu seras tranquille. »

Gerda écrivit l'adresse du médecin au dos d'une carte de visite de son mari Walter, et voilà écarté le pire problème susceptible d'accabler une dame qui a un amant. Le soupir de soulagement de Juudit fit rire Gerda, son rire gagna Juudit, et elles gloussèrent en se tenant par le cou sur le divan ; finalement, Juudit prise d'une crise de hoquet et Gerda contrainte à essuyer son mascara dégoulinant, elles décidèrent de se ressaisir. Le monde était si différent, grâce à Gerda avec qui parler de presque tout, Gerda qui envoyait balader les scrupules de Juudit au sujet de ce que son époux pourrait penser s'il savait qu'elle roucoulait en public au cou d'un étranger, Gerda qui pensait que Juudit serait folle de quitter Hellmuth car elle était sûre qu'il l'épouserait : même le Reichsminister Rosenberg avait une épouse estonienne, Hilda Leesmann, ballerine à l'Estonia. Juudit objecta que la carrière du Reichsminister avait progressé beaucoup mieux après que Hilda, emportée par la tuberculose, avait cédé la place à l'Allemande Hedwig, mais Gerda ne voulut rien entendre, bien que Juudit lui eût rappelé aussi que le Reichsminister était un Allemand de la Baltique, non un Allemand du Reich comme Hellmuth, de sorte qu'une épouse originaire des Territoires de l'Est ne serait certainement pas une bonne chose pour lui. Gerda avait répondu à ces arguments en riant, et elle riait encore, à présent, sur le divan du cabinet de toilette.

« Écoute, ma bécasse. Ce ne sont que des questions d'organisation. Je vous ai regardés. Mon Walter, il lorgne les autres femmes, même quand je suis à son bras. Hellmuth, non. Walter pense qu'il a un avenir radieux, et il paraît qu'il a du flair pour ces stratégies en tous genres auxquelles je ne comprends goutte. Quand la guerre sera finie, il sera rappelé à Berlin avec ses médailles sur la poitrine, et tu déambuleras à son bras dans les salons. Tu as fait le bon choix. Ton allemand est impeccable et tu as l'air d'une vraie Fräulein. Ce menton ! Et le nez ! s'exclama Gerda tout en rectifiant les rides de Juudit en lui tapotant le nez. Ce n'est pas en vain que tu as fréquenté l'école allemande de jeunes filles. Je parie que tu étais première de ta classe ! Mon trésor, allons nous envoler avec un cocktail *Side-car*. Adieu les chagrins ! »

Gerda prit la main de Juudit et la serra. Tout avait l'air si simple, à l'entendre, qu'elle avait peut-être raison, peut-être que tout était simple – en tout cas, cela l'était, maintenant, sur le divan du Restaurant du Nord, Juudit avait tendance à trop réfléchir et à tout compliquer, à se tracasser pour des broutilles, alors qu'elle était entrée dans un monde complètement nouveau, avec Hellmuth, un monde étranger aux misères de sa vie antérieure. La veille, M. Paalberg et madame avaient échangé un coup d'œil au moment où Juudit les avait croisés sur Liivalaia. La dame avait haussé un sourcil railleur, après quoi les Paalberg avaient détourné la tête vers la vitrine de la boulangerie. Juudit s'était demandé comment Gerda aurait réagi à sa place. En haussant les épaules, sans doute. Elle s'était donc donné de grands airs et, en levant son visage fièrement vers le soleil, elle s'était sentie bien, de nouveau, voire euphorique. Gerda détestait l'arrogance que les femmes à manteau croisé manifestaient à son égard. Elle n'avait pas besoin de ces gens-là – ni de personne d'autre, d'ailleurs, pensait-elle. Gerda avait raison. À présent, Juudit regardait ses films à domicile dans leur salle de projection à Roosikrantsi et cela lui plaisait beaucoup ; en effet, dans les cinémas, elle risquait de tomber sur des gens avec lesquels elle n'avait plus rien en commun. Elle trouvait charmant d'inviter Gerda à venir voir *Liebe ist zollfrei* dans leur cinéma privé. Elle n'avait plus de raison de se plaindre des longues marches à pied à endurer, ni des services inexistants des transports publics. Elle avait à sa disposition une Opel Olympia avec chauffeur. Et elle ne savait pas ce qu'elle ferait si elle entendait ses amis se moquer de Hitler ou des Allemands devant Hellmuth – les Allemands ne comprenaient pas l'estonien et l'on s'en donnait à cœur joie. Ils étaient beaucoup moins sévères que les Russes. Juudit venait de voir un garçon faire un pied de nez à un soldat allemand, et celui-ci n'y avait pas prêté la moindre attention. Une telle indulgence était inconcevable, sous le régime précédent. Néanmoins, elle ne voulait pas se retrouver dans cette situation en présence de Hellmuth. Ce serait inconvenant. Lui qui était si dévoué ! Il avait même promis de chercher des renseignements sur Johan.

La compagnie de Gerda lui ragaillardit l'esprit, quelques cocktails le ragaillardirent davantage, mais tandis qu'elle retournait dans la salle en suivant Gerda, Juudit jetait toujours des coups d'œil autour d'elle. Elle avait pris cette habitude dès le premier soir, alors qu'il était peu probable de tomber sur des visages familiers dans les établissements des Allemands – en tout cas sur Roland, seul sujet qu'elle ne pouvait pas aborder avec Gerda.

Pendant que Juudit portait le cocktail à ses lèvres sur les nappes blanches du Restaurant du Nord, Roland, à Roosikrantsi, faisait mine de lire un tableau d'affichage dont le cadre en bois était surmonté de la mention *Offres d'Appartements*, avec un A majuscule. Il en connaissait par cœur la moindre annonce bruissant dans le vent. Les portes de l'hôpital et les bouffées d'acide carbolique qui en émanaient répandaient une odeur d'attente, et de frustration. Au bruit des pas et des voix, il reconnaissait les infirmières et ambulanciers qui accouraient à l'hôpital, les domestiques qui vaquaient à leurs occupations dans les magasins de l'armée boche et les employés qui battaient le pavé vers le bureau de l'équipement. La logeuse de Roland, presque sourde et aveugle de vieillesse, ne prêtait pas attention à ses affaires, mais la rue était pleine d'Allemands et de leurs collaborateurs ; puisqu'il commençait à identifier sans peine chaque type de piéton qui passait dans la rue, Roland présumait que les autres ne tarderaient pas à en faire autant de lui-même, aussi avait-il décidé de déménager. Il occuperait le grenier d'une villa inhabitée de Merivälja. Quand on vivait dans la clandestinité, il fallait être prudent, et il avait assez suivi les déplacements et fréquentations du Boche de Juudit. En recoupant ses renseignements avec les rapports fournis par Richard, il n'y avait qu'une conclusion à tirer : les Boches étaient aussi sournois que les bolcheviks, qui avaient bouffé le pays jusqu'aux dernières miettes – au nom des lois de l'Union soviétique. Quand les troupes rouges avaient quitté le fort de Kuressaare, Richard avait été parmi les premiers témoins à voir les corps entassés dans la forteresse, les femmes aux seins coupés, les cadavres hérissés d'aiguilles. Les murs des caves de l'usine Kawe étaient badigeonnés de sang. La même chose se reproduirait, tout aussi légalement que la dernière fois. Ils feraient tout pour que le cas de Rosalie ne s'ébruite pas, ne serait-ce que pour donner une illusion de légitimité. Roland était quasiment sûr qu'il finirait par être témoin des mêmes actes qu'il avait eu le malheur de connaître avec les bolcheviks, et c'est d'une main tremblante qu'il écrivit, ce soir-là, un compte rendu de la situation. Le courrier apporterait sa lettre en Suède : « Selon le SS-Sturmbannführer Sandberger et le chef du gouvernement fantoche Mäe, l'Allemagne doit recouvrer la confiance des Estoniens. Du temps de la République d'Estonie, les Juifs réfugiés d'Allemagne et d'ailleurs firent tant de contre-propagande qu'il n'aurait pas été possible, avec les pogroms qui ont fonctionné à merveille en Lituanie et en Lettonie, d'atteindre ici les mêmes résultats. Sandberger s'en était rendu compte tout de suite, c'est pourquoi il veilla à ce que son *Sonderkommando* fût le plus discret possible et ne toléra aucune violence illégale. Cette attitude et ce souci de légalité ont démontré que Sandberger a de la sagesse et une certaine intelligence psychologique. Les mesures devaient être prises conformément à la loi allemande. »

Reval
Commissariat général d'Estland,
Reichskommissariat Ostland

« Je me souviens de l'ouverture du Pavillon balnéaire. Les soirées étaient longues, c'étaient les nuits blanches. Tu te rends compte, on commandait des cocktails à trois heures du matin ! »

Juudit était arrivée. Ses paroles m'ont rappelé qu'elle était différente de Rosalie, d'un autre monde. Elle avait passé sa jeunesse à laper des cocktails, à courir les buffets et à se déhancher sur des airs de swing.

Nous sommes restés assis un moment en silence, écoutant la musique du Pavillon balnéaire de Pirita, et j'ai caché mon soulagement. L'aménagement de ce moment de congé m'avait coûté beaucoup d'efforts, et il ne manquerait pas de se présenter toute une file d'hommes pour prendre mon poste, au port. J'avais cru que Juudit me poserait encore un lapin et j'espérais que je ne serais pas déçu par les nouvelles, comme c'était si souvent le cas. Trop souvent.

« Elle te manque, la campagne ? » m'a demandé Juudit.

Je n'ai pas répondu, je ne voyais pas ce qu'elle pouvait avoir derrière la tête. Les pavés de la ville ne me convenaient pas mieux qu'à mon hongre, elle le savait bien. J'ai tout de même essayé de faire bonne figure, dissimulant l'indignation qui bouillonnait suite à toutes les soirées et les nuits où je l'avais guettée sans résultat. Quand je l'avais enfin vue venir et qu'elle était seule, j'avais été partagé entre le soulagement et la rage. Les yeux de verre de son renard argenté étaient aussi insensibles que les siens, Rosalie s'en était effacée, mais j'avais encore réussi à maîtriser mes sentiments : je ne devrais pas trop l'effrayer, pas plus que nécessaire. Nous n'avions aucun contact aussi bien placé et je lui faisais confiance, malgré tout, plus qu'aux autres poupées des Allemands.

« Où loges-tu, maintenant ? m'a-t-elle demandé.

– Vaut mieux pas que tu saches.

– Sans doute. Il y a encore beaucoup de villas inoccupées, à Merivälja. Il paraît. »

J'ai regardé les promeneurs sur le rivage, un chien courant après un ballon, les femmes en maillot de bain aux cuisses si miroitantes que j'en avais le regard gêné, les couples qui sortaient du Pavillon en direction de la plage en se donnant le bras et qui s'essuyaient mutuellement les miettes de gaufre au coin des lèvres. Leur bonheur scintillait sur les vagues, ma poitrine me faisait mal. J'étais incapable de continuer cette conversation futile.

« As-tu appris quelque chose ? »

Ma question l'a fait tressaillir, alors que je la lui posais à chaque rendez-vous, et elle a serré les lèvres. J'ai crispé les poings.

« Pourquoi es-tu venue ici, si tu n'as rien à raconter ?

– J'aurais pu ne pas venir », a-t-elle répondu en se cabrant au bout du banc.

J'ai compris aussitôt que je n'avais pas dit ce qu'il fallait. Une fois de plus, l'espoir qui se ranimait en moi chaque fois que je voyais Juudit avait disparu, cédant la place à la cavalcade de ces pensées qui me persécutaient la nuit et dont les harnais cliquetants résonnaient encore à mes oreilles après mon réveil. Juudit a jeté un œil à mes poings, s'est avancée au bord du banc et a regardé la mer comme s'il y avait là quelque chose d'intéressant. J'avais des frissons. Elle était comme les autres. Elle ne croirait pas le moindre propos malveillant à l'égard des Allemands, maintenant que les arêtes saillantes aiguisées par les temps de dénuement s'estompaient de ses pommettes. Même si je lui disais ce que je savais, elle me traiterait de menteur. Après la victoire de Sébastopol, le succès de l'Allemagne ne faisait plus aucun doute, ni l'idée qu'elle seule pourrait nous sauver d'une nouvelle terreur bolchevique ; mais notre troupe croyait en Churchill et en la charte de l'Atlantique, qui promettaient le rétablissement de l'indépendance après la guerre et garantissaient que les changements territoriaux ne seraient pas faits contre la volonté du peuple. Nos courriers transmettaient tout le temps des documents en Finlande et en Suède, y compris mes propres rapports, et nous recevions des coupures de journaux et des analyses d'actualité sur le monde. Rien ne laissait penser que les Allemands respecteraient nos vœux autrement que sur le plan des beaux discours. Mais ils étaient nombreux à vouloir les croire – notamment Juudit, qui avait pris goût à la crème.

« Je m'occupe seulement de l'intendance, là-bas, a-t-elle dit. On ne parle pas de choses importantes devant les domestiques, tu comprends ? En outre, il enquête sur les menaces de sabotage, pas sur les troubles à l'ordre public ; et ici, on ne s'occupe que des infractions survenues à Tallinn, je pense qu'il n'a même pas accès aux données de tout le pays, tu comprends ? Je ne suis pas d'un grand secours. »

J'avais déjà entendu ces explications à maintes reprises, ces mêmes misérables explications, toujours aussi stériles, alors que j'avais souligné que n'importe quel renseignement pourrait conduire sur la piste du coupable, le moindre délit. Elle était sans cesse dans le déni : elle niait les ragots, l'arrogance des Allemands, leurs mauvaises manières. Je n'y croyais pas, moi, aux règlements inflexibles des Fritz, à leur discipline à toute épreuve, ses réponses invariables me laissaient pantois. Pourvu qu'elle lui mente avec un peu plus de conviction, à son Allemand ! Je comprenais son choix, parce que sa situation matrimoniale n'était pas normale, mais je ne pouvais concevoir qu'il faille lui rappeler Rosalie.

Apparemment, Juudit s'apprêtait à prendre congé : elle a rajusté ses épaulettes et trituré le bouton en bakélite de son chemisier avec ses ongles blancs. Elle avait des nouvelles, tout à coup j'en étais sûr. Cette conviction m'a aidé à tempérer mes sentiments. J'ai continué sur ma lancée, d'une voix posée :

« Voici un numéro de téléphone. Si ton Allemand part en voyage, tu appelles et tu dis qu'il fait beau. Je veux venir voir son bureau. N'importe quoi pourra faire avancer notre affaire. »

Juudit n'a pas pris le papier. Je l'ai fourré dans son sac à main. Elle a posé à côté de moi une petite bourse déballée d'un mouchoir et elle s'est tournée vers la mer.

« Roland, il faut que tu partes tout de suite à la campagne. »

Juudit a parlé vite, le regard figé sur le large. La *Feldgendarmerie** savait que le port abritait des déserteurs et des hommes qui tentaient d'échapper à la conscription ; on y procéderait bientôt à des contrôles intensifs et, par la même occasion, on allait chercher l'auteur d'un attentat déjoué. Hellmuth Hertz avait reçu une information selon laquelle il se cachait parmi les dockers.

« La victime devait être Alfred Rosenberg, lorsque son train entrerait en gare. Ce n'était pas toi, n'est-ce pas ? » a demandé Juudit avant de pincer les lèvres.

Je l'ai regardée. Elle était sérieuse.

« Il faut que tu partes, c'est ce que Rosalie aurait voulu. Je te donnerai de l'argent. »

Juudit s'est levée, laissant la pochette sur le banc, et elle s'est éloignée clopin-clopant. Était-ce donc cela qu'elle avait à me dire ? Était-ce pour cela qu'elle était venue ? J'étais à la fois déçu et vigilant. Je n'avais pas entendu parler de cette tentative d'attentat, mais si Juudit m'interrogeait gravement sur ma participation, quelqu'un d'autre pourrait se poser la même question, et cet incident avait sûrement conduit les Allemands à renforcer leurs mesures de sécurité. Je n'irais plus au port le matin.

Bien que les papiers fussent souvent contrôlés dans le tramway, j'ai pris le premier venu pour gagner du temps : mes préparatifs de voyage étaient urgents. Jusque-là, mon nouvel *Ausweis* avait fonctionné à merveille, et personne n'avait remarqué l'année de naissance falsifiée. Je le conservais dans ma poche de poitrine, là où j'avais gardé, autrefois, la photographie de Rosalie ; dans le brouhaha du tram bondé, j'ai constaté que ma main ne cherchait plus à la palper machinalement. J'avais broyé l'image depuis des lustres, mais c'était seulement maintenant que me revenait la conscience qu'elle avait disparu et que je ne la reverrais plus, même en imagination. Au visage de Rosalie s'étaient substitués les papiers d'identité falsifiés, et les talons de Juudit résonnaient encore à mes oreilles. Le bruit de ses pas sonnait faux : c'était celui de véritables souliers en cuir aux talons métalliques agressifs. Elle en avait battu le pavé, sa hanche avait fait onduler les pans de sa robe et j'avais failli lui jeter la bourse à la figure. J'ai regretté d'avoir manqué une occasion de la blesser. Je ne lui ai pas répété ce que Richard a découvert à la B IV : Johan a été emmené dans les caves de l'usine Kawe et, bien que cette cellule ne fût destinée qu'à une détention provisoire, ses traces s'arrêtent là. On n'a aucun renseignement sur son mari. Je me suis abstenu de le rapporter à Juudit parce que je ne sais pas m'y prendre pour consoler les femmes. Et parce qu'elle est très versatile. Si elle ne se montre pas coopérative quand je reviendrai à Tallinn, je lui raconterai à quoi ressemblait la cave la première fois que Richard y a mis les pieds, et je lui dirai que ce fut le bout de la route de Johan. Elle ne se révolterait pas contre les Allemands pour autant, au contraire, mais peut-être que cela dissiperait au moins les bulles de champagne qui lui pétillent dans la tête, cela lui rappellerait que les Allemands n'ont pas restitué les biens de Johan à sa famille, cela lui rappellerait l'importance de nos activités. J'ai besoin de ces armes, fussent-elles viles, car nous ne sommes pas près de retrouver une informatrice comme Juudit. Quand on connaît la compagnie masculine pour laquelle elle s'enflamme, il y a de quoi se faire du souci, et mieux vaut la surveiller. Je les ai suivis. Je les ai vus. Je sais qu'elle veut rester chez son Boche, son regard est celui d'une amoureuse, elle marche sur des pétales de rose. C'est mon arme, il faut que j'apprenne à m'en servir.

Lorsqu'elle gravit le perron de Hellmuth, Juudit avait encore le dos voûté. Avec ses questions pénibles, Roland la dépouillait peu à peu de quelque chose qui, auparavant, avait tenu ses cheveux en ordre : l'honneur. Il ne comprenait pas que tout le monde ne recevait pas l'amour avec des moyens honorables, et que Juudit, par exemple, le recevait sans honneur. Tandis qu'elle posait le pied sur les épais tapis du vestibule, elle avait déjà la tête fièrement redressée, le maintien noble, et elle tendit son chapeau d'été et ses achats à la servante comme si elle avait été élevée avec des domestiques toujours là pour l'accueillir quand elle rentrait chez elle, et elle alla au buffet presser un citron, toujours bien droite, elle alluma une cigarette pour accompagner son *Side-car* et, du même coup, brûla le numéro de téléphone donné par Roland. Le monde avait changé, Juudit avait un avenir différent, une vie meilleure que jamais, et elle ne laisserait pas Roland, qui avait tout perdu, détruire cela. Non, il ne l'entraînerait pas avec lui, il ne lui reprendrait pas ce qu'elle avait gagné : elle avait attendu si longtemps d'avoir quelqu'un qu'elle appellerait « mon chéri », quelqu'un qui la voudrait tout entière et à qui elle conviendrait, elle avait passé sa vie à attendre de rencontrer un homme comme Hellmuth, de pouvoir être malade d'amour au fil des jours et des nuits, de sentir sous sa langue le nectar et le lait, non le soufre et la rouille. La situation conjugale de Juudit ne dérangeait même pas Hellmuth : Juudit avait longtemps jugé ce sujet inconvenant, mais elle avait fini par tout raconter sans détour, à savoir que cette relation n'avait rien d'une union. Et Hellmuth n'était pas parti, il lui avait caressé l'oreille, il l'avait appelée « la plus douce fille du Reich », car sa langue avait rencontré sous l'oreille de Juudit un cristal de sucre, vestige des soins de beauté de la veille.

Avant tout, Hellmuth ne la tourmentait pas en exigeant sans cesse qu'elle lui raconte ce que les Estoniens disaient au sujet des Allemands. Au contraire, ils discutaient. Leurs discussions n'étaient pas des interrogatoires et Hellmuth respectait ses opinions, même dans les affaires que Gerda qualifiait de politiques. Ce matin-là, Juudit avait considéré avec lui les raisons pour lesquelles les expositions photographiques organisées par la *Propagandastaffel* n'attiraient pas autant de public qu'escompté. Il était fâcheux que les salles fussent vides. Juudit estimait qu'il n'était pas digne du Reich d'organiser des expositions qui n'intéressaient pas le public. Cela pouvait donner l'impression que l'État n'avait pas le soutien du peuple !

« Tu as du talent ! avait ri Hellmuth. Même si c'est de la Wehrmacht que relèvent les affaires de la *Propagandastaffel*. Elle embrouille toujours les choses, la Wehrmacht... Mais ce sujet n'est-il pas un peu rasoir pour ma chérie ? »

Juudit avait secoué la tête énergiquement. Elle s'éprenait d'autant plus fort de Hellmuth qu'il écoutait ses opinions et lui confiait des responsabilités. Et les responsabilités, il lui en confiait : elle était devenue sa secrétaire particulière, qui comptait dans ses attributions la traduction, l'interprétariat et la sténographie, bien sûr, mais aussi la charge de présenter les traditions populaires et croyances estoniennes aux chercheurs berlinois qui venaient en visite, ainsi que d'organiser des séances de spiritisme pour les officiers qui en formaient le désir. En raison de travaux urgents, Hellmuth avait totalement confié ses invités à Juudit, et celle-ci n'avait pas eu de mal à satisfaire les Berlinois et les spiritistes : elle n'avait eu qu'à envoyer un télégramme à Mme Vaik, qui organisait les séances de Lydia Bartels. Hellmuth avait reçu une cascade de remerciements ; il avait félicité Juudit pour son efficacité littéralement « germanique », et il lui avait offert une épingle à chapeau sertie d'une rose en agate. Il avait confiance en elle, et jamais elle ne pourrait trahir cette confiance ; elle travaillait tout le temps très assidûment, redoublait de virtuosité à organiser des fêtes, et elle commandait des magazines féminins conseillés par Gerda pour y trouver de l'inspiration ; elle récupéra dans son ancien domicile le *Manuel de la ménagère* et étudia les règles de placement des convives et d'ordonnancement des couverts, elle essaya de former la servante à mieux plier les serviettes et composa une bonne équipe de domestiques pour les dîners. La recette du pigeon créée avec l'aide de la cuisinière s'avéra inégalable, elle la partageait volontiers avec qui la lui demandait, et elle savourait chaque instant car, en s'occupant de tout cela, elle pouvait enfin vivre la vie à laquelle elle s'était préparée pendant toute son enfance et sa jeunesse, elle mettait à profit son éducation et son aisance en société et elle était très occupée, elle n'aurait même pas de temps à accorder à Roland. Voilà pourquoi elle avait inventé que l'auteur de la tentative d'attentat contre Rosenberg se cachait parmi les dockers. Elle avait appris à être meilleure menteuse qu'elle l'eût cru : elle avait été à bonne école, avec son mari.

Juudit s'assura que Maria était dans la cuisine – on l'entendait glousser avec le réparateur de casseroles – et elle se rendit dans la chambre à coucher, où elle ouvrit à l'arraché la porte de la penderie, le menton effrontément haut et le dos droit comme un fil à plomb. Les bottes de feutre cachées au fond du meuble avaient été fabriquées avec du cuir de qualité, leurs semelles et leurs tiges minutieusement graissées et lustrées avec un chiffon de laine ; sous des galoches, elles feraient l'affaire par n'importe quel temps. Quand Leonida avait envoyé de la laine pour deux paires de bottes, Juudit avait décidé d'en donner une à Roland lorsqu'il était apparu à Tallinn ; mais il s'était mis à présenter des exigences aussi sombres et menaçantes que lui-même. Le lendemain matin, Juudit jetterait les bottes par la fenêtre, pour les prisonniers de guerre – ou non, pourquoi attendre ? Elle ouvrit la fenêtre et leur fit décrire une grande courbe à l'extérieur. Voilà qui ferait d'excellentes bottes pour quelqu'un – elle en avait assez. Hellmuth rentrerait bientôt à la maison et, dans la soirée, ils sortiraient avec Gerda et Walter, ils s'amuseraient bien, mieux qu'elle ne l'avait jamais fait ces dernières années ; en attendant, elle prendrait encore un *Side-car*, puis elle se façonnerait des boucles douces au fer à friser, sans un soupçon de mauvaise conscience. Rien qu'un cocktail, et elle pourrait se foncer les cils sans craindre que le fard coule.

Après le troisième verre, Juudit était prête à s'attabler devant sa coiffeuse ; elle empoigna le miroir. Après deux boucles réussies, ses cheveux ne voulurent plus se montrer dociles ; elle jeta le fer sur la coiffeuse. La robe pour la soirée l'attendait sur le valet, de tulle et de voile ; dans le tiroir en carton de la commode reposait une robe neuve pour la soirée suivante, en crêpe de Chine, plissée dans du papier de soie. Un problème était réglé, mais elle n'avait pas l'esprit léger pour autant. C'était à cause des souris. Ou plutôt, de leur absence. Elle avait passé en revue les pièges tendus dans les coins des pièces et des armoires, dans chaque coin, et ils étaient toujours vides. Parfois, elle s'éveillait la nuit, s'imaginant avoir entendu couiner, mais c'était une illusion. Les souris étaient infaillibles, elles ne manquaient jamais de venir annoncer la mort d'un proche : Juudit avait donc la certitude que son mari était encore en vie. La dernière fois, elles lui avaient signalé le sort de Rosalie. Si seulement elles avaient présagé sa liberté !

Reval
Commissariat général d'Estland,
Reichskommissariat Ostland

Quand le camion transportant des ouvriers forestiers quitterait Tallinn à l'aube, je m'esquiverais parmi eux. Auparavant, je devais débarrasser mes affaires du grenier de Merivälja. La villa était déserte, donc parfaite. Mais je ne l'aimais pas, de même que je n'aimais plus les autres endroits délaissés par la vie humaine. Ici aussi, les Allemands avaient mangé les pigeons, si bien qu'on ne les entendait plus roucouler derrière la maison, les chats errants faisaient un tapage inouï dans les salles et les vérandas. Ma dernière nuit à Merivälja, je la passerais dans la remise, par précaution, et je le ferais de bon cœur. Mais, à la porte d'entrée, j'ai remarqué que la planche que j'avais posée là en guise de piège avait été déplacée. Discrètement, mais déplacée quand même. Peut-être n'était-ce qu'un chat. À tout hasard, j'ai armé mon Walther et tendu l'oreille. Je me suis faufilé par une véranda, j'ai traversé une salle obscure. Quelqu'un avait trébuché sur un fauteuil couvert d'un drap. En montant l'escalier, j'ai posé le pied sur des marches grinçantes. Je suis allé à la porte du grenier, que j'ai entrouverte, et c'est alors que j'ai failli tirer sur Richard qui attendait à l'intérieur.

« Comment tu as eu l'idée de venir ici ? »

J'avais le pistolet pointé sur son front. Richard était muet de frayeur et il a réussi avec peine à souffler qu'il était seul. Il connaissait le mot de passe. J'ai baissé mon arme.

« On m'a donné l'ordre de venir ici, je suis obligé d'émigrer.

– Vu les traces que tu as laissées sur ton passage, ça ne t'est pas venu à l'idée que tu pourrais être suivi.

– Deux fonctionnaires ont disparu au directorat de l'Intérieur, on me regarde bizarrement. Il faut que tu m'aides, j'ai de faux laissez-passer pour vous. »

J'ai empilé mes affaires promptement dans le sac à dos et je lui ai dit de me suivre. C'était urgent, j'étais sûr qu'il était suivi. Richard allait passer par l'escalier, je l'en ai empêché. Nous sortirions par le toit.

La passe-lettres m'a remis une tenue militaire allemande et elle m'a indiqué où trouver deux pots de cartouches dans la forêt. Je lui ai demandé de s'occuper de Richard le temps que je lui trouve une place à bord d'un navire ou d'un canot à moteur. Richard a posé un classeur sur la table en disant qu'il avait emporté tout ce qu'il avait pu. À côté, j'ai posé la bourse remise par Juudit ; il l'a glissée dans sa poche. Quand j'ai ouvert le classeur, il m'a averti que je n'allais pas aimer ce que j'y lirais :

« Des rapports de la police politique, tous des originaux. »

Dorpat *est une ville étonnamment européenne malgré la disgrâce de ces dernières années. D'après le Reichsminister Rosenberg, les pays baltes ont un caractère européen. Malheureusement, les chefs-d'œuvre du Reichsminister ne sont pas connus par ici, étant donné que les bolcheviks ont tenu le pays à l'écart de la culture.*

La mesure que nous préconisons consiste à ce que les résultats de recherche du nouvel Institut impérial d'histoire allemande soient aussi divulgués en Estland ; peut-être serait-il même judicieux d'y fonder une Referentur *à part entière. Sinon, les Estoniens ne comprendront pas l'importance de la question juive. En effet, du temps de la République, les Juifs d'Estland ont connu une période d'autonomie culturelle. Pour cette raison, il serait bon d'investiguer sur les dommages que l'Estland a pu subir dans cette situation où les Juifs n'étaient soumis à aucune restriction, et sur les manifestations de la sournoiserie inhérente à leur race dans ces circonstances sociales particulières. De même, la criminalisation de l'antisémitisme en 1933 résulte sans aucun doute d'un complot ourdi par les Juifs, d'où l'on peut conclure que le gouvernement a été très faible, ou que la race estonienne manque cruellement d'intelligence. Cependant, leur race est très métissée, si bien que cette caractéristique serait surprenante. Il n'est pas impossible que le gouvernement fût extrêmement dégénéré ou même que des Juifs en fussent membres. Il faudra examiner comment un État aussi négligent a pu tenir bon. Il serait peut-être utile de faire de l'Estland la plus grande réserve de Juifs de l'Ostland. D'un autre côté, le Kommandeur Sandberger a souligné que les pogroms ne convenaient pas à l'Estland en raison de son passé extraordinairement philosémite. Le pays a été sauvé d'une ruine complète par la tradition culturelle germanique, grâce à l'*Aufsegelung* *des Allemands. Au demeurant, les Juifs y sont exceptionnellement peu nombreux, beaucoup moins qu'en Lituanie et en Lettonie. Peut-être savent-ils se camoufler assez habilement pour ne pas attirer l'attention des autochtones.*

Comme contacts locaux, nous avons choisi des personnes aux traits germaniques. Les Allemands de la Baltique renvoyés en Estland par le Reich ont fourni de nombreux spécimens adéquats.

Enfin, il est extrêmement important d'unifier la marche à suivre en Ostland, voire complètement indispensable eu égard à la situation globale.

J'ai lâché le classeur et demandé à boire à la passe-lettres. Richard a ouvert sa blague à tabac et nous a roulé deux cigarettes. La passe-lettres pleurait.

« Lis les dernières pages, m'a invité Richard. Celles qui parlent de "l'opération". C'est comme ça qu'ils appellent les déportations de juin. »

Les Estoniens se comportaient comme les Juifs : tout le monde est monté docilement dans le camion, puis dans le train. Aucun incident majeur n'est à déplorer. Les femmes et les enfants sanglotaient, sans plus. La permission d'emporter des affaires personnelles a calmé les indigènes aussi bien que les Juifs.

De nouveau, les papiers me sont tombés des mains. La passe-lettres est venue s'asseoir à côté de nous. Ses yeux mouillés étaient ronds comme la lune les nuits de bombardement. Je pensais à mon père. À mon père dans le train. J'étais incapable de penser davantage. J'ai repris les papiers en me rappelant à notre devoir.

« Qui a écrit cela ? ai-je demandé.

– C'est l'œuvre de ton cousin.

– Edgar ?

– "Eggert Fürst", il se fait appeler. Il a déboulé gaiement dans notre service et je lui ai promis de ne pas révéler son ancien nom. Il prétend s'être remarié et avoir pris le nom de sa femme, mais cela m'a tout l'air d'un mensonge un peu hâtif ; l'épouse serait une aventurière, soi-disant, elle l'aurait quitté. Enfin, je ne sais pas, il a fait allusion à des lettres de change.

– Et tu n'as rien dit de nos activités ? »

Richard eut l'air vexé.

« Bien sûr que non. »

Je croyais Richard, mais je connaissais aussi l'habileté d'Edgar.

« Fait-il autre chose que taper des rapports pour Berlin ?

– Je ne sais pas. Il s'entend très bien avec les officiers, il s'exprime comme un Allemand. Il passerait presque pour un véritable Aryen. »

J'ai encore maudit en pensée la tentative d'attentat contre Rosenberg. Maintenant que les choses devenaient vraiment graves, je devais déguerpir comme le dernier des clébards. J'ai repris la lecture. Les Allemands étaient satisfaits que les forces de police se fussent reconstituées si vite alors que l'opération d'été de l'Union soviétique avait liquidé toute la police d'Estonie. Ladite opération des Russes était perçue comme ayant été d'un grand secours, puisqu'elle avait relâché l'attention des Estoniens : nul ne voulait remarquer le trafic à destination des camps d'étape, et encore moins les wagons pleins. Nul ne voulait avoir affaire à ces wagons.

« Mais pourquoi les Allemands comparent-ils les Estoniens aux Juifs ? ai-je demandé. Projettent-ils quelque chose comme des déportations en Allemagne ? Ou ici même ? Ont-ils déjà fait aux Juifs ce que nous ont fait les Russes ? Qui prend exemple sur qui ? Bordel, qu'est-ce qu'ils fabriquent ?

– De vilaines choses », chuchota la passe-lettres. Je me suis rappelé qu'elle avait un fiancé, Alfons, et que ce fiancé était juif. Il avait fourni un logement à des Juifs d'Allemagne réfugiés ici, mais il avait refusé de partir pour l'Union soviétique quand tant d'autres avaient continué leur exil dans cette direction à l'approche des Allemands. Son père avait été déporté,

Alfons ne se faisait pas d'illusions sur l'Union soviétique. J'ai tourné vers la demoiselle un regard interrogatif.

« Nous serons tous tués. »

Ses mots étaient fragiles et inexorables. J'avais le vertige. J'ai vu passer devant mes yeux le sourire radieux d'Edgar.

REVAL
Commissariat général d'Estland, Reichskommissariat Ostland

Edgar n'arrivait pas à dormir. Il alla se préparer un verre d'eau sucrée et le but d'un trait. Le matin, il rencontrerait le SS-Untersturmführer Mentzel au quartier général de la police de sécurité : celui-ci voulait entendre le sentiment d'Edgar après son transfert à Tallinn, et il allait falloir l'impressionner. Edgar était nerveux. La visite de Mentzel à Tallinn tombait à point ; une compagnie de sécurité estonienne venait d'achever son instruction en Allemagne et les hommes avaient été reçus à Tallinn en grande pompe, ce qui avait privé Edgar de sa tranquillité d'esprit, creusant sur son front des sillons d'inquiétude. Si le pays se remplissait de spécialistes formés directement en Allemagne, progresseraient-ils plus vite que lui ? Aurait-il encore une utilité dans des opérations importantes ? Quelqu'un se souviendrait-il de ses compétences ?

Edgar vérifia encore une fois l'état du costume qu'il venait d'acheter, entoilé bien droit. Il l'avait brossé à deux reprises dans la soirée. L'ancien propriétaire avait l'épaule gauche plus basse que l'autre, aussi avait-il dû découdre le coton de l'épaulette ; malgré tout, les deux côtés n'étaient pas identiques. Mais il fallait faire avec : son ancien costume était trop raccommodé. Si la rencontre avec Mentzel se passait bien, il aurait peut-être les moyens de confier le costume à un meilleur tailleur, peut-être trouverait-il au marché noir de l'étoffe de laine pour un nouveau complet, croisé.

Le SS-Untersturmführer Mentzel commença l'entretien par des remerciements : les informations fournies par Edgar avaient été confirmées, contrairement à bien d'autres, et ses rapports étaient d'un rare professionnalisme. Edgar soupira, soulagé, mais son nez, en même temps, était assailli par des bouffées d'eau de Cologne. Le matin, pendant qu'il tâchait de se présenter sous son meilleur jour, il avait eu le malheur de renverser un flacon entier sur son nouveau costume. Le tamponner avec une serviette humide n'avait pas changé grand-chose, et il n'avait plus le temps de l'aérer. Pour éviter que le nuage d'eau de Cologne emplisse tout le bureau, il essayait de se tenir le plus immobile possible après avoir discrètement écarté sa chaise de l'Allemand. Comme celui-ci ne semblait rien remarquer de particulier, Edgar reprit courage. Peut-être Mentzel faisait-il seulement preuve d'un tact germanique, ou bien c'était Edgar qui s'imaginait l'odeur plus forte qu'elle l'était. Peut-être étaient-ce seulement ses nerfs qui lui jouaient des tours.

« Quelles sont vos impressions, à la B IV, Herr Fürst ? Parlez-moi librement de vos sentiments, l'invita Mentzel.

– Il y a tout un sac de nœuds causé par de nombreux cas embarrassants où les informateurs locaux se dénoncent les uns les autres, Herr SS-Untersturmführer, commença Edgar. Tout un chacun se fait traiter de bolchevik, on voit des repaires secrets de communistes là où il n'y en a pas, un même sabotage peut faire l'objet de trois versions différentes. Sans autre motif, apparemment, que la jalousie, la rancune et la vengeance, toute la bassesse qui peut gouverner l'esprit humain. Une fois, une dénonciation a même porté sur un appartement utilisé par notre *Referentur*. Pendant que de tels cas nous donnent du fil à retordre, nous avons du mal à nous consacrer aux questions qui sont essentielles à nos intérêts. C'est très contre-productif, si je puis dire. »

Mentzel écoutait attentivement, un peu penché en avant, et l'incertitude qui démangeait Edgar sous les pieds disparut, l'assurance le submergea aussi imprévisiblement que le flacon de parfum s'était renversé sur son costume, et le souffle de cette assurance était aussi puissant que celui de l'eau de Cologne, mais d'une façon positive ; il lui plaçait le costume sur les épaules comme s'il était taillé sur mesure, sa compétence lui redressait le dos.

« La situation devra bien être maîtrisée, autrement nous aurons l'air complètement ridicules, s'écria Mentzel quand Edgar eut fini son compte rendu. L'Allemagne ne fonctionne pas ainsi. Et l'Allemagne ne se laissera pas exploiter… Cognac ? C'est du letton, avec un étrange goût de pétrole, je suis désolé… Un autre souci considérable nous assaille : il s'agit du faible nombre d'Estoniens qui se sont enrôlés dans nos forces armées de leur plein gré. Nous nous attendions à beaucoup plus d'enthousiasme. »

Mentzel souligna qu'il n'y avait pas de « bonnes réponses » et qu'il voulait juste entendre la vérité. Edgar réchauffait le cognac dans son verre en remuant seulement le poignet et en portant toute son attention sur le tournoiement. Les effluves d'eau de Cologne tourbillonnaient toujours fâcheusement dans la pièce quand Edgar avait saisi le verre tendu, et son sentiment d'assurance s'était craquelé. Tandis qu'il parlait, il n'avait pas eu le temps de se concentrer sur l'odeur, l'attitude encourageante de Mentzel l'avait aidé. Ou bien ce n'était qu'une illusion. Il hésitait. Il fallait bien jouer la manche, mais il ne savait pas quelles cartes étaient bonnes ou mauvaises. Quand la B IV avait déménagé à Tõnismägi dans le même quartier que la police de sécurité allemande, il avait constaté avec aigreur, lorsqu'il se rendait au quartier général, que les autres montaient les échelons de mission en mission, acceptaient les défis et sortaient parfois en uniforme de parade, avec toujours plus de galons, tandis que lui gaspillait ses compétences avec les commères malveillantes un peu simplettes et leurs dénonciations.

Edgar reprit courage :

« Le peuple colporte des bruits selon lesquels les Estoniens, après la guerre, seraient déplacés derrière le lac Peipsi ou en Carélie, Herr SS-Untersturmführer. Ces rumeurs incitent les gens à se demander si l'armée allemande est vraiment un bon choix pour un Estonien. Les déportations de juin les ont rendus circonspects vis-à-vis de tout ce qui pourrait les menacer de quitter leurs maisons et leurs terres. »

Mentzel haussa les sourcils et se leva. Ses épaules étaient tendues, le cognac frémissait dans son verre, ses galons tremblaient.

« Ce que je vais vous dire est strictement confidentiel. Il est possible que le déplacement concerne les Juifs du Baltikum, peut-être aussi les Suédois du littoral. Mais que les Estoniens... Jamais de la vie. La gratitude est-elle donc une notion complètement inconnue des Estoniens ?

– Je suis absolument sûr que la gratitude des Estoniens n'a pas de limites, pour ce qui est du rôle du Reich dans la libération de leur pays. Dans l'ensemble, le moral est très serein, personne ne projette de dynamiter les moyens de transport de la Wehrmacht, par exemple, excepté une poignée de bolcheviks. Seul le rationnement alimentaire agace vraiment les gens. Quant aux volontaires, il s'en présenterait peut-être davantage si les hommes pouvaient porter les couleurs de l'Estonie.

– On va voir ce qu'on peut faire à cet égard. Et court-il encore des rumeurs sur une Grande Finlande ?

– Guère. Je ne me ferais pas de souci pour cela. »

L'entretien était terminé. Edgar se leva et sentit de nouveau les effluves de l'eau de Cologne.

« Je vous ai recommandé à un collègue. Vous recevrez des détails plus précis ultérieurement. Il a besoin d'un état des lieux fiable sur l'opinion locale. Vous pourrez lui présenter vos vues en toute liberté, Herr Fürst. »

C'était un homme soulagé, plein d'optimisme, qui sortit du quartier général. Edgar souriait en repensant au désespoir qu'il avait éprouvé jadis devant le train qui emportait la police de sécurité : les rires fusaient aux fenêtres, une partie des wagons étaient rafistolés avec des branches de bouleau. Ce jour-là, sur le quai, Edgar s'était maudit de ne pas s'être enrôlé à temps dans la police, d'avoir suivi Roland au lieu des autres. Il aurait dû faire partie de cette superbe troupe de garçons qui rentraient chez eux, écouter en gare les paroles bienveillantes des représentants suprêmes de la police de sécurité allemande, les SS-Obersturmführer Störtz et Kerl, ainsi que les discours édifiants du directeur Angelus.

Le souci nourri par l'incertitude s'était ajouté au fait que les hommes formés sur l'île de Staffan étaient qualifiés de volontaires finlandais. À ce titre, ils n'étaient pas concernés par l'interdiction de remettre la Croix de fer à des ressortissants des Territoires occupés de l'Est : ces gars étaient tellement estimés qu'on avait voulu déroger à la règle afin qu'ils eussent leur *Ritterkreuz*. Et ils l'eurent. La jalousie avait été amère, quand Edgar avait entendu que, la *Ritterkreuz* au cou, même les Estoniens pouvaient accéder aux établissements réservés aux Allemands. S'il n'avait pas suivi Roland, lui aussi pourrait avoir une croix autour du cou, maintenant. Mais la partie n'était pas encore perdue : l'entretien venait de le prouver. Peut-être qu'un jour on vendrait aussi ses photographies sur tout le territoire du Troisième Reich, ou au moins en Ostland, et les enfants prépareraient leur colle d'amidon pour placer son portrait dans leurs albums. Tout était possible. Edgar n'avait pas revu son cousin depuis la crise pénible où Roland l'avait mis à la porte de la cabane de Leonida, et il n'avait rien contre leur rupture. La fâcheuse interruption provoquée par Roland dans son évolution de carrière s'était résolue spontanément, et tous ces désagréments étaient maintenant révolus : le temps perdu à tourner en rond dans la cabane, la mauvaise humeur du cousin à cause de Rosalie, la folie furieuse qui fulminait dans ses yeux, son insistance obstinée au sujet de l'épouse… Son mariage ne regardait pas Roland.

REVAL
Commissariat général d'Estland,
Reichskommissariat Ostland

Bien que Hellmuth eût exhorté Juudit à rester à la maison le 5 octobre en l'avertissant des risques d'attentat, Gerda vint la persuader d'aller avec elle escorter les légionnaires. Au diable les attentats ! Il faudrait que les gars gardent dans les yeux une belle image de l'Estonie, en partant pour la guerre.

« Pas que des mères éplorées ! Il est de notre devoir d'aller à la gare », s'écria Gerda en observant pensivement les rituels de beauté de Juudit. Celle-ci avait méticuleusement mélangé du peroxyde d'hydrogène, deux tiers, et de l'ammoniaque, un tiers, et elle s'en tamponnait le crâne avec un coton. Gerda pensait qu'il valait mieux se faire décolorer les cheveux par le coiffeur : le résultat serait beaucoup plus satisfaisant.

« Mais reconnais que tu te faisais belle pour les gars, en réalité ! remarqua Gerda. Enfin, tu n'as plus besoin de tout faire toi-même. On dirait que tu ne t'en rends pas compte. Laisse tomber, une fois pour toutes ! Il paraît que des filles ont préparé des casse-croûte pour les légionnaires, moi je pensais juste me vernir les ongles. »

Juudit éclata de rire. Il n'y avait pas moyen de tenir tête à Gerda ; le matin, elles accoururent donc devant le lycée Gustav-Adolf juste à temps pour voir le défilé se mettre en branle en direction de l'hôtel de ville. La cour et la rue étaient fleuries, les badauds suivaient l'orchestre, la foule grandissait. Devant les légionnaires, des filles en costume traditionnel s'affairaient, elles attachaient des fleurs du pays sur la poitrine des hommes. Les drapeaux estoniens étaient brandis frénétiquement, les drapeaux allemands pendaient paresseusement. Quelqu'un alla donner un ordre, les porte-drapeaux se ressaisirent, les étendards se redressèrent. La place de l'Hôtel-de-Ville n'était qu'effervescence et affluence, un troupeau de gosses retenant leur souffle écarquillaient les yeux devant les rangées de volontaires au maintien alerte et aux têtes bien peignées. Gerda tirait Juudit derrière elle, elles faillirent se faire piétiner sous la cohue, et elles entendirent plus qu'elles ne virent l'arrivée du SA-Obergruppenführer Litzmann. Juudit se haussa sur la pointe des pieds, Hjalmar Mäe bedonnait derrière Litzmann... Et là-bas, était-ce le Kommandeur de la police de sécurité, Sandberger ? Son col blanc se déployait sur sa poitrine comme les ailes d'une mouette... Ou était-ce le SS-Oberführer Möller ? Gerda agitait en l'air sa main libre. Des photographes se précipitèrent autour de Litzmann, piétinant d'avant en arrière, cherchant un meilleur angle de champ, et ils jetaient sur les pavés, après usage, les lampes à flash qu'on leur avait dispensées sans compter. La place fleurissait de drapeaux, de blanc, de bleu, de noir, de rouge, les sifflements donnaient le tournis. Juudit redescendit sur ses talons et caressa ses boucles fraîchement décolorées ; les tempes s'étaient déjà remises à friser en désordre. Elle ne connaissait personne parmi ceux qui partaient, il n'y avait même pas de parents de Gerda : que faisaient-elles ici ? Gerda avait dit qu'il fallait absolument vivre cet instant où les Estoniens pourraient se battre pour leur liberté : « Enfin notre propre légion, Juudit, tu te rends compte ? Est-ce que tu te rends compte depuis combien de temps on attendait cela ? Le destin de l'Estonie dépend de la contribution que les Estoniens apporteront dans la lutte contre le bolchevisme ! Juudit, tu ne te rends pas compte ? »

Juudit leva la main, dans laquelle Gerda avait fiché un petit drapeau bleu-noir-blanc, les cris s'amplifiaient, pour une raison qui bientôt passa devant Juudit en la personne du sous-officier Eerik Hurme, dont la poitrine arborait la Croix de fer en concurrence avec les médailles finlandaises de la guerre d'Hiver. Juudit devinait ce qu'elle lirait dans le journal du lendemain : les pas des légionnaires y seraient fermes, les parents fiers, on n'oublierait pas de mentionner souvent le tricolore estonien, mais toujours aux côtés du drapeau allemand, et peut-être y aurait-il une photographie où le nez crochu de Litzmann frissonnerait passionnément, il échangerait une poignée de main avec le sous-officier Hurme. Juudit connaissait les rapports reçus par Hellmuth : la population était exaspérée que les mobilisés dussent certifier avec signature qu'ils s'engageaient de leur plein gré. Ces rapports manifestaient de l'inquiétude devant le risque que ces opinions se propagent et que les gars se dérobent aux campagnes d'enrôlement. Juudit contemplait là d'authentiques volontaires, ainsi que l'enthousiasme de Gerda – et tout à coup, au loin, elle aperçut un profil familier. L'homme disparut dans la foule. Juudit pressa la main sur la bouche. La tête sombre reparut un peu plus loin, l'homme se retourna… Non, Juudit s'était trompée, son esprit lui avait encore joué des tours. Mais voici que la tête connue resurgit, à un mètre à peine de l'autre. Le regard de Juudit ratissa la foule, sans résultat, elle essaya de traverser la place, c'était impossible. Peut-être n'étaient-ce que des visions. Peut-être avait-elle vu un défunt : les morts ont trois mois pour faire leurs adieux ici-bas. La cohue était si dense que Juudit dut rester collée à Gerda, écouter les discours jusqu'au bout, alors qu'elle se sentait faible, et elle dut chanter l'hymne allemand et suivre Gerda par les rues Harju et Toompuiestee jusqu'à la gare. Hellmuth était là-bas, quelque part, sur la piste de saboteurs bolcheviques ; les légionnaires diversement équipés étaient en rangs sur les quais. En vain, Juudit cherchait à remettre les yeux sur Roland – ou sur cet homme qui ressemblait à Roland.

« Sur les wagons, ils ont écrit : *La victoire ou la mort* ! » s'écria Gerda en admiration.

Puis un chant s'éleva – *saa vabaks Eesti meri, saa vabaks Eesti pind* –, le train se mit en mouvement, et la mélodie se poursuivit sans faiblir. Les larmes aux joues, Juudit retenait des sanglots suffocants.

Quelques mois plus tôt, dans le cabinet de Hellmuth, on avait examiné des câbles de Litzmann et du Reichsführer. La domestique venait de servir le café lorsque Juudit était rentrée des courses avec un carton de la pâtisserie Kagge : en entendant tinter les cuillères dans le cabinet, elle s'était hâtée d'apporter des gâteaux aux messieurs pour accompagner leur boisson. Elle avait entendu distinctement la voix chevrotante de Hjalmar Mäe :

« Nous devons promettre que l'instruction se déroulera ici. Et qu'ils ne serviront qu'au combat contre l'Union soviétique, en aucun cas contre l'Ouest. »

Puis, au quartier général, la secrétaire de Hellmuth était tombée malade, et Juudit avait été invitée à la remplacer. Elle avait sténographié toute la journée, assisté Hellmuth de conseil en réunion, remplissant un bloc-notes après l'autre, où l'on expliquait que les Estoniens, au sein de l'armée allemande, faisaient l'objet d'un traitement dégradant. Or ils ne se considéraient en aucun cas comme des soldats de deuxième catégorie. Par conséquent, l'engagement dans une troupe d'élite – la *Waffen-SS** – en tant que légion propre pourrait produire de tout autres résultats : cela mettrait enfin un terme au problème de la fuite en Finlande des garçons qui sont en âge de servir. Juudit écrivait, son stylo sautillait, et elle avait compris que l'Allemagne devait être vraiment désespérée, pour en arriver à vouloir enrôler les Estoniens par la ruse, les Estoniens dont à peine cinquante à soixante-dix pour cent étaient aptes, de par leurs caractéristiques raciales et leur santé, à servir dans la légion de la Waffen-SS. Quand Juudit sortit mettre ses notes au propre, un Allemand venait d'entrer, qui apportait des lettres et resta discuter avec Hellmuth à voix basse : le Führer avait failli s'évanouir quand on lui avait suggéré de confier des armes aux Ukrainiens. Des armes entre des mains aussi fourbes ? Jamais de la vie ! Pas à des populations sauvages !

Chez elle, Juudit avait commencé par se concocter un *Sidecar*, puis elle avait pleuré. Pour les Allemands, elle n'était valable qu'à cinquante, soixante-dix pour cent ; ses caractéristiques raciales et son état de santé faisaient sûrement l'affaire au-dessous de la ceinture, mais pas au-dessus. Voilà ce que dirait Roland, s'il était au courant, et il se moquerait d'elle, qui ne serait jamais aussi bonne pour Hellmuth qu'une Fräulein valable à cent pour cent. Et elle ne savait pas quelle voie les amis de Hellmuth lui réservaient, dans son pays, et quelles intentions sa famille avait pour lui, indépendamment de ses propres aspirations. Qui sait, peut-être lui avait-on déjà choisi une fiancée convenable, allemande à cent pour cent, qui ne serait pas une femme séparée, qui ne serait pas originaire des Territoires occupés de l'Est, une fiancée qui aurait des cheveux doucement bouclés au lieu de friser en désordre sous la pluie. Avec le cocktail suivant, Juudit pleurait déjà le désespoir de l'Allemagne ; au troisième, elle appliqua des cuillères froides sur ses yeux pour en diminuer le gonflement, tâchant de se calmer avant le retour de Hellmuth.

Juudit ne fut plus appelée au quartier général. Cela ne la dérangeait pas du tout, même si, auparavant, elle avait espéré que ce serait le cas et qu'elle deviendrait la véritable secrétaire de Hellmuth, avec un poste au quartier général. Elle aurait voulu se joindre aux secrétaires, aux interprètes et aux dactylos qui se précipitaient le matin à Tõnismägi : elle aurait bien aimé être une télégraphiste, fût-ce la dernière de la rangée, pourvu que cela la rapprochât encore de la vie quotidienne de Hellmuth.

À présent, elle était contente de traduire à domicile des comptes rendus interminables sur la sécurité de la distillerie, des rapports d'activité des chocolateries Kawe et Brandmann, et des articles de journaux estoniens. Elle était contente, car elle ne voulait pas en apprendre plus que nécessaire. Gerda avait de la chance, elle, de ne pas savoir sténographier.

Reval
Commissariat général d'Estland,
Reichskommissariat Ostland

Edgar avait les jambes qui flageolaient, quand il laissa son chapeau et son ulster à la demoiselle du vestiaire. Pourquoi lui avoir donné rendez-vous ici ? Pourquoi pas sur un banc du parc, dans un café quelconque, ou à Tõnismägi ? Voulait-on souligner sa position, le taquiner avec les plats qui sortaient de la cuisine, l'amener en terrain inconnu ? Les odeurs grisantes des établissements et épiceries réservés aux Allemands se répandaient toujours dans la rue, il avait souvent salivé en passant devant, et ce restaurant-ci ne faisait pas exception. Les officiers fourmillaient dans la salle et dans l'escalier, les serveurs pressés zigzaguaient entre les uniformes en faisant grincer le parquet, l'arôme de viande rôtie suintait de la cuisine et le tintement des couverts tranchait l'amertume du produit à lustrer le laiton. Les verres sonnaient comme des clochettes, les bouteilles retombaient en crissant dans les seaux à glace, les *Sherry Cobblers* dans les mains des cocottes, et tout le monde s'amusait.

Le SS-Untersturmführer Mentzel n'était pas là, mais apparemment Edgar fut reconnu : il vit quelqu'un gesticuler dans sa direction, à une table centrale, avant même que le maître d'hôtel l'eût accompagné. Un SS-Hauptsturmführer, à en juger par les galons, et Edgar salua en tendant le bras. Le SS-Hauptsturmführer répondit un peu paresseusement à son geste après s'être levé. Il était beau, le SS-Hauptsturmführer Hertz. Trop beau.

« Enchanté de vous rencontrer, Herr Fürst.

– Moi de même, Herr SS-Hauptsturmführer !

– L'Untersturmführer Mentzel vous a vivement recommandé. Hélas, il a dû quitter Reval en urgence, mais il m'a prié de vous saluer de sa part. Si je comprends bien, vous avez étudié à Dorpat ? »

Edgar acquiesça. Il se sentait rougir jusqu'au bout des doigts.

« J'ai entendu le plus grand bien du théâtre de cette ville. Me le recommandez-vous ?

– Du fond du cœur, oui, de même que l'opéra, Herr SS-Hauptsturmführer ! Au Vanemuine, on interprète Puccini d'une manière qui ne manquera pas de satisfaire votre goût. J'ai cru comprendre que des musiciens de Stuttgart vont venir jusque-là pour donner un concert. »

La voix d'Edgar était posée, il remerciait en pensée sa culture générale, même s'il trouvait cette entrée en matière un peu incongrue. Les coups résolus du marteau à viande dans la cuisine étaient dérangeants. De nouveau, un serveur passa à côté de lui avec des plats recouverts de cloches d'argent ; à la table voisine, un Allemand avait les commissures des lèvres injectées de sang sous l'effet du vin, Edgar avait soif. Sa langue semblait enflée comme s'il n'avait pas bu d'eau depuis des jours ; au-delà du gargouillement de son ventre, il ressentait un picotement qu'il n'avait pas éprouvé depuis bien longtemps. Il ne savait pas s'il préférait le garder ou s'en débarrasser.

« Merci bien, Herr Fürst, je n'ai pas encore eu le loisir de découvrir l'offre culturelle de Dorpat, je tâcherai de réparer cela dès la première occasion. Mais venons-en au fait. Que pensez-vous de la traduction des noms de rues en langue allemande ? Le directorat de l'Intérieur est contre : les Estoniens ne semblent pas favorables à une *Adolf-Hitler-Straße*. Et comment le discours du Reichsmarschall Göring a-t-il été reçu par la population ? »

Le Hauptsturmführer changeait de sujet avec insouciance, ses phrases se concluaient sur une espèce de sourire qui lui traçait des rides au coin des yeux. Il faisait penser à Ernst Udet, as de l'aviation s'il en fut : la ressemblance était frappante dans la forme du nez, les lèvres aussi avaient peut-être quelque chose qui rappelait le portrait d'Ernst sur la carte postale favorite d'Edgar. Le pilote y était très jeune, l'homme assis à cette table avait plus d'expérience de la vie. Edgar présenta son profil droit au Hauptsturmführer – c'était le meilleur angle pour son nez :

« Le discours donné par le Reichsmarschall Göring pour le jour d'Action de grâce était un peu problématique. Surtout que le manque de nourriture est déjà flagrant. Vous vous rappelez que le Reichsmarschall Göring a dit dans son discours… »

Le Hauptsturmführer plissa le front :

« Oui, oui. Que les Allemands doivent être nourris d'abord, avant les autres.

– On pourrait aussi présenter prudemment une estimation sur le fait que, suite à ce discours, on a pu déceler une petite baisse de popularité pour l'Allemagne. De même, les activités du Dr Veski ont éveillé l'inquiétude.

– Qui est le Dr Veski ? » demanda le Hauptsturmführer.

De nouveau, un plat de croquettes passa sous le nez d'Edgar. Son ventre avait cessé de gargouiller, restait le picotement. Il haussa un peu les sourcils, de manière à mieux éclairer ses yeux, et il les garda ainsi. Dans le reflet du couteau, il voyait que sa peau brillait comme si l'on y avait appliqué de la pommade à la truelle, et chaque verre de schnaps venait en étaler une nouvelle couche.

« Le Dr Veski est un philologue de l'université de Dorpat. Il paraît qu'il élabore une carte précise des Territoires de l'Est. Et ce travail s'expliquerait par l'intention de déplacer les Estoniens en Russie. Il paraît que tous les villages russes de sa carte portent déjà des noms estoniens. »

Edgar entendait sa voix et constatait que ses paroles produisaient du sens, mais ce n'étaient que des fragments de conversation qu'il avait répétés dans sa tête au préalable, il n'était pas sûr de savoir répondre à des questions qui s'écarteraient de l'itinéraire prévu. Ses yeux se perdaient inévitablement sur la croix de chevalier de son interlocuteur et il devait sans cesse forcer son regard à s'en détacher.

« Ah bon ? Voilà qui est surprenant, sinon franchement inconcevable. Qui donc alimente ces rumeurs ? Et qui les propage ? Je puis affirmer que pareils projets ne font pas partie des intérêts du Reich.

– Bien sûr que non, Herr SS-Hauptsturmführer !

– Vous êtes bien mieux au courant que les autres de ce qui se passe dans le pays, Herr Fürst. Bien mieux. Une vue d'ensemble, vous avez une vue d'ensemble. »

Le Hauptsturmführer Hertz lui décocha un nouveau sourire. Troublé, Edgar porta la main à sa joue effleurée par la caresse de ce sourire.

« Euh, et les activités antiallemandes ?

– Il n'y en a pratiquement pas.

– J'ai lu les rapports que vous avez rédigés. Un travail excellent : des remerciements nous sont revenus de Berlin même. Je suis certain que vous êtes la personne idéale pour une certaine mission. Je me disais que vous pourriez continuer de travailler à l'*Abteilung* B IV de la *Gruppe* B, mais dans des tâches un peu différentes. Je suppose que vous n'avez jamais rencontré le *Gruppenleiter* Ain-Ervin Mere en personne ? Vous ferez sûrement connaissance à un moment donné, il m'est directement subordonné. Votre mission principale consistera à me rendre compte de l'état d'esprit qui règne au sein de l'*Abteilung* et des éventuelles menaces intérieures. Nous avons appris que les organisations clandestines avaient réussi à infiltrer une taupe jusque dans les organes les plus confidentiels, et je veux savoir quelle est la situation dans la *Gruppe* B. »

Lorsque Edgar sortit du restaurant, son ventre à jeun se révoltait contre les schnaps ingurgités. Il se précipita au coin de la rue et attendit sous un porche que son état se calme. Ce coup-ci, l'eau de Cologne n'avait pas causé de problème – Edgar avait pensé à tenir le flacon assez loin de ses vêtements –, mais il aurait dû manger avant le rendez-vous. Il se rendait compte qu'il en faisait trop, chaque entretien était perturbé par des complications, comme l'estomac détraqué ou l'eau de Cologne. Mais cette fois, il y avait autre chose, il y avait l'homme assis en face de lui. Au moment où leurs jambes s'étaient rencontrées sous la table en passant, Edgar s'était juré de devenir irremplaçable pour le SS-Hauptsturmführer. Hertz avait confiance en lui, et ils se reverraient bientôt.

VAIVARA
Commissariat général d'Estland, Reichskommissariat Ostland

Quand l'Opel quitta Tallinn, Juudit essaya de fredonner *Das macht die Berliner Luft*, mais Hellmuth regardait dehors, un bras passé négligemment autour de son cou, l'autre main figée sur une cigarette au-dessus du cendrier ouvert d'une pichenette, et non pas sur le bord de son bas. La voix de Juudit s'éteignit. Cette fois non plus, donc, on ne chanterait pas de marche entraînante, on ne fredonnerait pas de chansons joyeuses comme on l'aurait fait avant, Hellmuth ne sortirait pas son minuscule guide de conversation estonien-allemand, à l'aide duquel Juudit, en voyage, lui avait appris des expressions utiles et sur la couverture duquel elle avait écrit des vers de Marie Under dans les deux langues, et Hellmuth ne lui chuchoterait pas à l'oreille, en estonien, « Tes lèvres sur mes lèvres ». Aux fils des poteaux électriques qu'ils dépassaient à toute allure se substituèrent des fils de fer barbelés. Hellmuth baissa la vitre, jeta son mégot dans le vent et plaça son visage dans le courant d'air comme s'il manquait d'oxygène à l'intérieur de l'Opel. Juudit sentait la tension de l'homme assis à côté d'elle ; il la regardait dans les yeux à intervalles réguliers, trop réguliers, comme s'il faisait cela à dessein, simplement pour qu'elle ne remarquât pas la ride sur son front.

Des hommes de la *Baltische Öl** allaient et venaient discrètement à Roosikrantsi depuis longtemps, et des paroles tendues s'étaient faufilées sous la porte jusqu'aux oreilles de Juudit dans la chambre à coucher : la tâche militaro-économique la plus importante de l'Allemagne dans les anciens pays baltes consistait à exploiter le schiste bitumineux, la direction suprême du Reich serait intransigeante sur ce point. C'était la raison pour laquelle l'Opel Olympia filait maintenant vers Vaivara et son potentiel de production pétrolière, avec à son bord une Juudit anxieuse. Peut-être était-ce juste à cause de Stalingrad. De la retraite perpétuelle dans la zone orientale. La nervosité commençait à gagner les amis de Hellmuth, et Juudit n'osait pas imaginer ce que cela voulait dire. Elle la chassait, la chassait encore et encore et elle tâchait de réconforter Hellmuth par sa compagnie tandis qu'il soupirait que le corps officier n'était plus qu'un champ de bataille de soldats supplétifs.

Juudit avait d'abord trouvé prometteur que l'on construisît des logements pour la main-d'œuvre et que, les bolcheviks se retirant, l'on remît en état les sites de production. Les Allemands n'investiraient pas de la sorte dans l'industrie locale s'ils n'étaient certains que les bolcheviks n'arriveraient pas jusque-là, n'est-ce pas ? Mais pourquoi Hellmuth était-il soucieux ? Les nouvelles étaient pleines de propagande. Gerda aurait dit que la politique n'était pas une parure pour les femmes, qu'il valait mieux ne pas s'en mêler. Elle avait raison. L'amertume des gaz d'échappement serrait les tempes de Juudit dans un étau, tout était trop compliqué, elle ne comprenait pas, et elle déplorait que la passion cédât le pas aux soucis militaires qui s'immisçaient jusqu'à la chambre à coucher.

À l'arrivée, Juudit regarda Hellmuth se lancer dans une discussion avec des hommes importants – claquements de talons et salutations – et elle se mit en quête d'un rocher convenable pour ce qui serait peut-être son dernier bain de soleil de l'été. Elle chaussa ses lunettes noires, ôta ses chaussures et descendit ses bas, retroussa sa robe, mais pas trop, pour des raisons de convenance, et à cause du temps. Le vent frais avait un parfum d'automne et elle grelottait déjà, mais pas au point de ne pas sortir la Pervitine de son sac à main. Elle en avait toujours sur elle depuis les bombardements de février. L'armée voulait apparemment écouler son stock, et Hellmuth en avait plein ses tiroirs. Il avait raison, c'était efficace. La Pervitine dissolvait l'angoisse comme les bombes faisaient fondre la neige ; Juudit se rappelait la terre anormalement noire pour un mois de février, les files de véhicules sur la route, les traîneaux surchargés en train de quitter la ville ; la veille des bombardements, elle avait même vu pour la première fois un soldat allemand en état d'ébriété sur la voie publique. Juudit ouvrit son sac à main. Elle ne remarquait plus les ruines, ses yeux en faisaient abstraction comme de la poussière dans une pièce. Elle était indifférente à tout sauf à son époux. Ses ongles de pieds rouges chatoyant au soleil lui rappelaient les reproches qu'il lui infligeait, à savoir que la belle-maman n'aurait pas toléré le vernis à ongles. À présent, ses orteils pouvaient jouir de la lumière en toute liberté, aussi rouges que ceux de Leni Riefenstahl, dont le bronzage était célèbre et qui ne voyageait jamais sans la compagnie de deux photographes pour prendre des clichés d'elle et de ses vêtements.

« Qu'en dirais-tu ?… Quelques poules, des vaches, des choses simples à la campagne ? Avec toi. »

Juudit n'était pas sûre d'avoir bien saisi les mots de Hellmuth. L'Opel sautant sur un nid-de-poule, elle se cogna le coude à la poignée, et elle grogna, de surprise et de douleur. Lorsqu'ils étaient remontés dans l'automobile pour le retour, au coucher du soleil, Hellmuth était taciturne, et il était resté longtemps silencieux sur la banquette arrière. Il n'avait pas pris Juudit par la main, il ne l'avait pas embrassée. Venait-il vraiment d'évoquer la possibilité de rester ici après la guerre ? Sans blague ? À la campagne ?

« Beaucoup d'officiers ont la même idée. Mon trésor ne veut-elle pas s'installer à la campagne ? »

Dans un premier temps, Juudit ne comprit qu'une chose : Hellmuth ne partirait pas pour l'Allemagne sans elle. Il resterait, elle ne le perdrait pas. Mais ensuite, ses pensées s'envolèrent vers un tableau où elle habiterait au cœur d'un village comme Taara, vers l'odeur du seigle, parmi des filles transportant des bidons de lait sur une charrette, et elle qui vivrait avec un Allemand tout en étant déjà mariée, elle voyait les grimaces et les crachats qu'on lancerait sur ses talons dès qu'elle aurait le dos tourné. Si Hellmuth achetait un manoir au lieu d'une ferme, cela n'arrangerait rien : Juudit ne voulait pas d'un manoir en tant que concubine. Les demandes en mariage d'officiers SS étaient traitées par l'état-major de la sécurité d'État, la sienne ne passerait sûrement pas à travers ces mailles et, même s'ils obtenaient la permission, leur mariage détruirait la carrière de Hellmuth, Juudit n'aurait rien à faire à Berlin. Peut-être était-ce pour cela qu'il parlait de s'installer à la campagne. Mais les paroles de Hellmuth signifiaient autre chose : l'Allemagne resterait, l'Allemagne vaincrait, les bolcheviks ne reviendraient pas. Autrement, Hellmuth ferait-il des projets d'avenir ici ?

« J'ai écrit à quelques amis en leur recommandant la campagne d'Estland. Tu es un guide brillant pour la vie rurale. La terre me semble féconde, la production satisfaisante... Que souhaiter d'autre ? Pourquoi ne pas créer notre petit paradis à la campagne ?

– Mais, après la guerre, tu auras sûrement de glorieuses possibilités de faire n'importe quoi n'importe où, s'écria Juudit.

– Je croyais que tu voulais rester ici.

– Tu ne m'avais jamais posé de question sur l'avenir. »

Hellmuth alluma une cigarette tirée de son étui.

« Alors tu veux partir pour l'Allemagne ?

– Tu n'avais pas demandé cela non plus.

– Je n'osais pas. »

Ses paroles étaient apaisantes : Juudit s'était effrayée à tort. Hellmuth n'avait pas donné suite à ses projets, il n'avait pas de vues sur une ferme ou un manoir en particulier. Elle serait peut-être dispensée de lui expliquer que les Estoniens se comportent différemment vis-à-vis d'une concubine, elle serait dispensée de mettre des mots sur sa honte. Les Allemands semblaient beaucoup plus libéraux à l'égard des maîtresses, ils ne faisaient pas tout un plat pour le ventre rond d'une accompagnatrice ou d'une secrétaire. Il suffisait de l'envoyer en vacances, dans une ville allemande où il serait – dixit – plus agréable de passer du temps, plus sûr, et où la nourriture serait meilleure. Ainsi Juudit avait-elle vu s'en aller Alice, qui fréquentait la même couturière ; ainsi Astrid, qui allait chez le même coiffeur, était partie en voyage ; et ainsi, finalement, Gerda aussi avait plié bagage, non sans promettre de lui écrire. Juudit lui demanderait comment était la vie en Allemagne, peut-être lui rendrait-elle visite avant de prendre une décision définitive. En Allemagne, il n'y aurait personne de sa vie antérieure, elle ne s'y soucierait peut-être pas de passer le restant de ses jours dans une liaison secrète. Hellmuth pourrait se marier avec une épouse convenable pour sa famille et pour le Reich. Juudit tolérerait cela, pourvu qu'ils fussent ensemble.

« J'irai où tu voudras aller », chuchota-t-elle.

Reval
Commissariat général d'Estland,
Reichskommissariat Ostland

Edgar jeta un coup d'œil à sa montre : il était dans les temps. L'étoffe du gousset s'était distendue sous l'effet répété de ce geste impatient : tous les jours, il comptait les heures jusqu'au prochain rendez-vous. Chaque bribe de renseignement qu'il parvenait à recueillir l'excitait doublement, car le moindre détail à joindre au rapport lui semblait un cadeau personnel qu'il offrirait à cet homme. Le SS-Hauptsturmführer Hertz était content de lui, comme il avait pu s'en apercevoir ; peut-être l'inviterait-il, un soir, à l'accompagner au théâtre. Dans cette perspective, Edgar avait consulté un tailleur, auquel il avait commandé un costume neuf qu'on croirait venu tout droit de Berlin.

Au restaurant, l'agitation était la même que d'habitude : l'Allgemeine-SS en noir, la Wehrmacht en gris, tous aussi longs sur pattes. Les *Gefrierfleischorden* tapaient dans l'œil, les aigles et les croix gammées, Edgar devait détourner le regard. Les histoires de Stalingrad n'étaient pas pour les femmes et les enfants, ni pour lui.

Le Hauptsturmführer Hertz gesticula et se leva.

« Content de vous revoir, Herr Fürst. Garçon !... Je recommande le pigeon, vraiment délicieux... Apportez-nous aussi cet excellent riesling. »

Tandis qu'il prenait place devant la nappe blanche, Edgar s'efforçait encore de ne pas trop regarder la *Ritterkreuz* de son interlocuteur, et il n'oublia pas de hausser les sourcils avec raffinement. Juste assez pour donner l'impression d'un regard plus ouvert. Sans excès. La joue droite tournée vers Hertz. La matinée s'était passée dans une atmosphère nerveuse, la serviette chaude qu'il s'était appliquée sur la figure avant le rasage lui avait donné des sueurs, impossible de remettre la main sur la pierre à barbe, et il avait été mal inspiré d'aiguiser son rasoir. Sa conduite lui avait rappelé celle d'un jeune homme à peine sorti de l'adolescence avant son premier rendez-vous avec le grand amour : il était aussi tendu, répétant d'une voix tremblante les phrases qui pourraient s'avérer utiles. Cette association d'idées n'avait fait qu'échauffer davantage sa peau écarlate, et l'air extérieur ne l'avait pas rafraîchi. Heureusement, la pénombre du restaurant lui était salutaire. Edgar remarqua les aventurières qui toisaient Hertz en passant et il constata, pour son grand plaisir, que celui-ci n'attachait aucune attention à leurs coups d'œil. Il était poli avec les dames, mais il ne laissait pas son regard se fourvoyer jusqu'à leur hanche ou leur genou. Cela rendait d'autant plus incongrue la trace de poudre sur son col par ailleurs impeccable.

« Vous avez fait un travail remarquable, je ne saurais trop vous remercier. À présent, j'ai une nouvelle mission à vous confier, des plus intéressantes. Comme vous l'aurez compris, on a besoin d'une main-d'œuvre plus nombreuse, en Estland ; il a donc été décidé d'en transférer. »

Les plats apportés sur la table apaisèrent l'esprit galopant d'Edgar, et il s'humecta les lèvres avec du vin mais en veillant à ne pas l'avaler d'un trait. Il n'oserait pas demander autre chose à boire, même si la viande restait coincée dans sa gorge asséchée par ses pensées antérieures. Edgar toussota. Il devrait se concentrer sur les questions professionnelles, il ne pouvait pas risquer de perdre la confiance de Hertz.

« Il n'y a pas assez d'hommes, dit le Hauptsturmführer. L'industrie ne tourne pas à pleine vitesse, les bolcheviks ont causé des dégâts incroyables avec leur tactique de la terre brûlée, mais bien sûr je ne vous apprends rien. Nous avons besoin de nouveaux sites de production, et de logements pour les travailleurs. Les anciens *Arbeitserziehungslager** étaient subordonnés au *Reichssicherheitshauptamt** ; le camp de travail à fonder maintenant relève de la branche économique, le *SS-Wirtschafts-Verwaltungshauptamt**. On compte sur l'*Amt* D pour produire un meilleur résultat car, en toute sincérité, celui des Arbeitserziehungslager n'a pas été tout à fait à la hauteur des attentes. Nous serons sous les ordres du SS-Gruppenführer Richard Glücks, nommé à cet effet *Inspekteur der Konzentrationslager* – il rend compte directement au Reichsführer Himmler. J'ai donc reçu ma mutation, et je suis en train de réunir des travailleurs responsables en vue de cette importante mission. La semaine dernière, je suis allé découvrir la région où sera fondé le nouvel Arbeitserziehungslager et, croyez-moi, ce n'est pas le travail qui manque ! Les routes sont dans un état épouvantable, je peux m'estimer heureux que mon chauffeur soit un bon mécanicien. Le SS-Hauptsturmführer Hans Aumeier a été nommé commandant de Vaivara ; il a dix ans d'expérience dans le secteur financier, je présume donc qu'il conduira le camp à un nouveau niveau de rendement. L'organisation administrative est en cours de délibération. Nous coopérerons avec la *Baltische Öl GmbH* et l'*Einsatzgruppe Rußland-Nord* de l'*Organisation Todt**, et j'ai besoin d'une personne de confiance dans l'équipe, d'un homme qui comprenne la mentalité des indigènes. »

REVAL
Commissariat général d'Estland, Reichskommissariat Ostland

Au moment où Juudit s'engageait dans la rue Roosikrantsi, Roland sortit d'un porche pour se planter devant elle, vêtu d'une veste d'uniforme allemand, et il souleva poliment sa casquette. Juudit se pétrifia sur place, hésitant entre prendre ses jambes à son cou et aller ouvrir la porte pour se glisser à l'intérieur – elle n'avait plus qu'une dizaine de mètres à parcourir. La domestique qui portait les achats était effrayée par le regard tendu de cet homme, Juudit remarqua ses mouvements indécis.

« Maria, ne m'attendez pas », dit Juudit.

La demoiselle se faufila par la porte, Juudit composa un regard courtois pour saluer de la tête la voisine qui passait, ainsi que le directeur du magasin de l'armée allemande. Roland saisit Juudit par le bras et la força à avancer.

« On va faire un tour », dit-il.

Ils marchèrent en se tenant par le bras ; le pas de Roland était décontracté, mais pas sa voix.

« J'ai besoin de l'appartement de ta mère. »

Juudit se taisait. En poussant un cri, elle pourrait se débarrasser de lui définitivement, elle n'aurait plus jamais à imaginer qu'elle l'apercevait dans la foule, à avoir peur qu'il apparaisse à l'improviste, à craindre que Hellmuth soit au courant. Il y avait du monde autour d'eux, la police administrative était à portée de voix ; Juudit ouvrit la bouche, mais il n'en sortit aucun son, ses yeux voletaient d'un passant à l'autre, elle préparait les répliques qu'elle réciterait s'ils croisaient quelqu'un avec qui il faudrait échanger des salutations, des présentations ; les différentes options papillonnaient dans sa tête, mais chaque phrase élaborée se heurtait aux yeux de verre de Roland. Il lui serrait le bras, la forçait à tenir le rythme lorsqu'elle tendait à traîner des pieds.

« Il y a moins de transports de fugitifs vers la Finlande, avec les jours qui raccourcissent. Mais la pénurie de logements est préoccupante : on a du mal à trouver un appartement pour des clandestins, tout le monde a peur, ils contrôlent les papiers partout.

– Parle moins fort, chuchota Juudit.

– Toi aussi, tu as peur. Tu te prends déjà pour une Allemande ?

– Non.

– L'appartement de Valge-Laeva a le mérite d'être à côté du parc, dit Roland. Ça offrira un abri. Et les bolcheviks ont détruit les entrepôts voisins. Il est facile d'accès. Tu n'en as pas besoin, toi. Eux, oui. À part ça, tu as des nouvelles de ton frère ? Il n'est même pas fichu de régler cette affaire, ton Teuton ? »

Juudit ouvrit la bouche et la referma. Hellmuth avait dit qu'il valait mieux attendre que la guerre soit passée. À ce moment-là, on aurait plus de chances de résoudre le cas de Johan. Il l'avait prise dans ses bras, et la compassion de cette étreinte l'avait fait pleurer. Elle ne voulait pas parler de Johan avec Roland, il avait une voix glaciale. Elle avait la gorge nouée, mais elle ne pleurerait pas devant lui. Ils tournèrent dans la rue Lühike-Jalg, dont ils gravirent les marches en direction de Toompea. Elle pourrait se glisser sous la balustrade centrale, redescendre la rue en courant par la rampe pavée, il y avait tellement de monde du côté des marches que Roland ne la rattraperait peut-être pas, et elle pourrait crier, l'affaire serait résolue, mais elle ne sut dire que :

« Je ne peux pas faire une chose pareille.

– Je ne t'ai pas demandé ton avis. »

Roland empoigna le sac à main sous le bras raide de Juudit, fouilla et prit les clefs. Ils étaient arrivés au bout de la rue Kohtu. Sur le belvédère, il y avait encore des officiers allemands attroupés avec leurs jumelles, des gens d'Ostland Film présentant le panorama, des photographes et reporters photographiant les confins de l'Ostland. Roland conduisit Juudit plus loin. Dans l'escalier de Patkuli, il lui prit la main pour la soutenir comme un poussin nouveau-né.

L'heure ne semblait pas tourner du tout, le temps n'avançait pas. Ou il allait trop vite, mais jamais comme il fallait. Le lendemain, donc. Le lendemain, Juudit irait à l'appartement de Valge-Laeva exécuter la mission confiée par Roland. Elle marchait de long en large dans son bureau, incapable de se mettre au travail alors qu'une pile de documents à traduire l'attendait à côté de la machine à écrire. Toutes les phrases s'emmêlaient dès qu'elle essayait de s'y mettre. Heureusement, Hellmuth vaquait à ses occupations, de sorte qu'elle pouvait sursauter à loisir à la moindre détonation de pot d'échappement, quand une ambulance roulait à tombeau ouvert, dès qu'une ombre passait au coin des yeux, et elle pouvait tenter de se calmer en faisant les cent pas, même si elle avait de plus en plus l'impression, à chaque tour de la pièce, d'être un animal en cage. Hellmuth ne caressait plus de rêveries bucoliques, il songeait à Berlin, il lui avait parlé de son enfance là-bas, des endroits qu'elle devrait voir absolument ; pour finir, son front s'était chiffonné comme du papier.

« Ou peut-être ailleurs, en fait, quelque part où l'on ne verrait pas la guerre », avait-il ajouté.

Hellmuth était sérieux à son égard, mais elle était en train de tout mettre en péril : cette table à cigarettes qu'il avait débarrassée pour y placer la machine à écrire de Juudit, ce bureau et ces journaux empilés par la domestique sur le sous-main de Hellmuth. Souvent, lorsqu'il faisait un saut au quartier général, il passait dans son bureau en fin de journée, parce qu'il préférait écouter Juudit plutôt que les interprètes de son service, et elle lui traduisait les journaux estoniens. Ces jours-là aussi, elle les compromettait, les jours qu'elle savourait le plus, ainsi que la possibilité d'envoyer à sa mère des journaux estoniens, qui souffraient de la pénurie de papier alors que les machines à papier tournaient à plein régime. Avec la presse germanophone, le problème ne se posait pas. Pour les Allemands, rien ne manquait, donc pour elle non plus, elle pourrait se desquamer le visage avec du sucre – mais pas sans Hellmuth. Juudit continuait de marcher. Son travail ne donnerait plus rien ce jour-là, elle avait les nerfs à fleur de peau, ses bas l'exaspéraient. Ses jambes la grattaient, comme si elles étaient revêtues de multiples couches de laine, comme c'était le cas l'été, dans son enfance, à cause des vipères. Juudit détacha la jarretelle et enroula son bas. Un début de varice au mollet droit lui faisait toujours penser à Adelina, dont le père avait été exécuté par les bolcheviks – on avait exhumé sa dépouille dans la rue Pikk – et dont la mère utilisait des bas élastiques, à cause des varices, et elle puait le talc imprégné de sueur quand elle enlevait ses bas en geignant. La peau de Juudit rougeoyait. Et ces veines. Elle ne pouvait pas se permettre d'avoir des varices, jamais de la vie, elle ne pouvait pas se permettre de perdre l'intérêt que lui portait Hellmuth, ni ses doigts qui remontaient le long de sa cuisse dans la pénombre de l'Estonia. Les soucis de Hellmuth s'étaient accrus avec sa mutation : dans le secteur financier, ses voyages s'étaient multipliés, et il souhaitait revenir à des tâches plus conformes à sa spécialité. Les caresses avaient pris une teinte d'absence, qui inquiétait Juudit chaque jour davantage et l'incitait à procéder craintivement à des soins de beauté toujours plus minutieux. Sa vie dépendait des sentiments de Hellmuth à son égard : sans lui, elle ne serait rien.

Le boucan qui résonnait dehors la fit encore sursauter, alors qu'il s'agissait seulement d'enfants qui rentraient de leur premier jour d'école. Ce n'était que la mi-journée, mais elle avait déjà besoin d'un verre. La démangeaison devenait insupportable. Ce serait bientôt le lendemain. Le lendemain, elle irait accueillir les fugitifs. Trente heures plus tard. Et si elle gâchait tout ? Si elle s'y prenait mal ? Si elle commettait une bourde ? Si elle reconnaissait des gens, parmi les fugitifs ? Et si elle n'y allait pas ? Pourquoi Roland ne cherchait-il pas quelqu'un d'autre pour les accueillir ? Comment savait-il que ses horaires de la gendarmerie étaient justes ? Comment savait-il si les pêcheurs du cercle étaient fiables, s'ils réussiraient à déjouer les contrôles encore longtemps, et si quelques scies ou autre attirail forestier suffisaient pour camoufler les camions transportant les fugitifs ? Et si les pêcheurs se mettaient à le faire chanter, où trouverait-il l'argent ? Où donc dégotaient-ils leurs camions, et le carburant ? Juudit ne voulait pas savoir. Pourquoi ne lui avait-elle pas tenu tête ? Qu'est-ce qui lui avait paralysé les lèvres ? Stalingrad, la Tunisie, Rostov ? Ou le fait que les forces armées allemandes enrôlaient les ressortissants des Territoires occupés de l'Est ? Si elle s'était confiée à Gerda sur la situation, son amie aurait peut-être trouvé un moyen, elle lui aurait sans doute recommandé d'exploiter ses qualités féminines, elle aurait dit que Juudit devrait apprendre à gouverner Roland au lieu de se laisser gouverner par lui. Mais Juudit n'était pas Gerda, elle n'avait pas ses capacités instinctives de faire fondre d'un flirt l'adversaire le plus endurci. Gerda lui manquait, avec ses conseils. Aucune lettre n'était arrivée, alors que Gerda avait promis d'écrire.

Le lendemain, Hellmuth ne serait pas là pour s'étonner que Juudit s'absente pendant le couvre-feu : en effet, le matin, toute l'équipe sauf elle s'en irait à Vilnius pour quelques jours. Mais plus tard ? Elle ne pouvait pas prévoir à quel moment Hellmuth serait ou non à la maison. Le temps qui avait paru long commençait à filer. Elle devait se préparer. Hellmuth ne tarderait pas à rentrer, bientôt ses invités claqueraient les talons, on entendait déjà la cuisinière battre les œufs en neige, Maria mettre la table, Juudit devrait être prête pour la soirée, pour s'amuser. On voit tout de suite quand une femme a les nerfs à fleur de peau, Gerda le lui avait dit, et Juudit ne pouvait pas se permettre de les laisser voir. Elle commença par faire mousser le savon de toilette. Gerda l'avait convaincue que les jambes lisses s'obtenaient avec le rasoir à barbe, non avec l'hydrogène sulfuré. Et elle trouvait que ce dernier empestait, ce en quoi elle n'avait pas tort. Juudit avait la cuisse à peine hâlée, le teint pâle, il faudrait faire quelque chose. Après le bain et le soin des jambes, elle saupoudra ses aisselles de poudre salicylique, replaça le pot sur l'étagère à côté du crayon noir avec lequel elle s'était jadis tracé des coutures derrière les jambes, du temps où elle n'avait pas de bas. Les ombres de la peau des coudes passaient dans la glace comme un nuage d'orage. Juudit prit le miroir à main pour évaluer l'ampleur des dégâts. Maria devrait apporter plus de citrons. À part cela, la décadence de la colombe avilie à l'état de vipère ne transparaissait pas sur sa peau… Ou bien voulait-elle seulement se le faire croire ?

Sur le perron du SS-Hauptsturmführer Hertz, Edgar respira un instant dans le calme. La vitre verte surmontant la porte laissait passer la lumière douce du vestibule. Edgar redressa les épaules, son tailleur avait fait du bon travail, et il s'assura que le galon était bien droit. OT-Bauführer. À cause de la pénurie d'équipement, il devrait se contenter du galon et du *Dienstbuch*, pour commencer, mais cela ne le dérangeait pas, il avait bien assez de motifs d'aigreur. Il attendait cette invitation depuis longtemps ; après cette porte, tout le Reich lui serait ouvert. Parmi les invités, il y aurait des hommes de la Baltöl et du groupe Goldfeld, de même que de l'*Einsatzgruppe Rußland-Nord*, avec les activités de laquelle il avait eu le temps de se familiariser. Après que les Allemands s'étaient retirés du Caucase et avaient perdu l'accès à la mer Caspienne, leurs regards s'étaient tournés vers l'Estonie. Edgar avait aussitôt compris ce que cela signifiait. Les Allemands n'avaient plus de pétrole, ils ne renonceraient jamais à l'Estonie, le schiste bitumineux était leur avenir, les intérêts de la Baltöl passaient en priorité et, même s'il n'était pas particulièrement calé dans le domaine, il était bien décidé à le devenir.

La domestique prit le manteau et le chapeau d'Edgar, dans le salon régnait déjà une ambiance enjouée, le portrait du Führer au mur était un peu de travers. Le Hauptsturmführer Hertz souhaita de tout cœur la bienvenue à son invité, le conduisit dans le salon parmi les autres et ressortit chercher sa compagne du côté des vestiaires. Le SS-Sturmbannführer Aumeier vint poursuivre avec Edgar la conversation commencée dans la journée au sujet du voyage à Vilnius et à Riga. En Litauen, on avait développé, paraît-il, une machine intéressante qui facilitait les processus, ils pourraient la voir fonctionner au camp de travail de Paneriai. Il serait peut-être bon d'en avoir aussi en Estland. Edgar parla de la division du travail qui progressait avec la police administrative et avec Johannes Koort, major du troisième bataillon. Pour ce qui était de l'organisation du travail, ils avaient jugé raisonnable de décréter une distance réglementaire de six pieds avec les prisonniers ; les questions administratives étaient encore à débattre. Le Sturmbannführer hocha la tête, il connaissait la chanson : les SS-Wirtschafter tenaient à garder certains secteurs strictement sous leur contrôle.

La porte du salon était ouverte et Edgar, concentré sur la conversation à bâtons rompus, ne comprit pas tout de suite pourquoi la voix féminine qui s'entretenait dans le couloir avec le Hauptsturmführer Hertz lui semblait familière. Puis il eut un flash : à la voix, on ne pouvait pas se tromper, malgré le brouhaha éméché des convives. Il jeta un coup d'œil aux fenêtres – non, ce n'était pas la peine d'y penser. En revanche, entre les vitres du salon, il y avait une grande porte-fenêtre qui donnait sur un balcon.

Edgar alla se recroqueviller dans un coin du balcon, colla le dos au crépi et s'agrippa à la balustrade à sa droite. Le pan de rideau resté entre les battants lui léchait les chaussures. Il entendit dans le salon un bruit de talons, un grincement de parquet et un rire aisément reconnaissable, un rire de femme. Pas question de sauter, l'appartement était trop haut. La compagnie passait à table, Edgar entendit le Sturmbannführer Aumeier mentionner son nom et quelque chose sur un besoin de prendre l'air. Quand la domestique vint chercher la dame qu'on demandait au téléphone, Edgar sauta sur l'occasion. Le bruit de pas s'étant éloigné, il repassa dans le salon, échangea quelques mots succincts avec l'hôte de la soirée et traversa calmement le tapis, puis accéléra et trouva les toilettes au moment où la voix de Juudit s'approchait de nouveau. Edgar s'assit par terre dans les toilettes, Juudit passa devant en claquant les talons et continua son chemin vers le salon. Des toilettes, il passa dans le couloir et, de là, directement dans le vestibule, où il trouva son manteau et son chapeau. Il chuchota à la cuisinière qu'il avait un malaise, il devait s'en aller, il lui demanda de transmettre aux convives ses regrets pour ce départ soudain. Un peu plus tard, il envoya un mot disant que l'automobile pourrait passer le prendre quand l'équipe se mettrait en route. Il allait bien, suffisamment pour voyager.

Lorsque le chauffeur du Sturmbannführer Aumeier tourna au petit matin vers la rue Roosikrantsi, Edgar, assis sur la banquette arrière, baissa le bord de son chapeau sur ses yeux, par précaution. Quand l'automobile s'arrêta, les autres sortirent se dégourdir les jambes, mais Edgar resta assis, prétextant de nouveau son état de faiblesse, il préférait somnoler. Entre son col relevé et son chapeau baissé, il aperçut une domestique qui se précipitait dans la rue – la même qui avait pris son manteau la veille –, elle faillit heurter le concierge qui balayait l'escalier. Cette ambiance de matin banal était rassurante. Les rideaux opaques étaient levés, la boulangerie laissait échapper un arôme de pain chaud, les chevaux tiraient leurs lourdes charrettes vers le magasin de l'armée en faisant claquer leurs sabots et, finalement, le SS-Hauptsturmführer Hertz sortit, s'arrêta pour acheter un cornet de noisettes à un jeune colporteur, vint saluer Edgar et les autres voyageurs avec bonne humeur et monta dans sa propre auto. Au même moment, la porte d'entrée s'ouvrit à la volée et Juudit sortit en courant, la robe de chambre à fleurs ondoyant dans le vent du matin, ce vent du matin la fit voler jusqu'à l'Opel Olympia de Hertz, elle se glissa sur la banquette arrière et l'homme lui mit le bras sur les épaules, il leva sa main pour caresser si tendrement les cheveux de Juudit frisés par le sommeil, si tendrement son oreille. Ce spectacle aveugla Edgar un instant, s'écoulant en lui comme de l'eau de soude avalée par inadvertance, et il n'y pouvait rien, il ne pouvait rien contre son caractère létal, car cette caresse contenait tout l'amour du monde, toute la chaleur du monde, tout ce qu'il pouvait y avoir de plus précieux, et cela se passait en public. Sous les yeux de tous ces gens, galopins, ferrailleurs et balayeurs, voilà comment se comportait le SS-Hauptsturmführer, il laissait accourir la femme dans la rue en chemise de nuit, il la laissait accourir jusqu'à l'auto pour lui dire au revoir, alors que le vent lui collait la nuisette aux cuisses, il laissait la soie lui glisser des épaules et récompensait ce dénudement en lui caressant l'oreille. Tant d'indécence, tant de gestes qui ne devraient pas quitter les draps ou les boudoirs intimes, tant d'intimité au beau milieu de la rue, tant de gestes qui ne convenaient qu'aux garces. Edgar avait vu comment on se comportait avec les fiancées de guerre, mais il s'agissait d'autre chose. Un tel geste, chacun le réserve à une seule personne dans sa vie – pour beaucoup, il ne se produit même jamais.

Le geste se grava dans la tête d'Edgar sous la forme d'un mouvement perpétuel : la femme court vers l'automobile, elle y monte, et l'homme porte le bras sur ses épaules, lève la main pour lui caresser les cheveux et lui toucher l'oreille. La scène ne cessait pas de se répéter dans l'esprit d'Edgar – de même que la joie sur le visage de l'homme qui avait oublié tout le reste, le sourire de Juudit sous lequel les pavés scintillaient d'amour, et la lumière sur leurs visages. Edgar ne pouvait pas s'empêcher de les imaginer tous les deux sur un lit, bien qu'il n'en voulût rien savoir, et la main en train de caresser l'oreille de Juudit, son visage, de poser des baisers sur ses sourcils et sur son nez. Les oreilles de Juudit n'avaient rien d'exceptionnel : elle n'était qu'une jeune femme simple qui ne pouvait même pas se prévaloir d'une beauté particulière. Et une femme mariée, par-dessus le marché. De quel droit une greluche aussi insignifiante pouvait-elle toucher indécemment un Hauptsturmführer et fréquenter des salons auxquels Edgar n'avait pas accès ? De quel droit jouissait-elle du monde des Allemands comme cela, sans mérite ? Elle monte dans l'auto, à l'intérieur s'allume une lumière qui appartient aux instants d'intimité, et l'homme assis dans l'auto porte le bras sur les épaules de la femme, lève la main pour toucher ses cheveux, son oreille, et la lumière de leur auto obscurcit le jour de la rue, elle devient un phare au milieu d'une mer noire et ils ne s'en rendent même pas compte, parce qu'ils ne voient pas le monde autour d'eux, ils n'en ont pas besoin, ils s'embrasent et se consument, l'homme touche l'oreille de la femme, la lumière jaillit, leur lumière.

Une fois ses pensées décantées, Edgar comprit que Juudit, tôt ou tard, se rendrait utile dans la chambre à coucher de l'Allemand. Le moment viendrait. D'ici là, il s'absorberait dans les tâches confiées par le Sturmbannführer Aumeier, ferait des calculs de production, et il irait voir sa maman, il lui demanderait discrètement ce qu'elle savait des faits et gestes de sa belle-fille. Il n'avait plus envie d'habiter Tallinn : le camp boueux de Vaivara était la seule option, il ne risquerait pas d'y tomber sur Juudit. Pour la première fois de sa vie, il haïssait sa femme.

Quatrième partie

« Des agents de l'Allemagne fasciste avaient été stratégiquement envoyés en Estonie avant même que le pays fût occupé par les forces hitlériennes. Au nombre de ces agents, il y avait Mark, dont la fiancée avait embrassé ses convictions. Selon les témoignages, les prisonniers soviétiques la voyaient souvent laver des effets appartenant à Mark, un pardessus et des chemises ensanglantés. Elle prétendait qu'il avait tordu le cou à des oiseaux pour le dîner, tout simplement. "Pour moi, il ne faisait aucun doute que Mark prenait part à des exécutions de Soviétiques", raconte le témoin M. Afanassiev. Pour les nationalistes, assassiner devint monnaie courante. Après chaque bain de sang, les meurtriers organisaient des beuveries ou des orgies, auxquelles la fiancée de Mark participait elle aussi en balayant sur sa jupe les ongles arrachés aux citoyens soviétiques. »
Edgar Parts, *Au cœur de l'occupation hitlérienne*, Tallinn, Eesti Raamat, 1966.

TALLINN
RSS d'Estonie, Union soviétique

Devant le camarde Parts, l'épouse fait vaciller les sacs à provisions sur la table en les tapotant, comme si elle attendait des éloges pour avoir fait les courses. La dentelle de son jupon pendille en lambeaux de viscose, la pièce est saturée d'une fumée bleutée. Parts pose ses propres achats par terre, ouvre la fenêtre et rejette les branches de houblon qui se sont engouffrées ; il s'efforce de raffermir ses gestes, alors qu'il vient de sursauter en découvrant la silhouette de sa femme dans la cuisine. Que se passe-t-il ? Que veut-elle, cette fois ? Lorsqu'elle a signalé à plusieurs reprises qu'elle serait la risée de tout le monde si l'on apprenait qu'elle était toujours obligée de remplir le fer à repasser avec du charbon, Parts n'a pas discuté, il est allé acheter un fer électrique. De même, il s'est battu pour rapporter à la maison les nouvelles serviettes-éponge chinoises et le tube de dentifrice polonais placé à côté de la poudre à dents. Il a fait la queue pour obtenir un permis donnant droit à l'achat d'un réfrigérateur domestique, après quoi il est allé au bout de la file à trois reprises avant de réussir à dégoter l'avant-dernier Snaigė de la journée de vente. Toutes ces questions restent entièrement de sa responsabilité parce que, pour ce qui concerne les intérêts de la vie quotidienne, le poste de sa femme à la gare est totalement inutile. S'il prend l'envie à Parts, un jour, d'avoir des francforts plus sèches, il devra se débrouiller seul, se trouver des camarades au combinat, des camarades susceptibles de lui fournir des francforts auxquelles les vendeuses n'auront pas encore ajouté de l'eau pour en augmenter le poids. La soupe aux quenelles, il est vain d'en rêver tant qu'il n'a pas d'ami au combinat de viande : le hachis disponible sur le comptoir du magasin est mélangé avec du rat. Tout cela lui prend de son temps de travail, et pourtant il le fait, pour son confort et pour maîtriser les crises de sa femme. Jusqu'où va-t-il encore devoir se démener ?

Elle pousse de nouveau les sacs de provisions d'un centimètre vers lui, mais il ne daigne pas y jeter un œil. Il s'accommodera d'un dîner froid. Il ne fera pas cuire d'escalopes aujourd'hui, et il ne prendra pas connaissance des trouvailles de sa femme, il veut s'isoler dans le calme de son bureau avant qu'elle lui présente de nouvelles requêtes.

Contre toute attente, elle ouvre la bouche et prend un souffle amer, et elle raconte qu'elle a passé l'après-midi avec Kersti, qui travaille aussi à la gare, et qu'elles sont allées dans tel et tel magasin, ici et là il y avait un inventaire, et après l'énième inventaire elles ont fini à la boutique où travaille une amie de ladite Kersti, il y avait un attroupement à la porte de derrière et elles ont eu des oranges. Elle continue de tapoter un sac, une boîte de gâteaux tombe par terre. Des Pastilaa tout frais, paraît-il, de la boutique de Kalev. Qu'est-ce qu'elle veut, maintenant ? Une automobile ? Une Moskvitch, ça coûte cinq mille roubles ! Cette somme est inconcevable, de même que la file d'attente à l'usine : il n'a toujours pas eu de nouvelles de l'à-valoir.

« Ensuite, nous sommes allées voir le nouvel immeuble de Kersti. La cuisine est un tout petit cabinet. Chez nous, on a quand même la place pour s'asseoir à table, pour préparer à manger, mais chez Kersti, non. Pourtant, son appartement, il est grand et moderne, à part ça.

– C'est dans l'ordre des choses, répond Parts. Les gens peuvent très bien manger dans les salles communes. Qui a vraiment besoin d'une grande cuisine ? »

Une conversation.

La première conversation depuis des mois.

La femme jette un coup d'œil à Parts et fait remarquer qu'ils sont chez eux et qu'ils sont deux. Parts dispose le pied de porc de la veille sur une assiette, veillant toujours à ne pas toucher aux sacs de sa femme. Il ne ramasse pas le carton de Pastilaa. Il ravale la contrariété que lui inspirent les ongles épais et acérés aux pieds de sa femme, et il s'abstient de demander par quel moyen cette amie sans enfant a obtenu son appartement. Par le truchement de son nouvel amant ? Il ne veut pas mettre en péril une soirée de travail au calme. Et s'il donnait tout de suite à sa femme l'enveloppe brune remise par le Bureau ? L'argent rassure toujours les femmes. L'haleine de l'épouse a des relents de pharmacie. Ce n'est pas nouveau, mais cette fois, en passant à côté d'elle, Parts a senti une odeur de shampooing sec délicat et ses cheveux avaient aussi une légèreté inhabituelle. Comme si elle voulait montrer qu'elle avait toute sa tête.

« Pourquoi me parles-tu ? » dit Parts en appuyant chaque mot distinctement.

Elle bouge, son énergie s'émiette, elle se tait. Le bout de la cigarette s'allonge, la tasse à café vacille dans sa main, et Parts ferme les yeux, il ne dit rien. Dans le service à café, il ne reste plus que quelques tasses intactes, et ce service est tout de même un cadeau de mariage de la maman. Parts se souvient de la dernière fois. La femme s'était exclamée en ricanant que ça n'avait pas d'importance, ils n'avaient pas besoin d'un service complet, ils ne recevaient jamais d'invités à qui servir à boire.

« Ils étaient si heureux avec leur nouvel appartement. C'est pas grand-chose. Tout le monde avance dans sa vie et sa carrière, fonde une famille, une famille heureuse… Mais nous, c'est peut-être notre dernier jour à Tallinn. Tu te comportes comme si tu ne t'en rendais pas compte. »

Parts regarde sa femme en face pour la première fois depuis des années. Ses yeux, qui autrefois s'ouvraient joliment, sont maintenant engloutis sous la chair boursouflée. La pitié s'insinue dans la cuisine et craquelle les paroles irritées de Parts, sa voix se fait plus douce :

« Je n'ai pas l'intention de retourner en Sibérie. Jamais. »

La femme allume la radio.

« Non ? Tu es sûr ? Vois-tu, j'ai écouté le procès d'Ain-Ervin Mere à la radio, et toutes les émissions qui s'y rapportaient. Je suis même venue à la Maison des Officiers, j'ai regardé de loin le début du spectacle. Vous saviez sans doute qui était là, vous autres, mais j'ai mis mon foulard sur la tête et des lunettes de soleil. Tu pourras me trouver sur vos photos, je parie que ce n'est pas ça qui manque. »

Parts s'assied. La radio gronde et la femme a baissé la voix de sorte qu'il doit suivre ses lèvres pour comprendre ce qu'elle dit.

« Qu'est-ce que tu fichais là-bas ? rétorque Parts. Il n'y était même pas, Mere. Il est en Angleterre et il ne sera jamais extradé.

– J'étais obligée. Pour savoir comment ça se passerait. Pour entendre, pour voir. »

Elle allume une nouvelle cigarette, la précédente fume encore dans le cendrier. Les cris de la radio font sautiller la poussière et la cendre.

« Bon Dieu, ce procès n'était qu'une mise en scène ! Ain-Ervin Mere ne voulait plus travailler avec nous, c'est pour ça !

– Il a donc commis une erreur. Es-tu sûr que tu n'en commettras pas, toi ? »

Parts se ressaisit de son état de confusion et siffle :

« Mere était un homme d'envergure, moi je n'avais rien de remarquable. On ne monte pas ce genre de mise en scène pour des sous-fifres.

– Et s'ils cherchent juste quelqu'un pour l'exemple ? Tu as déjà été jugé pour crimes contre-révolutionnaires. Ou crois-tu que témoigner au procès ait fait de toi un héros à tout jamais ? »

Le coude de la femme a de nouveau poussé les provisions. Une orange tombe d'un sac. Elle roule jusque dans l'entrée. Parts se demande s'il y a lieu de parler plus précisément du projet de livre. Non. Elle pourra profiter des fruits de l'ouvrage en préparation, mais il n'est pas besoin de lui expliquer toute l'ampleur du projet et le rôle qu'y joue le livre. Parts se sert une tasse du café de céréales préparé par sa femme et il s'assied. Elle déplace le cendrier d'avant en arrière, des cendres se déposent dans la tasse de Parts, il ravale la colère qui lui vient à la gorge.

« Je ne veux pas être la suivante », dit-elle.

Parts monte le volume de la radio.

« Il est arrivé de nouvelles collègues, au travail. L'une d'elles a dû partir tout de suite. On ne nous a pas dit pourquoi, mais Kersti était au courant que le père de la fille avait été dans l'armée allemande. J'attends tous les jours. J'attends qu'ils viennent me chercher, depuis, j'attends qu'ils reviennent. Je sais qu'ils reviendront. »

Parts attendra encore un moment avant de poser ses doigts sur le clavier de l'Optima, il attendra que son épouse ait vidé sa bouteille ; pendant ce temps, il suce les os du pied de porc. Il s'essuie les doigts, ouvre le verrou de l'armoire, sort le journal. Qu'est-ce qu'il a fabriqué, Roland, après leur brouille ? Sa femme saura-t-elle le deviner ? Maman et Leonida ont passé l'arme à gauche pendant ses années en Sibérie, mais Roland a-t-il eu affaire à elles au cours de son absence, lui qui était si vigilant ? Les mères savent toujours quelque chose. Le tourne-disque et Bruckner commencent dans le séjour. La fatigue causée par ce dialogue inhabituel se dissipe. Parts pose les doigts sur les touches de l'Optima et se mord les lèvres. Il pourrait encore retourner auprès de sa femme, ramasser l'orange qui a roulé dans le couloir, la peler pour elle, prendre sa femme par la main, lui demander de raconter tout ce qu'elle se rappelle, lui dire qu'ils vont se secourir l'un l'autre, fût-ce pour cette fois, pour cette seule fois ils pourraient faire cause commune, le temps presse, elle pourrait l'aider à retrouver la piste de Roland, elle pourrait se rappeler des choses que lui ne se rappelle pas, elle pourrait deviner des vérités que lui ne devinerait pas, des endroits où Roland aurait pu aller, des gens qu'il aurait pu côtoyer. Il pourrait lui montrer le journal intime, peut-être qu'elle reconnaîtrait l'écriture, elle aussi, peut-être même qu'elle identifierait les personnages. Et si elle détenait les clefs des questions relatives à Roland ? Ce pourrait être le bon moment, peut-être a-t-elle déjà assez peur, peut-être est-elle prête, après toutes ces années : sinon, pourquoi mettre le sujet sur le tapis ? Pourquoi avouer qu'elle a assisté au procès de Mere ? Est-ce un signe que sa fierté est enfin brisée ? Brisée par le désespoir, ou par l'idée que personne d'autre que Parts ne saurait assurer son avenir ? Pourquoi n'est-il pas capable de faire ce petit pas, de prendre sa femme par la main, pour une fois ? Pourquoi ne peut-il pas lui faire confiance, cette seule et unique fois ?

TALLINN
RSS d'Estonie, Union soviétique

En 1943, Mark trouva un moyen de gagner de l'argent. Puisqu'une partie des hitlériens se rendait compte que l'Allemagne fasciste allait à sa perte, beaucoup avaient déjà un autre projet en tête : passer à l'Ouest, dans l'intention de saboter la résistance au Troisième Reich et de propager l'hitlérisme. Mark vint en aide à ces malheureux et fit le nécessaire, avec l'assistance de nouveaux pêcheurs de sa connaissance qu'il s'était ralliés par la ruse, pour que ces vermines fussent accueillies à l'Ouest la bouche en cœur. Comme Mark avait été un sportif célèbre à l'époque de l'Estonie bourgeoiso-fasciste, on reconnaissait son visage et il suscitait l'admiration. Il n'eut donc aucun mal à nouer des contacts. De Tartu, il se fit muter à Tallinn. Comme il avait déjà prouvé ses compétences aux renseignements hitlériens, il fut bien reçu par les fascistes de la capitale. Mark avait trouvé un logement adapté, vers lequel il orientait les fascistes en attendant leur transport vers un bateau. Le propriétaire de l'appartement n'était autre que la mère de la fiancée de Mark, qui avait trahi son peuple avec un officier fasciste…

Parts pose le poignet sur la table, il essuie sa nuque moite avec un mouchoir. Les tambourinements de sa femme pleuvent de nouveau à verse, mais le texte coule bien. À ceci près que le choix des mots n'est pas très heureux. Une maîtresse ? Une femelle fasciste ? Il pourrait difficilement parler de *putain*, le mot est trop fort, sinon franchement de mauvais goût. Une femme qui avait une relation intime avec un officier SS ? Une fasciste estonienne qui avait une relation intime avec un officier SS ? Une adoratrice de Hitler qui avait une relation intime avec un officier SS ? Une fiancée hitlérienne ? Une fiancée de l'occupant ? Ou une fiancée de guerre amoureuse de Hitler, serait-ce une tournure élégante ?

Parts réfléchit au tempérament de sa femme, à ses amies de jeunesse, à la belle-mère défunte, il cherche l'expression juste. Son épouse l'aurait sûrement trouvée. Il se rappelle le vœu puéril qu'il avait caressé en rentrant de Sibérie : que le passé commun dans un pays neuf puisse constituer un socle pour leur mariage et qu'ils reçoivent l'un de l'autre une compréhension qu'ils ne sauraient recevoir des autres. Les bases étaient bonnes. Elle n'avait pas divorcé, contrairement à tant d'autres femmes pendant les années où leur époux était en Sibérie. Parts n'a pas reçu une seule lettre d'elle, des paquets oui, dans la stricte limite autorisée. Les espoirs de Parts ne reposaient sur rien de solide ; à l'époque du procès d'Ain-Ervin Mere, il a envisagé d'emmener sa femme aux visites d'écoles maternelles auxquelles il participait. Elle aurait pu donner des déclarations en tant que conjointe d'un témoin héroïque, remercier l'Armée rouge pour la vie de son mari, ils auraient pu poser au milieu des enfants, elle aurait tenu un bouquet d'œillets. Peut-être que le Bureau aurait saisi cette opportunité, s'ils avaient eu des enfants – à moins que le Bureau, prévoyant et conscient des antécédents de l'épouse, ne l'estimât pas convenable pour les maternelles. Toujours est-il que son effondrement total fut soudain.

Au regard de son expérience, Parts estime comprendre les pulsions primitives par lesquelles sa femme est parfois possédée ; une fois, il lui a suggéré de se chercher un petit ami, de fréquenter de jeunes hommes. Cela ne pourrait qu'être bénéfique – au moins pour que Parts puisse travailler tranquillement. Elle se changerait les idées, trouverait d'autres voies pour purger ses passions et sentiments déchaînés ; mais elle n'a réagi qu'en se renfermant. Parts s'est fâché. Contrairement à ce qu'elle semble imaginer, il en connaît un rayon sur l'efficacité que peut avoir l'assouvissement des pulsions pour rendre passable, voire agréable, une vie oppressante. Dans les camps, il a vite appris les règles : c'était un monde gouverné par les lois de la jungle, par les instincts bestiaux. Les autres criminels de la baraque étaient de très beaux garçons, Parts avait dû faire preuve de compétences spéciales pour se faire accepter dans leur groupe ; mais, passé son intégration, la vie était devenue supportable. Personne ne venait le déranger pour l'envoyer aux futaies ou aux mines, et le médecin lui fournissait assez de vaseline : le médecin avait besoin d'un faussaire, lui aussi, sans parler des criminels. Ces moments de folie, cependant, il les a laissés derrière lui, et il en a évacué les souvenirs de son esprit comme on noie dans le fleuve les chatons non désirés ; la sueur déposée sur sa nuque sous la puissante étreinte du *blatnoï* s'est évaporée dans la nostalgie du passé.

Parts a discuté de l'état de sa femme avec un médecin, et ce dernier a constaté que les soupçons du mari étaient vraisemblablement justifiés. La vacuité de son utérus a sans doute provoqué son état de déséquilibre, elle est peut-être stérile. Le spécialiste a recommandé une consultation. Parts n'a pas osé faire part de cette proposition à sa femme, bien que, d'après le médecin, la stérilité cause aussi des troubles de l'équilibre mental. Si elle avait été mère, elle aurait eu autre chose sur quoi se concentrer à l'époque des procès, et son effondrement aurait pu être évité, au moins en partie. En outre, ils seraient en mesure d'offrir une belle vie à leur enfant, qui deviendrait un adulte attrayant, grâce à la maison individuelle et aux honneurs dus au rang de Parts. Lui-même n'a rien contre l'idée d'avoir un gamin, et il a même essayé à plusieurs reprises de mettre le sujet sur le tapis, non sans invoquer le devoir conjugal, jusqu'à ce qu'il se rabatte sur son canapé-lit, pour finir par le traîner dans son bureau. Il est difficile de feindre une vie de famille normale, sans progéniture, et les contacts avec les employés du Bureau seraient plus faciles si l'on pouvait se rendre visite entre familles avec enfants : parfois, le travail se ferait plus commodément si l'on avait avec soi un enfant comme paravent. Parts en touchera un mot au Bureau ; il a entendu parler d'une personne qui s'est laissé recruter quand on lui a arrangé une adoption en une semaine.

C'est à cause des enfants qu'il a renoncé aux promenades à Pirita. Il y était toujours confronté aux marmots euphoriques, au vrombissement énervant des toupies, au passage pénible des landaus et aux pas chancelants de ceux qui marchaient à peine. Une fois, il a vu un père qui faisait voler un avion modèle réduit avec son fils. L'appareil a fait un huit contre le pur ciel bleu, Parts a levé la main en l'air pour sentir le vent, idéal pour faire voler une maquette, et il a ralenti le pas. Il avait envie de raconter quelques anecdotes au petit garçon, par exemple celle d'Aleksandr Fiodorovitch Avdeïev, qui abattit sur l'île de Saaremaa l'illustre et renommé Walter Nowotny. Aleksandr était beau gosse, comme tous les aviateurs, et son appareil – le Polikarpov I-153 – était semblable à un majestueux goéland, mais on en a arrêté la production parce que ses ailes de mouette étaient défaillantes. Le garçon aurait fait des yeux ronds, il aurait voulu en savoir davantage, et Parts aurait raconté sa propre expérience hallucinante aux commandes d'un Polikarpov qui tombait en vrille. Le suspense aurait coupé le souffle au garçon, Parts aurait dit qu'il avait failli s'écraser au sol, mais il avait conservé son sang-froid pour manœuvrer le palonnier dans la direction opposée à la rotation et l'avion avait cessé de tourner, même si, dans sa tête, le vertige persistait, comme si l'appareil tournait maintenant en sens inverse, enfin, c'était tout à fait ordinaire, un simple défi d'aviateur, voilà ce qu'il aurait dit, et puis il aurait tapoté le garçon sur l'épaule en lui promettant qu'ils iraient acheter des vignettes d'avions à coller dans un album et en lui proposant de jouer encore avec le modèle réduit ; le garçon aurait hoché la tête, et puis ils auraient regardé ensemble le petit avion prendre de l'altitude…

Une salve de coups de talons de l'épouse dans l'escalier abat le modèle réduit en plein vol. Parts ouvre les yeux : au lieu du bleu du ciel, il voit les bosses jaunâtres de la tapisserie et l'armoire marron de son cabinet de travail, la surface vernie dont il essuie les traces de doigts avec le coin d'un mouchoir dès qu'il en détecte une. Dans cette armoire, il a caché quelques albums vierges, destinés à la collection des vignettes, qui lui sont tombés sous la main au rayon papeterie du grand magasin. Ils sont consacrés aux avions.

La barre presse-papier s'est tordue sous le poids de sa tête, les tiges porte-caractères sont entremêlées. Le camarade Parts essuie la bave séchée sur sa joue. La pendule cadence le petit matin. Une bonne épouse viendrait réveiller son mari, au lieu de le laisser sommeiller dans une position inconfortable. Le camarade Parts recule sa chaise, va fermer la porte du bureau à clef et ouvrir le canapé-lit : le travail ne donnera plus de résultat, cette nuit. Peut-être le garçon au modèle réduit reviendra-t-il en rêve, il faudra lui raconter la rencontre avec Lénine, Parts était dans les bras de sa mère mais il ne s'en rappelle pas moins le regard vif de Lénine, qui avait dit à sa mère que ce petit garçon deviendrait aviateur, oui, il avait clairement la vue perçante d'un aviateur. Rappelé à la réalité par le clic du canapé-lit, Parts se rend compte que sa solitude le conduit à chercher de la compagnie dans ses rêves. Il s'assied sur la pile de draps du canapé, la fatigue s'est éloignée, la lune prend place dans la fenêtre ronde, comme le bouton d'un gant, et il tire les rideaux devant la vitre, s'assure qu'il ne reste pas d'interstice entre eux, il délivre le papier chiffonné du cylindre, nettoie un peu sa table et ouvre le journal intime à l'endroit qui le fait toujours sourire, qui le réconforte. À la première lecture, il était déçu, parce que rien ne semblait faire allusion à lui. Cela lui faisait peur, aussi, ou du moins cela l'accablait de mauvais pressentiments. Puis il a relu le journal : « Mais nous n'avons pas assez de faussaires compétents. Il manque un Maître, un Maître capable de façonner des tampons plus vrais que nature. Je sais que ces compétences existent, mais pas parmi nous. » Il lui a fallu un instant avant de sourire. Ils avaient besoin de lui. D'un Maître. Il est un Maître. Parts griffonne le mot sur le buvard. Le stylo s'arrête. Il l'a écrit avec une majuscule, parce qu'il est écrit ainsi dans le journal. Il ferme les yeux et les rouvre, tourne les pages au hasard sans trouver l'endroit qu'il cherche. Une idée vient de lui éclaircir la tête. Il était aveugle.

Au début, les phrases idiotes de Roland l'énervaient, il était sûr qu'il n'en tirerait rien. Pas de noms, pas de lieux. Seulement des rapports assommants sur le temps qu'il faisait et sur les jolis levers de soleil, sur l'abstinence de la ligue, et des envolées virulentes pour condamner l'alcoolisme. Mais il s'est laissé tromper par ces futilités, Roland a réussi à le berner. Le journal parle bel et bien de personnes réelles, à mots couverts. À présent, il va le relire, un mot à la fois, pour lister tous ceux qui sont écrits avec une majuscule initiale, même quand ils n'ont pas l'air de noms propres : il vérifiera chaque expression comme si elle pouvait signifier autre chose. Comme si elle pouvait désigner quelqu'un.

Après dix pages, Parts remarque que sa vigilance se relâche de nouveau : des pages entières sont consacrées à la difficulté de trouver de l'encre et du papier, au découragement causé par l'encre mal mélangée. Du papier de valeur avait été gâché par de l'encre renversée, si bien que la presse était devenue par endroits illisible, et Roland était furieux. Dans les pages qui parlent des précautions prises par les illégaux, Parts pioche un détail approprié pour son ouvrage : lorsque les hommes se glissaient en secret dans les fermes pour manger, ils utilisaient une assiette commune afin de pouvoir s'enfuir à tout moment, en cas d'urgence, sans avoir à se demander si quelqu'un avait pensé à faire disparaître le surplus de couverts sur la table. Voilà un bel exemple de la sournoiserie des fascistes, un détail authentique qui redonne de l'élan aux doigts de Parts, ils filent d'une ligne à l'autre, de l'enfumage des casemates par les lampes à kérosène et des semelles trouées au ratissage des forêts effectué par les tchékistes, l'opération où la forêt est passée au peigne fin pour dénicher les casemates, en passant par les difficultés à réparer la radio et par la joie suscitée par l'acquisition d'un miméographe. Par l'analyse des difficultés à trouver de bons écrivains pour les périodiques, les projets de création d'une section de presse distincte, pour revenir à une parfaite illustration de la malignité des fascistes, un exemple que Martinson ne pourra pas se targuer d'avoir utilisé : un agent de destruction infiltré parmi les frères de la forêt s'est trahi en posant à Roland une question toute bête sur les derniers événements sportifs. Si Roland avait connu les résultats, on aurait pu déduire de sa réponse que leur radio se trouvait à moins d'un jour de distance : aucun membre de la troupe n'aurait posé une telle question. Les yeux de Parts volent d'une ligne à l'autre, relevant de temps en temps des mots écrits avec une majuscule, ses doigts feuillettent fébrilement d'assez sages comptes rendus relatant les nouvelles du monde extérieur, des pages sur l'attente de la guerre, la guerre qui jamais ne vint, la guerre qui devait délivrer l'Estonie, la guerre évoquée par des phrases où pointait l'amertume, et des pages furieuses sur les collectivisations survenues après les déportations.

Le houblon gratte à la fenêtre, Parts referme le journal, il a trouvé ce qu'il cherchait : « Mais mon Cœur est à l'abri, cela me procure une grande consolation. Mon Cœur n'a pas quitté le navire comme ces rats qui s'enfuient en Suède, mais n'a pas non plus échoué en Sibérie. Tant d'autres ont fini sur cette voie-là, y compris celui qui a mis mon Cœur en captivité à l'église. » Roland a écrit *Cœur* avec une majuscule, comme *Maître*. « J'ai perdu ma parenté, pas mon Cœur, et ma famille ne m'a pas trahi. L'avenir n'est pas perdu. » Parts a déjà lu ces phrases, mais il n'avait pas compris qu'elles contenaient la clef de l'énigme : le Cœur, avec une majuscule. Il s'agit d'un nom de code, peut-être même de sa fiancée. La première référence à ce Cœur date de 1945. Les paroles touchant à la Sibérie ont été écrites en 1950. Après les déportations du mois de mars, le désespoir s'intensifiait nettement, ce qui n'est pas étonnant : l'éradication du banditisme était la priorité majeure de Moskalenko, le nouveau ministre de la Sécurité, et il a fait du bon travail, mais le journal intime n'indique pas quand le mari du Cœur a été emmené, et la référence à l'église doit justement désigner l'époux de ce Cœur. Peut-être a-t-il été arrêté dès l'établissement du régime soviétique, peut-être dès les déportations massives. On peut présumer que les paroles rassurantes du carnet s'expliquent par le souci que Roland se faisait pour cette personne : au printemps 1949, dans les trains pour la Sibérie, on entassait essentiellement des femmes, des enfants et des personnes âgées, dont beaucoup avaient de la famille déjà déportée, ou des parents ou protégés cachés en forêt.

Parts va chercher dans la cuisine le reste de graisse des escalopes de la veille, et il s'en tartine une tranche de pain. L'Alliance de la lutte armée était pratiquement liquidée, les déportations avaient éliminé ses anges gardiens, les lignes avaient été réduites à néant, n'importe qui pouvait être un tchékiste infiltré... et pourtant, Roland parlait de l'avenir. Quelle distinction faisait-il entre *parenté* et *famille* ? Qui considérait-il appartenir à sa parenté, qui à sa famille ? Entendait-il par « famille » sa troupe de frères de la forêt ?

Ce n'est pas important. L'important est le Cœur, une femme dont le mari a été emmené en Sibérie. Une femme qui vit à l'intérieur des frontières du pays. Une femme dont il faut retrouver la trace et qui en sait vraisemblablement plus que tout le monde sur le compte de Roland. Le Bureau consentirait-il à ce que Parts examine la liste des personnes emmenées en Sibérie pour y rechercher un homme dont l'épouse est restée en Estonie ? Difficilement. Comment justifierait-il sa requête ? Le camarade Porkov pourrait-il lui confier ces informations à titre de faveur ? Comment le Cœur a-t-il réussi à éviter les camps ? Était-il en forêt avec Roland ? « J'ai perdu ma parenté, mais pas mon Cœur. » Roland avait-il une relation intime avec une femme mariée ? Quel genre de femme était-elle ? La maîtresse d'un chef de bandits, la cuisinière de la troupe, ou seulement quelqu'un qui aidait les illégaux ? Habitait-elle en forêt ? Participait-elle aux activités de l'Alliance de la lutte armée ? L'Alliance n'est pas mentionnée dans le journal, mais les corps trouvés dans la casemate étaient ceux d'activistes de l'ALA. Et Roland partageait-il tout ce qu'il savait avec son Cœur, lui qui était si vigilant ? Est-ce que Parts doit donc vraiment retrouver le Cœur non seulement parce qu'il pourrait le conduire sur les traces de Roland, mais aussi parce que Roland a partagé un moment de sa vie avec ce Cœur, si bien que ce Cœur peut savoir tout ce que savait Roland ? Parts est-il prêt à prendre le risque ? La plupart des aviateurs abattus ne voient pas venir l'attaque avant qu'il soit déjà trop tard. Il ne doit pas commettre la même erreur. Il se mord la langue, sent le goût du sang dans sa bouche. Roland aurait-il complètement ouvert son cœur à son Cœur ? Parts se rappelle à quel point Roland était protecteur avec Rosalie. Aurait-il eu la même attitude à l'égard de son Cœur ? Ou la solitude l'aurait-elle conduit à des paroles désespérées ? Partageait-il tout avec son Cœur ? Et surtout : le Cœur est-il une menace pour Parts ? Dans une autre situation conjugale, il discuterait de ce problème avec sa femme, car le Cœur du journal est précisément une énigme adaptée aux divagations féminines.

Parts ne sera plus jamais aussi insouciant qu'il l'avait été vis-à-vis d'Ervin Viks. Quelle ne fut pas son émotion, quand il entra dans le bureau de la Section spéciale, au camp de Tartu ! La personne assise dans le fauteuil n'était autre qu'Ervin Viks, en train de signer des papiers relatifs à des « affaires spéciales », comme il le dit lui-même en se levant pour procéder aux salutations. La carrière de Parts était dans une bonne phase, il faisait la tournée des sites de production avec les Allemands et, tout à coup, devant lui, en chair et en os, voici un ancien collègue du commissariat du peuple à l'Intérieur. Les yeux de Viks le mirent à nu, ces deux hommes qui se reconnaissaient là étaient unis plus étroitement qu'aucun lit ne pourra jamais réunir deux amants ; à un moment, Viks fit un geste discret mais très éloquent, tirant la main en travers de sa pomme d'Adam en signe d'égorgement. Le capitaine qui accompagnait Parts prit des papiers sur la table, lisant quelques mots par-ci par-là, et Viks s'offrit à leur exposer ses « affaires spéciales », mais l'emploi du temps était serré. Ils s'en allèrent en laissant les vapeurs d'eau-de-vie flotter dans la pièce et, tandis qu'ils traversaient la cour, Parts était terrorisé à l'idée qu'un prisonnier le reconnût et criât son nom. En sortant du camp, il poussa un juron. Il aurait dû vérifier le cas de Viks depuis longtemps ! C'était le seul qui restait, de ses collègues avec lesquels il avait travaillé pour le commissariat du peuple à l'Intérieur avant l'arrivée des Allemands. De son côté, Viks avait sans doute fait du ménage dans son propre dossier ; s'il avait oublié Parts, ce devait être un hasard, un point aveugle, ou peut-être avait-il présumé que son compte était déjà réglé. Parts aussi s'était rendu coupable d'étourderie. Comment ne s'était-il pas souvenu de Viks, alors qu'il connaissait son tableau de chasse ? Viks était de ces professionnels qui ont une compétence toujours prisée : la capacité à tuer. Cela l'avait porté à la tête de l'*Abteilung* B IV. Plus tard, Parts s'était demandé s'il valait mieux rechercher la proximité de Viks ou, au contraire, rester hors d'atteinte de son regard. Du fait de la haute position de Viks, il ne pouvait plus s'en débarrasser facilement, mais lui, par contre, pouvait se débarrasser de Parts. Il ne restait plus qu'à espérer que Viks fût devenu un homme trop pressé pour avoir le temps de courir après ses subordonnés. En outre, Viks lui avait rendu un service, à sa façon, au camp de Tartu : il avait fait exterminer des milliers d'employés du commissariat du peuple à l'Intérieur et de leurs collaborateurs. Hommes de main, informateurs, lèche-bottes, bolcheviks. Viks avait dégagé les nuages pour tous les deux.

Parts décide d'être courageux et de s'ouvrir au camarade Porkov : il doit obtenir la liste des déportés dont la conjointe est restée en Estonie. Ce ne sera pas une mince affaire, mais il pourra ainsi trouver ce qu'il cherche, et cela pourrait constituer une information décisive.

TALLINN
RSS d’Estonie, Union soviétique

Le camarade Parts conserve le journal dans le tiroir à double fond qu’il réservait initialement à son album de photographies. Entre la cloison dérobée et le devant du tiroir, il a disposé un fil imperceptible qui, jusqu’à présent, a toujours été à sa place quand Parts ouvrait le tiroir. Roland faisait preuve de la même vigilance, dans son journal, au sujet de son Cœur : il le protégeait minutieusement contre toute menace extérieure. En fait, Roland était plus vigilant encore, il avait même détruit la photo de Rosalie ; sur la couverture de l’album, en revanche, Parts voit toujours les prunelles d’Ernst tendues vers lui. Il saisit l’album et va vers le poêle, le bras tendu en direction des flammes, mais son geste est interrompu par un bruit de talons qui retentit au-dessus de sa tête. Avec Ernst, il partage tout de gaieté de cœur, et Ernst le comprend toujours, il est de bon conseil pour ce qui est de la tactique et des manœuvres d’esquive, qui sont aussi indispensables à Parts qu’elles l’étaient à Ernst lors de ses combats aériens. Tout le monde a besoin d’une telle personne, d’une telle compréhension, même Roland. Son Cœur comblait-il le vide laissé par Rosalie ? Le cousin confiait-il ses souvenirs à son Cœur ? Est-ce qu'il posait la tête contre sa poitrine et lui racontait tout ce qui pesait sur son âme, y compris les choses qui étaient de nature à l'épouvanter, les choses qui redoubleraient sa peur ? Le talon claque de nouveau, retentissant aux oreilles de Parts, dont les yeux sautent aussitôt vers le plafond, le plafond grince, couine comme un chien battu, les pieds du lit raclent la paroi. Parts se lève, renferme l'album dans le tiroir en prenant soin de remettre le fil en place, puis il fait les cent pas. Ses pieds se trouvent suivre la trajectoire des piétinements de l'étage ; lorsqu'il en prend conscience, il s'arrête. Non, sa femme a beau chercher à le rendre fou, elle n'y parviendra pas. Il se replonge dans le journal intime. Il n'a pas encore trouvé comment justifier sa demande de documentation, comment expliquer au Bureau qu'il a besoin de cette liste de noms. Une requête aussi spéciale exige des motifs exceptionnellement forts. Que ferait-il, Ernst ? Qu'inventerait-il ? Ernst fut accusé d'affaiblir la Luftwaffe, mais ce n'était pas sa faute, c'était à cause de ce mal de gorge qui ne connaît qu'un remède : la croix de chevalier passée autour du cou. Le coupable, c'était le désir d'honneur et de gloire qui dévorait les aviateurs.

Parts cligne des yeux, fait craquer ses jointures. Maintenant que l'étage s'est calmé, il élabore un scénario : il prétendra qu'il vient de se souvenir d'une certaine personne antisoviétique, une personne qui coopérait avec Karl Linnas et qui ne manquerait pas d'intéresser le Bureau, une femme dont il a rencontré le mari quand il était au camp, et il s'étonnait que l'homme eût été emmené et pas la femme, alors que c'était justement elle l'activiste, pas lui. Hélas, Parts n'arrive pas à se rappeler le nom de cette femme, mais il le reconnaîtra du premier coup d'œil en parcourant la liste. L'explication est ténue, Parts le voit bien. Néanmoins, il ne faut pas sous-estimer l'attraction exercée par Linnas, et il y a fort à parier que le camarade Porkov ne manquerait pas une nouvelle occasion de se faire mousser en fournissant des preuves de son efficacité. La vanité du capitaine : telle sera l'arme de Parts.

Les défauts de Parts sont de même nature, il le reconnaît. Il se comportait vis-à-vis du journal avec trop d'arrogance, il se croyait plus intelligent que Roland, voilà pourquoi il est passé à côté de l'indice central. Cela ne se produira plus. Parts se replonge donc dans le journal, qu'il connaît presque par cœur, maintenant – sans sauter un seul mot dans la dissertation de deux pages qui traite de la propension des Russes à la guerre bactériologique et de l'inquiétude que cela suscite chez les Américains. Il doit y avoir quelque chose de plus, sûrement. Autre chose que le Maître et le Cœur. Le Bureau sera mieux placé pour déchiffrer les écritures secrètes, pour décrypter les codes, ce qui n'est pas du ressort de Parts. Mais il ne baissera pas les bras. Il continue jusqu'à 1950, où Roland conclut que les deux parties ont peur l'une de l'autre. « Personne ne parle de l'Estonie. Elle a disparu de la carte tel le corps d'un soldat inconnu. » Quand il expliquait que les volontaires du bataillon de destruction étaient affranchis des quotas agricoles, ses mots dénotaient une certaine amertume : « Celui qui prospère n'a pas besoin de négocier. C'est pourquoi les communistes n'ont pas besoin de négocier avec nous. » Rien à propos de la famille ou des amis. « Les rats quittent le navire et s'en vont en Suède. Notre navire prend l'eau et je ne suis pas sûr de pouvoir le sauver du naufrage. » D'autres souvenirs de l'humeur triomphante des premières années en forêt ; « la formation des sections » fait clairement référence à la création des sections régionales de l'Alliance de la lutte armée, les lignes qui en parlent sont pleines d'assurance et de satisfaction. Roland a dû voyager dans tout le pays, rencontrer les personnes clefs de chaque section. Il avait un vaste réseau : où ces hommes sont-ils à présent ? Qui sont-ils ?

Parts constate encore avec surprise que les phrases idiotes de Roland passent bien dans un texte écrit, alors qu'à l'oral elles étaient confuses ; sur le papier, elles revêtent une certaine beauté, presque une poésie un peu gauche. « Huit morts ; qui nous entend ? Sept hier ; combien demain ? Le manque de sang neuf nous étiole et l'étiolement nous assoupit. » Et une nouvelle mention du Cœur : cette fois, le mot est gribouillé tout en bas de la page. En l'occurrence, le Cœur est parvenu à diluer le mauvais sang que les discours radiophoniques d'un commentateur autrichien avaient éveillé chez les hommes. L'Autrichien en question était sûr que la guerre de libération de l'Estonie n'aurait pas lieu. « Quand la liberté finira par arriver chez nous, tout le monde deviendra subitement patriote, et combien de nouveaux héros aurons-nous alors ? Mais tant que notre patrie est en danger, ce sont les mêmes qui rampent à genoux et vont dans le sens du courant, qui mordent à de vulgaires appâts et lèchent les bottes de leurs propres traîtres, qui pourchassent nos frères, rien que pour avoir accès aux magasins spéciaux. »

Décidant de se rafraîchir avec une tartine de hareng, Parts va traîner ses pantoufles dans la cuisine. Dans l'entrée, son pied heurte la souricière tendue par sa femme ; des mouchoirs sont froissés en boules, y compris ceux qu'elle a piqués sur l'étagère de Parts. Il les écarte d'un coup de pied, puis il se ravise et les jette à la poubelle en s'aidant d'une serviette. Préparer les tartines lui éclaircit l'esprit : malgré le lyrisme de la langue de Roland, Parts ne croit pas que son cousin eût un penchant pour la poésie. En tout cas, pas au point d'en rédiger des pages entières, à moins d'avoir une raison particulière. Parts repense à un poème intitulé « Tête de chou », qui traitait du but de l'art. D'après Roland, ce poème était trop individualiste, il ne serait pas utile au mouvement. Il le trouvait déloyal, s'étonnait de ses objectifs et critiquait par la même occasion les poètes du pays. Parts se rappelle un passage de mémoire : « Ces créatures médiocrement douées qui s'autoproclament poètes ! Ils préfèrent moucharder et nager ainsi dans les eaux des écrivains soviétiques, dans des cercles où, même avec des moyens négligeables, il est possible de gagner son pain, d'avoir une vie facile. Mon mépris est incommensurable, heureusement que mon Cœur est là pour modérer mes mains. Tête de chou n'en est pas digne. » Voilà ! Parts s'était encore laissé bluffer. « Tête de chou » n'est pas un *poème* mais un *poète*. Roland doutait de la loyauté de « Tête de chou », parce que celui-ci était une personne, non pas parce qu'il se serait fait du souci pour un misérable tas de vers.

Si Tête de chou s'est régularisé entre-temps, il sera sans doute facile à retrouver, et il pourrait savoir quelque chose au sujet du Cœur. Et si Parts ajoutait le nom de Tête de chou aux vœux adressés à Porkov ? Vu la précarité de ses motifs, il n'est pas à un surnom près, mais il ne faut pas que cela devienne une habitude. Avant d'ouvrir le bocal de harengs, Parts se prépare un verre d'eau sucrée. Le lait est encore périmé.

Cinquième partie

« D'abord connu en tant qu'homme de main de Linnas, c'est par sa cruauté que Mark devint tristement célèbre au camp de Tartu. Mais qui était-il vraiment ? Aucun des témoins oculaires et des survivants de ses horribles traitements ne connaissait son nom de famille. Peut-être n'est-il pas superflu de dire quelques mots à son sujet, de rappeler ses antécédents. Mark était un agriculteur ordinaire, jusqu'au jour où il s'enthousiasma pour l'idéologie des fascistes et se mit à fréquenter leurs réunions. Il trouva une fiancée avec les mêmes inclinations. Tous deux éprouvaient une haine démesurée à l'endroit du communisme. »
Edgar Parts, *Au cœur de l'occupation hitlérienne*, Tallinn, Eesti Raamat, 1966.

Reval
Commissariat général d'Estland, Reichskommissariat Ostland

Il restait quelques heures. Les adultes veillaient, assis sur leurs ballots improvisés dans des draps ou des taies d'oreillers ; les enfants dormaient dans des lits de fer. Ou faisaient semblant. Je n'entendais guère le sommeil dans leur respiration, mon regard a croisé un œil brillant qui s'est fermé aussitôt. J'ai remarqué que Juudit observait les fugitifs ; moi, c'était elle que j'observais. Elle s'est penchée vers une femme d'un certain âge, et leur chuchotement importunait mes oreilles comme s'il était plein de secrets, alors que Juudit ne partageait sûrement pas ses histoires personnelles avec ces inconnus. Elle est allée aider un homme souffrant d'une sciatique qui avait enlevé sa chemise devant le poêle, et elle lui a appliqué de l'acide sulfurique sur le dos avec une plume d'oie. Il s'en dégageait une odeur qui piquait le nez, la pièce bondée était tendue d'impatience et les soupirs y résonnaient comme dans une bouteille vide, mais les mains apaisantes de Juudit étaient convaincantes. Elle semblait trouver les mots justes pour ces esprits anxieux, elle savait qu'aucun ne devait flancher quand viendrait le moment de monter dans le camion. Je n'aurais pas pu mieux choisir ma nouvelle réceptionnaire. Les autres s'étaient méfiés quand j'avais annoncé avoir trouvé un nouveau logement comme point de ramassage, et une nouvelle personne pour réceptionner les fugitifs – je l'avais désignée du nom de Linda. Je m'étais porté garant de sa fiabilité, passant sous silence sa relation avec un Boche. En outre, je ne perdais pas de vue qu'impliquer Juudit dans nos activités était le meilleur moyen de s'assurer de son silence. Elle avait commencé à me lâcher des bribes d'informations utiles, et ses opinions semblaient vaciller en ce qui concernait les Allemands.

Cette fois, l'agitation était à son comble. Le discours de Hjalmar Mäe avait allumé une lueur d'espoir chez certains : selon lui, la mobilisation serait le premier pas vers la souveraineté. Je lisais de l'hésitation sur le visage des fugitifs, ils avaient envie de croire à ces belles paroles. La naïveté des gens ne cessait pas de m'étonner. Ou leur désespoir. Toutefois, ils étaient chaque jour plus nombreux, ceux qui ne croyaient plus à la victoire de l'Allemagne ni aux promesses du Reich sur l'indépendance ou l'autonomie de l'Estonie. Personne ne voulait attendre un nouveau massacre, l'arrivée imminente des bolcheviks ne faisait plus de doute. Les ecclésiastiques parlaient du retour de l'État impie.

L'année à venir, nous transporterions beaucoup d'évadés de l'armée allemande ; il y en avait déjà, en l'occurrence, et on les reconnaissait n'était-ce qu'à leur maintien. C'étaient des gars courageux, au regard ardent et prêts à combattre dès que le navire accosterait en Finlande. J'espérais secrètement que nous formerions une unité estonienne vouée à devenir la moelle de la nouvelle armée d'Estonie après la retraite des Allemands. Nous pourrions alors tirer profit de la situation comme nous l'avions fait en 1918, après le départ des Boches, en repoussant les rouges pour obtenir notre indépendance. Le capitaine Talpak organisait les affaires de l'unité en Finlande, j'avais une grande confiance en lui et j'invoquais son nom quand les gars me posaient des questions sur l'armée propre d'Estonie. Le capitaine avait refusé de collaborer avec les Boches et beaucoup suivaient son exemple. Richard avait eu le temps, avant sa fuite, d'adresser à la B IV des recommandations pour nos gars, afin qu'ils échappent au front, mais ils ont simplement suivi une formation de radio dans l'*Abwehr** de Riga puis sont revenus dans nos troupes. Les premiers l'avaient déjà fait et ils attendaient le départ des Allemands.

Encore quelques heures et il serait temps. Juudit est venue à moi en déambulant craintivement. Je lui ai fait une place généreuse à côté de moi. Elle s'est assise à une petite main de distance, a pris la *papirossa* que je lui tendais et l'a présentée devant l'allumette que j'ai grattée pour elle. Une boucle s'était collée à sa joue, les ombres frémissantes de ses cils trahissaient sa tension. J'ai noté que la bague en émail bleu-noir-blanc était revenue à sa main gauche.

« Qu'est-ce qu'on va faire des cochons ? » m'a-t-elle murmuré tout bas. Un postillon s'est posé sur mon oreille. Je me suis essuyé. Je sentais la chaleur de son corps, et c'était une chaleur allemande, je n'aimais pas cela.

« La famille du pasteur ne veut pas les laisser.

– Alors on dira qu'ils ont été volés. »

Elle a acquiescé. L'organisation des transports coûtait de plus en plus cher, les prix montaient et les spéculateurs jouaient avec les nerfs des gens. Les plus démunis devaient tenter de s'enfuir par leurs propres moyens ou se résoudre à rester. Mais ce n'était pas tout : parmi les fugitifs, il y avait aussi beaucoup de mauvais joueurs. L'espace à bord était limité ; pourtant, il y avait toujours des gens comme ce pasteur. Heureusement, la plupart avaient assez de jugeote pour abattre leurs animaux avant le départ et embarquer la viande, mais le pasteur estimait sans doute qu'il pourrait tirer un meilleur prix, en Suède, de ses porcs sur pied.

« Toi tu montes la garde ici », ai-je dit avant de sortir. J'allais conduire les cochons à la cave des ruines, en attendant que l'un des nôtres aille les chercher.

« Que veux-tu que je garde, ici ? Je t'accompagne. »

Dans le noir de la cage d'escalier, la main de Juudit s'est posée sur mon épaule.

J'ai repoussé son bras. Sa voix s'est tendue :

« Je sais que tu as un problème avec moi, mais tu ne crois pas qu'il y a des choses plus importantes, ici ?

– Tu es comme les autres.

– Qu'est-ce que c'est censé vouloir dire ?

– Tu te fabriques un bon avenir, ai-je rétorqué avec une hargne inutile.

– Roland, je pense toujours en estonien. »

Je descendais l'escalier en me tenant prudemment à la rampe. Il n'y avait personne, la nuit était parfaite pour le transport.

« L'Allemagne ne perdra pas », a poursuivi Juudit.

Mon sifflement incrédule dénotait de la dérision et elle l'a perçu.

« Et ça ne me rapporte même pas d'argent, a-t-elle ajouté. Contrairement à Aleksander Kreek et je ne sais quels autres. À toi aussi.

– Je ne fais pas cela pour l'argent », ai-je répliqué.

Juudit s'est arrêtée et a éclaté de rire. Son rire s'est propagé dans le couloir, en haut, en bas, brûlant tout l'oxygène sur son passage de telle sorte que l'air ne passait plus dans ma poitrine. Imaginait-elle que je récoltais l'argent pour moi, pour pouvoir m'enfuir outre-mer ? Voulait-elle seulement me taquiner, parce que je la taquinais avec son Boche ?

La rampe vacillait, Juudit s'y appuyait et j'ai dû détacher ma main, les marches fléchissaient sous le poids de son rire.

En bas, une porte s'est ouverte et refermée, quelqu'un était venu jeter un œil dans le couloir. J'ai attrapé Juudit par les épaules et je l'ai secouée, sa bouche béante déversait la puanteur des barons baltes, leur pestilence tiède, écœurante, et j'ai dû mettre la main devant mon nez ; de l'autre main, je serrais son bras au point de faire craquer son grêle cubitus. Elle n'arrêtait pas, son rire secouait maintenant tout mon corps, il raillait mon impuissance. J'aurais dû la réduire au silence, mais j'en étais incapable, car je la sentais près de moi, je la sentais comme un petit oiseau dans le creux de ma main.

« Tu veux que nous nous fassions arrêter ? Tu réalises ce qui nous arrivera ? C'est ça que tu veux ? C'est ça que tu souhaites ? »

J'essayais d'écouter d'une oreille la personne en bas et les sons à l'extérieur. Peut-être la voisine avait-elle appelé la police, auquel cas il faudrait vider l'appartement, mais le camion ne viendrait pas chercher le convoi avant quelques heures. De ma main libre, j'ai tâté mon Walther, et j'ai perdu mon équilibre précaire. Juudit tremblait, sans même essayer de se dégager. Nous sommes tombés sur le palier ; le corps léger de Juudit s'est renversé sur moi, ma main serrait toujours son bras, ses lèvres ouvertes étaient placées en travers de ma bouche, ses seins débordaient du chemisier ; dans le silence, je ne percevais que son odeur changée, salée comme les galets, et sa langue a plongé dans ma bouche comme un poisson. La perfidie de mes entrailles m'a fait lâcher son bras pour déplacer ma main vers ses hanches, et il s'est produit ce qui ne devait pas se produire.

Quand nous sommes sortis dans la cour, j'ai rajusté mes vêtements à plusieurs reprises. Juudit s'est lavé les mains dans un tonneau d'eau de pluie glacée. Nous ne nous regardions pas.

« Crois-tu que ta voisine va appeler la police ?

– Quelle voisine ?

– Ta voisine était à la porte. »

Juudit a dû avoir peur :

« Non, elle connaît ma mère. J'irai lui parler, quand on rentrera.

– Faudrait-il la payer ?

– Roland, cette dame est une amie de ma mère !

– Par les temps qui courent, on paye aussi les amis. Il y a un peu trop de visiteurs qui défilent, par ici, et ta mère n'est sans doute pas au courant.

– Roland !

– Paye-la !

– Je pourrais lui donner des coupons d'alimentation. Je lui dirai que je n'en ai pas besoin. »

J'ai saisi sa main mouillée et je l'ai pressée sur mes lèvres, qui portaient toujours la saveur salée de sa bouche. La peau de sa main sentait l'automne, les gouttes de pluie sur les pommes mûres. J'ai modéré mon désir soudain de la mordre. Comment l'odeur des Allemands avait-elle disparu de sa peau ? Elle sentait mon pays, comme tout ce qui était né dans mon pays et se décomposerait dans mon pays, une fiancée de mon pays, et soudain j'éprouvais le besoin de lui demander pardon de l'avoir si souvent maltraitée. Entre les nuages, les étoiles scintillaient jusque dans ses yeux, semblables à des colombes sauvages baignées dans du lait. L'obscurité dissimulait ma gêne, je me taisais. La tendresse ne convenait pas à cette époque ni à ce pays.

J'ai mis ma main sur son cou et j'ai entortillé une boucle de ses cheveux autour de mon doigt. Sa nuque avait une souplesse de temps de paix.

Reval
Commissariat général d'Estland, Reichskommissariat Ostland

Edgar jeta un coup d'œil au SS-Hauptsturmführer Hertz assis à côté de lui. Celui-ci était appuyé au dossier de l'Opel, les cuisses écartées, sveltes et viriles ; le voyage semblait l'ennuyer, il consultait sans cesse sa montre, manifestement impatient d'arriver – ou surtout de rentrer à Tallinn. C'était mauvais signe : Edgar s'était préparé pour la visite comme il fallait, les chiffres à jour attendaient dans sa serviette, bien ordonnés. Il avait planifié avec soin cette présentation de l'avancement des sites de production de Vaivara. En même temps, il avait d'autres sujets à faire progresser. Il était convenu avec le SS-Obersturmführer von Bodman, au préalable, des points à aborder. Il faudrait parler des prisonniers de guerre : sans eux, Vaivara aurait peu de chances de réussir. Une fois de plus, la liste du prochain convoi de prisonniers était pleine de noms juifs, or les Juifs n'étaient pas du ressort de l'Organisation Todt, mais Edgar n'y pouvait rien si les autres refusaient d'en discuter comme il fallait. Le problème restait à résoudre, le Hauptsturmführer devrait écouter Bodman, qui était tout de même le médecin-chef du camp. Cependant, l'esprit d'Edgar était accaparé à la fois par Hertz et par Juudit. Dans cette même automobile, la main de l'homme s'était élevée pour aller toucher l'oreille de Juudit, le bras de celle-ci s'était peut-être posé sur cette portière, son sac à main sur cette banquette, c'était sur ce siège que Juudit s'était penchée vers son amant, pressée contre son épaule, appuyant sa joue sur les écussons, sa robe s'était peut-être retroussée au-dessus des genoux, sur lesquels l'homme avait ensuite posé sa paume, et Juudit l'avait appelé par son prénom.

Cette fois, le col du Hauptsturmführer ne portait pas de traces de poudre et les cordons de ses épaulettes n'exhalaient pas l'odeur d'une femme qui s'y serait frottée. Ou bien il retournerait en Allemagne, ou bien il ne tarderait pas à se lasser de sa fiancée de guerre, comme les autres. Néanmoins, le mouvement avec lequel sa main s'était levée pour effleurer l'oreille de Juudit ne cessait pas de tourmenter Edgar, parce qu'il était différent de ce qu'il aurait espéré. La ville regorgeait de dames plus élégantes, mais c'était Juudit qui avait conquis cet homme qui dégusterait des huîtres à Berlin avec la même désinvolture qu'il distribuerait des ordres d'exécution en Ostland, et dont le Parabellum aurait sûrement une précision de tir toujours aussi étonnante. Juudit avait conquis cet homme qui était digne de femmes meilleures qu'elle. La situation était problématique.

Edgar appuya la tête contre la vitre de l'automobile, se cognant le front à chaque cahot. C'était agréable, les secousses remettaient les pensées à leur place, elles repoussaient dans l'ombre ce geste qui lui grignotait le cerveau. Il ne s'était jamais trouvé aussi proche de Hertz, du SS-Hauptsturmführer Hertz. La nuque du chauffeur était robuste, sa voix tintait, fredonnait et chantait. Juudit ne faisait guère étalage de son mariage, mais comment Hertz traiterait-il le mari de sa maîtresse s'il savait que celui-ci n'était autre que M. Fürst ? Il le haïrait, sans aucun doute, et c'était exactement ce qu'Edgar ne voulait pas.

« Bauführer Fürst, j'ai entendu dire que vous aviez rencontré des problèmes d'approvisionnement clandestin : les hommes de l'OT ont apporté de la nourriture aux prisonniers ?

– C'est exact, Herr SS-Hauptsturmführer. Nous essayons de rompre la chaîne ; d'un autre côté, l'ambiance de révolte restera contenue pour autant que…

– On ne peut tolérer d'exceptions. Pourquoi font-ils cela ? »

Edgar se concentra sur les écussons, il ne voulait pas que ses paroles s'embrouillent. La nature de la réponse souhaitée n'était pas claire : désirait-on une confirmation de suppositions préconçues, un argument contradictoire, ou autre chose encore ? Le geste de Juudit effleura de nouveau la tempe d'Edgar, il aurait aimé connaître la teneur des conversations qu'elle avait avec son amant. Était-elle franche avec lui ? Ou lui disait-elle ce qu'il voulait entendre ?

Edgar s'éclaircit la voix :

« Ces Estoniens sont des cas exceptionnels, ils font honte à leur race. Il n'est pas impossible qu'ils veuillent seulement apporter de la nourriture aux Estoniens, dans le camp, pas aux Juifs.

– Selon les rapports, les habitants donnent de la nourriture, eux aussi, à ceux qui travaillent à l'extérieur du camp. Pourquoi ces sympathies ?

– Des cas exceptionnels, Herr SS-Hauptsturmführer. Je suis sûr que, si tant est que cela se produise, les habitants ne nourrissent que des prisonniers de guerre. Ils savent bien que les Juifs étaient aux commandes du bataillon de destruction, ici, en 1941. Le commissariat du peuple à l'Intérieur et le parti bolchevique étaient dirigés par des Juifs, c'est bien connu. Les *politrouki* et les commissaires étaient tous des Juifs ! Sans parler de Trotski, Zinoviev, Radek, Litvinov ! Nul n'ignore les origines des dirigeants bolcheviques ! Quand l'Union soviétique occupait l'Estonie, on a vu déferler des Juifs qui étaient particulièrement engagés dans la réorganisation politique, Herr SS-Hauptsturmführer ! »

Hellmuth Hertz ouvrit la bouche et prit son inspiration comme s'il allait dire quelque chose, mais il se tut, sans relever le ton défensif de son interlocuteur. Edgar tenta sa chance :

« Bien sûr, cette affaire est liée au fait que certains Estoniens ont connu des gens du bataillon de destruction, et que ceux-ci n'étaient pas juifs.

– Il y avait d'autres gens dans la troupe, sans aucun doute ; mais les personnes les plus importantes, celles qui prenaient les décisions meurtrières, c'étaient…

– Des Juifs, je sais. »

Edgar faisait preuve d'insolence en achevant la phrase à la place de Hertz, mais celui-ci n'eut pas l'air de le remarquer, il sortit une flasque d'argent et deux verres à schnaps. Cette soudaine démonstration de fraternité était réjouissante, et la brûlure causée par le cognac effaça le malaise qu'Edgar avait ressenti en jonglant avec ses réponses. Il ne pouvait avoir la certitude que l'Untersturmführer Mentzel eût passé sous silence le curriculum d'Edgar sous le régime soviétique, bien qu'il eût donné sa parole d'officier de garder le secret. Ses années d'expérience au commissariat du peuple à l'Intérieur, cependant, s'étaient avérées d'une grande utilité dans les affaires de Vaivara : ainsi, il s'était permis d'affirmer aux Allemands que les convois ferroviaires de main-d'œuvre se dérouleraient sans incidents, on ne poserait pas de questions et on n'en avait pas posé. Avec Bodman, il avait eu des conversations passionnantes, la psychologie faisant partie de ses centres d'intérêt. Les gens avaient trop peur des trains : chaque wagon leur rappelait que les Estoniens, si les Allemands se retiraient, seraient les premiers à embarquer dans les prochains trains directs pour la Sibérie. Un écervelé pouvait apporter du pain et de l'eau, si les Juifs réussissaient à ouvrir les fenêtres et à tendre leurs gamelles, mais Edgar n'avait pas mentionné ces cas-là, même à Bodman. Pour la capacité de travail des prisonniers, il valait le coup de prendre quelques risques. Et si les histoires de bataillon de destruction n'étaient autre chose que des insinuations adressées à Edgar ? Il était bien placé pour savoir que les assertions sur la judéité des membres du bataillon étaient fort exagérées, mais cela le rendait-il tout à coup problématique ? Ou avait-il tort de s'inquiéter ? La nervosité des Allemands était-elle en train de s'emparer de lui ? De tous côtés, l'on voyait des visages qui se ratatinaient de jour en jour, toujours plus crispés, comme des champignons mis à sécher sur une plaque.

Le SS-Hauptsturmführer Hertz posa ses bottes soigneusement lustrées sur le sol boueux du camp, son nez était imperceptiblement chiffonné. Edgar jeta un coup d'œil aux gardiens, en partie des Todt inconnus, parmi lesquels beaucoup de Russes, tout allait bien. Le SS-Obersturmführer von Bodman entra dans la baraque d'administration dès l'arrivée de Hertz et d'Edgar. Salutations, claquements de talons. Bodman et Edgar échangèrent des coups d'œil, il faudrait s'y mettre dès que les formalités seraient passées. À titre exceptionnel, Bodman avait proposé à Edgar de passer au tutoiement en remarquant qu'ils partageaient les mêmes soucis quant aux conditions nécessaires au succès du camp. Il semblait parfois que l'affaire n'intéressait qu'eux. La main-d'œuvre était affaiblie et l'épidémie de typhus l'avait rudement grevée ; un saboteur avait même recueilli, dans une boîte d'allumettes, des poux ramassés sur les malades, et il les avait propagés. Bodman avait envoyé coup sur coup des messages à propos des médicaments et des vêtements, mais sans résultat. Si Edgar voyait des habitants nourrir les prisonniers, il fermait les yeux dès lors qu'il ne risquait pas d'être accusé de manquer aux règles de sécurité. Les familles des ingénieurs allemands amenées là, en revanche, étaient d'une étonnante sévérité. L'on vit l'épouse d'un ingénieur rouer de coups sa femme de ménage juive jusqu'à la faire tomber dans le coma, pour la simple raison qu'elle avait chipé la clef de la boîte à pain. Avec Bodman, on pouvait tout de même discuter des problèmes alimentaires ; avec les ingénieurs et leurs épouses, pas question.

« Chaque prisonnier produit quotidiennement deux mètres cubes de schiste, avec lesquels on obtiendra cent litres de pétrole en deux heures ! » Bodman éleva la voix sur le mot *cent*. « Imaginez un peu le dommage infligé au Reich si un seul travailleur n'arrive pas au bout de sa charge, et si cela se répète trop souvent. Les prisonniers de guerre sont physiquement plus forts ; les Juifs qui sortent du ghetto de Vilnius sont en si piteux état que, pour espérer y trouver des travailleurs en condition, il m'en faut davantage… Bauführer Fürst, expliquez la situation, voulez-vous ?

– Les entrepreneurs et les hommes d'affaires ne veulent pas de Juifs. Même s'ils ne sont que quelques milliers à côté des dizaines de milliers de prisonniers de guerre, la situation est préoccupante. Les prisonniers de guerre sont infiniment plus demandés : le résultat est bien meilleur quand on peut utiliser une main-d'œuvre physiquement apte.

– Exactement, dit Bodman. Hauptsturmführer Hertz, nous avons demandé à plusieurs reprises ce que nous devions faire des personnes âgées : nos rapports sont-ils lus par quelqu'un ? Pourquoi nous a-t-on envoyé des familles entières de Vilnius ? Certaines n'ont même pas un homme en état de travailler.

– Envoyez-les ailleurs ! » s'exclama Hertz. Edgar remarqua dans sa voix un ton un peu irrespectueux. Bodman était tout de même SS-Obersturmführer et chef du camp.

« Hors d'Estland, alors ? précisa Edgar.

– Hors de vue, n'importe où !

– Merci, c'est exactement ce que je voulais savoir. Nous n'avons pas reçu de confirmation quant à ces mesures, malgré nos requêtes, et le *Mineralölkommando Estland* nous a promis davantage de main-d'œuvre. Il nous faut des gens utilisables. »

Edgar décida d'orienter la conversation vers les progrès réalisés :

« Nous avons construit une canalisation, de sorte qu'on n'a plus besoin d'apporter de l'eau de l'extérieur du camp. Lorsqu'ils allaient en chercher, les Juifs prenaient contact avec des habitants, et bien que nous eussions décidé de procéder à cette tâche très tôt le matin pour empêcher les échanges, la situation était inextricable ; mais plus maintenant. »

Un silence pénible s'insinua dans la baraque. Bodman secoua la tête imperceptiblement.

« Peut-être prendrons-nous connaissance des méthodes de travail un peu plus tard. Chers messieurs, je nous ai réservé un repas frugal : si nous passions à table ? » suggéra Edgar, soulevant un murmure approbateur.

Un coup de feu retentit à l'extérieur. Il fut suivi par un silence. Le SS-Unterscharführer Karl Theiner était apparemment parti pour sa tournée de routine après avoir quitté l'infirmerie. La ride au coin du nez de Hertz tressaillit et il se leva pour sortir ; son verre était resté intact sur la table.

Dehors, une rangée de prisonniers nus grelottaient, la peau blanche et sèche. Leurs mains cachaient tant bien que mal leurs organes génitaux. À en juger à ses convulsions et à ses râles, le prisonnier abattu n'était pas encore mort, mais ses dents étaient déjà tombées et le dessinateur avait eu le temps d'arriver avec son cahier pour croquer l'incident.

Au milieu du visage monstrueusement épanoui de l'Unterscharführer Theiner, Edgar ne distinguait rien d'autre qu'une bouche béante. De toute évidence, l'Unterscharführer avait une érection ; excité par l'incident, il ne manquerait pas de passer une nuit de jouissance. Le pétrole n'était pas le principal centre d'intérêt de l'Unterscharführer. C'était bien là le problème.

Le Hauptsturmführer Hertz se retira à l'écart, son briquet cliqueta et sa cigarette dorée s'embrasa. L'artiste percutant le papier avec son fusain et tournant les pages de son cahier couvrait les toussotements et les respirations sifflantes. Edgar entendit Hertz marmonner dans sa barbe. Quelque chose comme : « Le pouvoir ne réussit à personne. »

Reval
Commissariat général d'Estland, Reichskommissariat Ostland

Juudit avait à peine mis le pied dans ce logement de son enfance et posé son manchon sur le tabouret de l'entrée qu'on frappa à la porte. Les coups sonnaient faux ; la poitrine palpitante, elle ouvrit le portillon du poêle et attrapa derrière les bûches un Mauser enveloppé dans du tissu, elle déploya son manteau sur le tabouret et plaça l'arme en dessous, puis jeta son renard argenté sur le tout. Les coups se firent impatients. Juudit se regarda dans le miroir du trumeau, son rouge à lèvres était en place, de même que les boucles de ses cheveux. Devrait-elle s'enfuir ? La question ne se posait pas : la fenêtre était trop haute. Son heure avait-elle sonné ? Ou peut-être était-ce seulement quelqu'un qui avait oublié le code, ce sont des choses qui arrivent. Les gens oublient des choses fondamentales, quand ils sont à bout de nerfs. La main qu'elle posa sur la poignée avait perdu sa sensibilité.

Un inconnu se tenait dans le couloir. Il portait un ulster de bonne étoffe et d'une coupe à la mode. Il souleva son chapeau.

« Bonjour, madame.

– Oui ?

– On n'est pas très à l'aise, debout dans le couloir. Si nous discutions à l'intérieur ?

– Je suis un peu pressée. »

Le type s'approcha. Juudit ne bougea pas. Sa main était crispée sur la poignée. L'homme se pencha vers elle.

« Je voudrais partir pour la Finlande, chuchota-t-il. Je paierai ce qu'il faudra.

– Je ne comprends pas de quoi vous parlez.

– Trois mille marks allemands ? Quatre mille ? Six ? De l'or ?

– Je dois vous demander de vous en aller. Je ne puis vous aider », répondit Juudit. Les mots lui venaient facilement, son maintien s'améliorait. Elle s'en sortirait.

« C'est un ami à vous qui m'envoie.

– Un ami à moi ? Je ne crois pas que nous ayons d'amis communs. »

L'homme sourit.

« Dix mille ?

– Écoutez, maintenant je vais appeler la police. »

Juudit ferma la porte. Aussitôt, elle se remit à trembler. Les pas descendant l'escalier résonnaient à travers la porte. L'horloge approchait de huit heures, la première famille arriverait bientôt et voilà qu'ils étaient démasqués. Il fallait se calmer, prendre un peu de Pervitine, réfléchir. Peut-être ferait-elle mieux de prendre ses jambes à son cou, il était encore temps de fuir. Elle sursautait au moindre bruit de la rue ou de la cage d'escalier, et pourtant elle restait où elle était. Qu'est-ce qu'elle avait donc ? Pourquoi se soucier de la tête que ferait Roland si elle n'était pas là pour ouvrir la porte ? Quelle importance si tous ceux qui venaient ici se faisaient attraper jusqu'au dernier ? Elle aurait encore le temps de se sauver, elle aurait aussi le temps de prévenir Roland, mais les fugitifs se dirigeaient déjà vers l'appartement et elle ne savait pas où les réorienter. Roland le saurait, lui, mais il n'était pas là. Elle attrapa son manteau et son sac à main, cacha le Mauser sous le tissu et ouvrit la porte. Le couloir était silencieux, seule y flottait l'odeur du lard poêlé de la voisine. Elle descendit en prenant garde aux marches grinçantes et, par la porte de derrière, passa dans la cour du côté de la remise, par où Roland devait arriver, conformément au trajet indiqué aux fugitifs, à travers les ruines de l'immeuble bombardé. Elle attendrait, elle se fondrait dans le mur de la remise et attendrait. Peut-être ce type la suivait-il depuis un certain temps. Peut-être qu'ils venaient d'échapper à une rafle parce que l'appartement semblait vide ou parce qu'elle n'avait rien avoué au visiteur surprise. Il pouvait aussi s'agir d'un simple éclaireur désireux de comprendre les tenants et les aboutissants : le guet-apens ne serait tendu qu'une fois l'itinéraire découvert. Si le type était de la police et qu'il connaissait son identité, Hellmuth en serait informé d'une minute à l'autre… Mais ce n'était pas le moment de penser à Hellmuth. Aux masques qui tomberaient. Il fallait penser à autre chose. À ce qu'elle ferait une fois tirée d'affaire. Elle le savait déjà : elle ne laisserait plus personne utiliser ce logement, elle laverait tout l'appartement à l'eau de soude, y compris les tapisseries, elle mettrait la lessive à chauffer, verserait de la soude dans la marmite et ferait bouillir les draps et les rideaux, elle astiquerait au borax les traces de la cuvette, frotterait les cuivres pour en oblitérer toutes les viles propositions faites par les fugitifs, qui voulaient acheter de la place supplémentaire à bord des bateaux avec une montre en or, par exemple, pour y mettre leurs biens plutôt que d'autres gens. Quand elle aurait fini, elle ne se souviendrait plus de ceux qui étaient prêts à laisser tomber leur mère, leur belle-mère ou leur grand-mère pour pouvoir embarquer du matériel supplémentaire ou un cheval. L'été suivant, elle ferait ce qu'elle aurait fait avec Rosalie : elle irait cueillir des reines-des-prés dans la forêt et elle les disperserait par terre. Cela rafraîchirait l'air, assainirait les planchers, l'arôme des reines-des-prés chasserait l'odeur des visiteurs. Voilà ce qu'elle ferait, quand elle serait tirée d'affaire.

Juudit trouva un banc près de la remise à bois, et elle s'y assit. Ses genoux se refermèrent comme un piège sur sa proie. Elle attendait Roland, mais la première personne qui apparut entre les ruines était quelqu'un d'autre, c'était un homme avec deux enfants. Elle devina de loin qu'il s'agissait de fugitifs : leur démarche était imprudente, ils se croyaient protégés par l'obscurité. Elle les arrêta au passage. Ils déclinèrent le mot de passe. Elle leur indiqua l'appartement, leur remit les clefs. Elle ne pouvait pas faire autrement. Une heure plus tard, la famille suivante : encore un ecclésiastique craignant l'Union soviétique, avec sa jeune épouse, pas d'enfants, rien que de petites valises en bois. Malgré l'obscurité, les larmes brillaient dans les yeux de la femme, l'homme tressaillait au moindre craquement, il avait peur des ombres. Ce couple fut suivi d'une bande de garçons. Deux d'entre eux s'étaient fait enrôler dans l'armée, mais ils avaient déserté. Juudit n'osa pas allumer de cigarette parce qu'elle avait peur d'être trahie par la braise incandescente, et elle tira son chapeau pour mieux couvrir ses cheveux clairs. La veille, elle avait posé des rameaux de genévrier sur la table de la cuisine. Les genièvres avaient des motifs protecteurs en forme de croix, à l'instar du sorbier et du merisier. À côté, elle avait placé la Bible et une gravure représentant Jésus sur la croix, tout le monde en avait besoin ces temps-ci, aussi bien elle que les fugitifs. Pourquoi avait-elle consenti à tout cela ? Pourquoi laissait-elle la vie perdue de Roland détruire la sienne ? Pourquoi s'était-elle laissé entraîner, pourquoi n'avait-elle pas joué des coudes comme Gerda, pourquoi mettait-elle en péril tout ce qu'elle obtenait, le nectar et le lait sous sa langue, Hellmuth, Berlin, la cuisinière, la domestique et le chauffeur, l'Opel et les robes de soie, les chaussures à semelles de cuir, le pain de pure farine sans addition de sciure ? Roland ne pourrait jamais lui offrir ce niveau de vie, cela ne lui viendrait même pas à l'idée, il ne savait offrir que du danger. Et s'il avait raison ? Si elle jouait un double jeu ? Avait-elle peur ? Ne croyait-elle pas en la victoire des Allemands ? Y avait-elle jamais cru ? Aucun des fugitifs transitant par l'appartement de sa mère y avait-il jamais cru ? Avait-elle cru aux promesses de l'Allemagne sur l'indépendance de l'Estonie, alors qu'elle avait entendu les propos tenus autour des verres de cognac ? « À neuf cent mille, on ne peut pas se débrouiller tout seul comme un État indépendant, ils doivent bien s'en rendre compte eux-mêmes ! »

Juudit sortit un nouveau comprimé de Pervitine de son sac ; cela détourna de ses oreilles le grattement des souris. Roland tardait. Elle n'osait pas penser à ce qu'elle ferait s'il ne venait pas. Cette option n'existait pas, il devait venir et il saurait que faire, même si elle s'interrogeait sur la capacité de ses hommes. Beaucoup participaient parce qu'ils étaient en quête d'aventure, soi-disant, comme s'ils ne se rendaient pas compte de la situation mondiale. Roland avait rapporté cela en crachant son mépris. Non, elle n'y penserait pas maintenant. Plus tard.

Juudit sentit Roland arriver avant de le voir. Il était accoutumé aux trajets dans l'obscurité, ses yeux étaient plus vigilants dans le noir, et elle était en train d'acquérir les mêmes compétences. Quand la main de Roland se posa sur son épaule, elle ne sursauta même pas.

« Pourquoi tu n'es pas à l'intérieur ?

– Je t'attendais. Il s'est passé quelque chose », chuchota Juudit, et elle raconta. Ses poils se hérissèrent comme les plumes d'un oiseau gelé, tant Roland était proche. Il enleva sa casquette et se palpa les cheveux un instant. Elle sentait presque leur sécheresse rugueuse ; fugacement, elle se rappela les cheveux de Roland qui lui piquaient le cou sur le palier ; mais ce n'était pas le moment de penser à cela. Si seulement il lui disait que tout allait bien, elle le croirait. Il remit sa casquette et répondit :

« Nous allons devoir renoncer à l'appartement. Ce sera ton dernier soir, ensuite on te libère. Donne-moi le Mauser, celui que tu caches sous ton manteau. »

Roland était calme, beaucoup plus calme que Juudit l'aurait cru. Comme s'il s'attendait à un incident de cette nature. Peut-être ces histoires-là étaient-elles quotidiennes, pour lui.

« Et si… »

La voix de Juudit faiblit. Les mots de réconfort qu'elle avait espérés ne venaient pas.

« Je ne t'écoute pas. Ta bourse est pleine ? Donne-moi cette arme. »

Juudit secoua la tête, Roland toussota, tourna le dos et se dirigea vers la porte de derrière. Juudit lui courut après, le prit par l'épaule. Roland se dégagea.

« N'y retournons pas, Roland. Allons-nous-en.

– On a un convoi à effectuer. »

Les mots frappèrent Juudit à la poitrine, lui enfoncèrent le thorax ; à chaque pas, Roland aurait voulu se retourner, lui dire de s'enfuir, de courir de toutes ses forces, mais il ne le fit pas. Démasqués, ils se trouvaient au milieu de la cour comme en pleine vitrine d'un magasin de luminaires, et pourtant il se comportait comme si elle l'indifférait, comme si la situation était banale. C'était peut-être la dernière occasion de lui dire tout ce qu'il avait dissimulé dans son cœur, l'inquiétude dont il n'avait jamais osé reconnaître la cause et qui ne l'avait plus quitté depuis que Juudit, sur le palier, s'était un peu trop approchée, une inquiétude qu'un guerrier ne peut se permettre de ressentir. Les marches étaient peintes en blanc pour faciliter les déplacements aux heures de black-out, mais Roland trébucha quand même, il dut s'essuyer les genoux – et les yeux, aussi, discrètement. Il pourrait encore se retourner, passer le bras autour de sa douce colombe, et celle-ci n'offrirait pas de résistance, il le savait, et ils pourraient s'enfuir ensemble... Mais non, quand son bras se leva ce ne fut pas pour enlacer Juudit, mais pour frapper à la porte.

Le nom de Juudit tombait là comme un cheveu sur la soupe. Edgar continua de regarder Kreek dans les yeux, assis sur l'un de ces confortables sièges du club sportif Kalev, devant un verre de bière offert par cet ancien collègue de la B IV, et il tâcha de ne rien dévoiler de sa surprise, de feindre une totale indifférence. Aleksander Kreek avait toujours été avide, et il réclamerait davantage s'il remarquait l'intérêt suscité par son information. La coopération avec Kreek s'était bien passée, à la B IV de Tallinn, et quoiqu'Edgar fût maintenant débordé par son travail au camp, il s'arrangeait tout de même pour faire un saut à Tallinn de temps en temps afin d'y revoir ses anciens contacts, notamment Kreek. Avec cet homme, il en avait eu pour son argent, et ce serait le cas cette fois encore. Changeant de sujet pour mieux leurrer son interlocuteur, Edgar posa des questions sur des affaires de Kalev. À l'arrivée des Allemands, le club avait réintégré les locaux de la rue Gonsiori dont il avait été spolié par les bolcheviks, et Kreek se réjouit aussitôt de lui faire visiter les lieux : ils avaient tout remis en ordre, vraiment Edgar n'était pas encore venu voir ? Pendant qu'il suivait Kreek en feignant la curiosité, Edgar se demandait fébrilement comment obtenir la totalité du renseignement au meilleur prix ; il n'omit pas de faire l'éloge de la carrière sportive de son interlocuteur, dépeignant des tableaux flatteurs de ses performances au lancer du poids. Cela n'empêcha pas l'informateur de réclamer de l'or : les marks ne lui serviraient à rien. Kreek raccompagna Edgar à la porte.

« Le logement dont je te parlais, là, le nouveau point de ramassage du cercle… J'ai envoyé un type l'inspecter hier, et il a reconnu la femme qui a ouvert la porte : il l'avait déjà vue en compagnie d'officiers allemands à l'Estonia. Toutes ces garces se ressemblent, bien sûr, mais il se trouve que la fiancée de mon type était dans la même école de jeunes filles que celle-là ; à l'entracte, elle a admiré ses beaux habits et elle a voulu faire les présentations. Dès que la fiancée de mon type s'est approchée, la femme en question lui a tourné le dos. Je peux te dire que ça l'a mise en rogne. Intéressant, non ?

– Combien ?

– Alors venons-en au fait », ricana Kreek.

Edgar devina qu'il préparait son propre départ.

« Je ne paye rien pour des choses inutiles. Donne-moi l'adresse. Des noms.

– Mon type n'a pu se rappeler que le prénom de cette femme : Juudit. »

Edgar glissa une petite liasse dans la poche du manteau de Kreek, lequel quitta la pièce pour revenir bientôt.

« L'adresse est le 5-2 rue Valge-Laeva. »

L'appartement de la belle-mère d'Edgar. Celui où Juudit avait habité avant son Allemand. Celui où, selon la maman, Juudit avait emménagé avant même la déportation de Johan. Edgar garda son sang-froid : Kreek trouverait encore moyen de faire grimper son prix s'il se rendait compte de la valeur de l'information qu'il venait de vendre. Il était temps d'agir. Juudit allait être arrêtée et le cercle démantelé, Edgar en était certain. S'il était au courant maintenant, quelqu'un d'autre l'était sûrement. La situation avait changé. La priorité n'était plus de tirer profit de la relation de Juudit avec Hertz, Edgar avait maintenant l'occasion de recueillir les fruits des autres activités de sa femme : si le cercle était magistralement démasqué grâce à lui, cela serait tout à son honneur. Et pour que ce soit le cas, il avait besoin de quelqu'un à qui Juudit raconterait ce qu'elle savait, autrement dit d'un intermédiaire. Quelqu'un en qui Juudit avait suffisamment confiance. Quelqu'un qu'Edgar aussi considérerait volontiers comme fiable. La maman et Leonida.

Reval & village de Taara
Commissariat général d'Estland, Reichskommissariat Ostland

Quand Juudit alla enfin chercher son courrier dans l'appartement évacué, elle y trouva un petit tas de lettres de sa belle-maman et de Leonida. Leur ton était nerveux. La tante ne comprenait pas pourquoi elle n'avait pas vu Juudit depuis longtemps, et la belle-maman se demandait si elle les avait définitivement abandonnées. Elle devrait venir les voir : Aksel tuerait un cochon pour Noël, on ferait du fromage de tête. La belle-fille lui manquait, énormément. Sachant que la ferme des Arm recevait des jeunes des villes pour faire les foins et arracher les pommes de terre dans le cadre du travail obligatoire d'intérêt général, Juudit s'était abstenue d'aller à la campagne en invoquant les travaux urgents dont la chargeait son employeur. Elle avait donné des prétextes parfaitement crédibles, elle, contrairement à la belle-maman et à Leonida. Après avoir vérifié qu'il ne restait dans l'appartement aucune trace d'activité clandestine susceptible de confondre son occupante, Juudit s'en alla. Elle voulait savoir de quoi il retournait. Et il ne serait pas idiot de réfléchir un peu à ces questions ailleurs que sous les yeux de Hellmuth, de réfléchir à autre chose, même si elle avait eu ses règles et que Roland s'était tu, qu'il avait disparu de la circulation, tout cela était passé et la vie de Juudit remise sur les rails – ou, du moins, aussi apaisée que possible dans la situation tendue où se trouvait l'Allemagne. Malgré tout… N'importe quoi pour être un moment ailleurs. Juudit ignorait comment avait fini le dernier transport de fugitifs, et elle ne voulait pas le savoir. Elle s'était tirée d'affaire, c'était le plus important ; une autre fois, la chance ne lui serait peut-être pas aussi favorable. La peur qui l'avait oppressée au cours de ce dernier transport était inouïe, éblouissante comme un projecteur, et Juudit était déterminée à ne pas renouveler l'expérience. Néanmoins, elle avait gardé le Mauser, et elle l'avait caché sur l'étagère où reposaient jadis les bottes de feutre destinées à Roland.

Juudit décida de faire désinfecter de fond en comble l'appartement de sa mère. Il y avait pénurie de produits chimiques, mais elle s'arrangerait avec Hellmuth.

Juudit s'était préparée à entendre des insinuations sur sa vie indécente, car les rumeurs finiraient bien par atteindre la campagne. Mais elle ne trouva rien de tel : dans la ferme des Arm, en tout cas, elle fut accueillie comme une belle-fille restée longtemps absente, et on l'invita tout de suite à passer à table, les poumons poêlés l'attendaient. Le pétrole qu'elle avait apporté en cadeau suscita un torrent de remerciements. Leonida et la belle-maman continuaient leur besogne et refusaient son aide, l'incitant à se reposer après son long voyage. La pierre de granit chauffait dans le poêle et Leonida ouvrit la panse du cochon ; la belle-maman participait sans se rendre utile, en s'agitant derrière elle. Autour des boyaux, on passa en revue les ragots du village : les rats avaient tué le meilleur matou chasseur de souris ; un officier haut gradé avait emmené Lydia Bartels à Berlin, Mmc Vaik habitait donc seule dans la maison Bartels. Aucune des deux commères ne semblait tracassée par le sort de ses enfants, mais il apparut que le hongre de Roland lui, n'avait rien à craindre : Aksel expliqua qu'il allait toujours lui tenir compagnie, dans l'écurie, lorsque le ciel se mettait à gronder.

Les femmes éludaient quelque chose, elles tournaient en rond comme des corbeaux voraces. L'air de la cuisine était rendu suffocant sous le poids des absents, saturé d'un bavardage qui en était rendu aux derniers rebondissements de la guerre des nerfs : à Téhéran, ils lanceraient peut-être un ultimatum à l'Allemagne et à ses alliés, sur quoi Leonida enchaîna avec les coups de bluff, puis avec cette guerre des nerfs menée contre l'Allemagne.

« Enfin, nous savons bien que la propagande a toujours pour seul but de dissimuler les faiblesses et difficultés d'un régime. Ne l'oublions pas. Il faut se préparer contre les bombes psychologiques. Pas vrai, Juudit ? »

Juudit tressaillit, acquiesça. Elles n'avaient toujours pas parlé de son mari. Elles n'avaient pas fait allusion à sa mauvaise réputation. Leonida charria la lourde pierre jusque dans l'estomac en ahanant – suscitant un soudain sifflement –, la vapeur fusa et la panse fut propre ; tandis qu'on manipulait l'estomac, la cuisine se remplit d'une odeur de viande roussie. Juudit se rappela sa première visite dans la ferme des Arm après qu'elle avait appris le sort de Rosalie. Elle s'était mise en route sur-le-champ et, à son arrivée, elle avait trouvé une cuisine figée comme une chambre funéraire, sans signe de vie à l'exception du feu dans le poêle. Leonida avait palpé son mouchoir sans jamais le sortir de sa manche, il gonflait son poignet comme une tumeur. À présent, l'esprit de Rosalie s'était dissipé de la maison, tout ce qui la concernait avait été enlevé et Leonida pouvait retourner les boyaux, laver et saler l'estomac toute seule, faire les saucisses toute seule, sans Rosalie. Pour Juudit, cette situation était inconcevable : c'était comme si Leonida n'avait jamais eu de fille, ni Juudit de cousine, comme si Rosalie n'avait jamais été une parente et que Roland n'avait jamais été fiancé avec la fille de Leonida. La ferme n'avait jamais semblé aussi distante et Juudit ne s'y était jamais sentie aussi étrangère.

En outre, Juudit ne se comprenait pas elle-même : pourquoi ne posait-elle pas de questions au sujet de Rosalie, pourquoi se joignait-elle à cette bande de cachottières ? Peut-être n'y avait-il rien à demander. Peut-être que la vie était si insignifiante et précaire qu'il valait mieux ne pas s'exposer à des tracas supplémentaires ; il y avait du fromage de tête à faire, de la graisse à fondre, des boyaux à saler pour la saucisse de l'année prochaine, toutes sortes de besognes pour subvenir à la vie non moins précaire d'autrui. Tant qu'elle attendait la destruction de Tallinn en espérant du même coup sa propre ruine, elle ne s'en était pas rendu compte ; mais, à présent, elle comprenait, depuis l'incident du transport de fugitifs. Elle avait trop à perdre. Peut-être que Leonida et la belle-maman avaient quelque chose à perdre, elles aussi. Cette idée l'incita à les examiner d'un autre œil. L'avantage économique fourni par le commerce de graisse était-il une raison suffisante pour se taire ?

La pierre dans l'estomac avait fini de chuinter. Leonida et Anna n'avaient pas cessé d'observer Juudit, elle le sentait.

« Juudit, on aurait un truc à te dire. »

Quand Juudit arriva chez elle, sa patience déjà entamée flancha complètement. Le cocktail préparé d'une main tremblante déborda comme un raz-de-marée et le parquet du salon tangua comme le pont d'un navire. La belle-maman était-elle devenue folle ? Qu'était-il arrivé au bon sens de Leonida ? Elles en demandaient trop ! Encore plus que Roland !

Après le troisième verre, elle y vit un peu plus clair, mais elle ne tenait pas en place, elle ouvrait les portes des placards en se félicitant d'avoir donné congé à la cuisinière le temps de son excursion à la campagne. Sur la table, elle avait trouvé un mot de Hellmuth : à cause d'affaires pressantes, il devait partir en voyage, il ne rentrerait pas avant une semaine. Elle avait donc du temps pour se calmer, pour réfléchir à la conduite à adopter. Finalement, elle trouva des œufs, les cassa dans un bol après en avoir vérifié la propreté, dosa le sucre et se mit à fouetter. Elle fouetta tout en marchant jusqu'à la chambre à coucher, sortit un 78 tours du carton à robe rangé sur l'étagère inférieure de la penderie, elle se débrouilla pour lancer les Boswell Sisters de la main gauche et continua de fouetter. Paul Whitman attendait son tour, elle fouetta jusqu'à la tombée de la nuit et l'heure du couvre-feu. La mousse était devenue brillante et dense. Après y avoir tracé comme d'habitude l'initiale de son fiancé, elle remarqua que le jaune clair de la surface ne formait pas la lettre H de Hellmuth, mais A comme Allemand.

Juudit alla chercher une cuillère, puis elle s'assit à côté du gramophone et vida le bol. À tout moment, elle risquait de perdre le privilège d'un placard rempli d'œufs. Après le dernier transport de fugitifs, elle avait cru qu'il n'y avait plus lieu de considérer que sa qualité de vie fût en danger. Comment aurait-elle pu se douter qu'une nouvelle menace l'attendait au tournant ? Elle ouvrit son sac à main et prit le tube de Pervitine. Deux comprimés. Cela l'aida un peu, mais pas suffisamment, son esprit tournait toujours en rond comme le rouet de la belle-maman. Comment avaient-elles pu se mettre en tête d'organiser des tractations et des itinéraires pour les fugitifs, la belle-maman et Leonida ? N'avaient-elles plus peur, pour elles et pour leur ferme ? Apparemment, Leonida n'avait pas idée du travail et de la position de Juudit, elle s'était même étonnée de sa réaction et de sa réponse.

« Comment pouvez-vous manigancer des choses pareilles ? Avec tout ce que les Allemands ont fait pour le bien du pays !

– Il faut qu'ils puissent quitter le pays !

– Quel est le rapport avec moi ? s'était écriée Juudit. En plus, maintenant c'est l'hiver.

– Ils passeront sur la glace ! Nous devons sauver ceux que nous pouvons ! »

La joie effilochée de la belle-maman s'était empreinte de colère et sa voix aiguë s'était jointe à celle, plus grave, de Leonida :

« Ma belle-fille pourrait se rendre utile, pour une fois. As-tu oublié mon oncle ? Ce qu'il racontait sur la révolution russe ? Tu te rappelles pourquoi il s'est tué ? Tu as oublié ? Il s'est tué dès que les premiers avions popov sont apparus dans notre ciel, parce qu'il avait vu la révolution russe ! Tu as oublié ce que nous avons vécu à l'époque des bolcheviks ? Les communistes nous tueront tous ! »

Juudit avait décampé après cette prise de bec, sans dire au revoir, sans prendre la boîte de fromage de tête. Imaginaient-elles vraiment que Juudit, qui travaillait pour un Allemand, pourrait aisément faire office de contact ? C'était une trop grande coïncidence, que des bonnes femmes à moitié gâteuses eussent l'idée de lui suggérer d'aider des fugitifs, à elle, à ce moment précis ! Si Leonida était au courant, tout le pays l'était. Ce pays était trop petit pour des mystères – seule Rosalie en restait un.

Aksel avait rapidement rattrapé Juudit avec son cheval et lui avait dit de monter à bord de son traîneau. Elle avait piétiné un instant dans ses bottes de feutre, serré ses mains à l'intérieur du manchon, puis elle avait fini par accepter. Aksel était décontracté, il n'avait pas insisté pour la faire revenir à la ferme, il l'avait accompagnée jusqu'à la gare, où il lui avait gauchement tapoté l'épaule en disant qu'elle devrait pardonner à Leonida :

« Elle n'est plus la même. Le chagrin a rarement des mots. »

Le seul changement remarqué par Juudit était un durcissement du cœur, mais elle ne voulait pas en débattre avec Aksel.

« Anna, elle a peur de l'arrivée des Russes. Elle n'arrive quasiment pas à dormir, elle veille toutes les nuits en guettant les bruits du ciel. C'est comme ça. »

Aksel avait déjà tourné le dos, il s'en allait.

« Notre fille unique, quand même », avait dit Aksel en remontant dans son traîneau, et le traîneau avait disparu dans la neige poudreuse. Juudit avait détaché un glaçon pendu à la gouttière de la gare et, tout en le suçant, elle s'était mise à la recherche d'un guichet. Elle y avait trouvé un téléphone et elle s'était fait mettre en relation avec son chauffeur qui, à l'aller, l'avait déposée à la gare pour attendre Aksel pendant que lui se rendait à l'hôtel. Il aurait été trop compliqué de leur expliquer comment une secrétaire pouvait avoir une Opel à sa disposition.

Après une nuit à l'hôtel, Juudit demanda au chauffeur de s'arrêter au niveau du cimetière. Elle ne distingua pas la tombe. Comme si Rosalie n'avait jamais existé. Juudit ne savait pas ce qu'elle ferait, mais une chose était sûre : elle couperait les ponts avec sa belle-maman et Leonida ; tout à coup, elle comprenait les gens qui préféraient emporter leurs biens, sur les bateaux, plutôt que leurs proches.

REVAL
Commissariat général d'Estland, Reichskommissariat Ostland

Pour la deuxième fois durant l'absence de Hellmuth, Juudit laissait entrer Roland dans l'appartement. Elle n'en comprenait pas la raison, et elle ne savait plus qui elle craignait le plus et pourquoi. Trop d'Allemands allaient et venaient sur Roosikrantsi, les magasins de l'armée et la cour martiale étaient à deux pas ; pourtant, elle le laissait venir. La veille, il s'était déguisé en ramoneur ; cette fois, en commis de la boutique Weizenberg. Ces précautions n'avaient pas rassuré Juudit, qui montait la garde dans l'entrée. Elle tendait l'oreille tour à tour vers la cage d'escalier dans son dos et vers le cabinet où Roland s'affairait. Qu'aurait-elle pu faire d'autre que se tourner vers lui, en rentrant de la campagne ? Elle n'avait personne d'autre à qui parler des projets de sa belle-maman et de Leonida, personne qui pourrait l'aider ou au moins la conseiller, personne à qui se fier un tant soit peu. De nouveau, la réaction de Roland l'avait surprise. Il avait affirmé que l'incident n'était qu'une coïncidence ; du même coup, il avait profité de cet instant de faiblesse de Juudit pour lui réclamer l'accès au logement de Roosikrantsi. Les plans de Roland étaient puérils.

Contrairement à ce qu'il imaginait, l'Estonie n'aurait que faire de ses preuves des ravages causés par les Allemands et il n'y aurait pas de réparations de guerre à réclamer, pour la simple raison que l'Allemagne ne perdrait pas. Ou bien Juudit l'avait-elle laissé entrer parce qu'elle aussi avait cessé de croire à la victoire de l'Allemagne ? Ou fallait-il chercher la raison ailleurs, dans les mots prononcés par Hellmuth avant son départ pour Riga ? Tout compte fait, cette vie rurale dans le sud de l'Estonie n'était peut-être pas faite pour eux ? Peut-être que l'Estonie entière n'était pas faite pour eux. Hellmuth avait imaginé que les portes de Berlin leur étaient toujours grandes ouvertes, mais qui se sentirait bienvenu là où la guerre était visible ? Juudit était entièrement d'accord. Elle voulait s'en aller. Avec Hellmuth, et vite.

Elle y avait pensé jour et nuit, interminablement, elle avait pensé à Berlin ou à une autre métropole où personne ne saurait qu'elle s'était séparée, qu'elle avait quitté son époux. La parenté, les amis et Roland pourraient ruminer ici, cela lui ferait une belle jambe. Mais Berlin n'était pas la porte à côté. Nulle part n'était la porte à côté. Hellmuth était-il vraiment prêt à partir ailleurs qu'en Allemagne, pour une destination où l'union d'un Allemand du Reich avec une Estonienne ne serait pas regardée de travers ? Comme celle du commandant du camp d'Ereda, Drohsin, avec cette Juive, Inge Syltenová. Juudit avait aperçu le rapport dans le bureau de Hellmuth. Ils étaient tombés amoureux, le commandant avait déserté et les amis prisonniers avaient creusé un tunnel pour Inge. En cherchant à gagner la Scandinavie, les deux tourtereaux s'étaient fait arrêter et ils avaient commis un double suicide ; certes, avec Hellmuth, sa situation était différente. Tout en allant écraser sa cigarette, Juudit réfléchissait : oserait-elle lui demander s'ils disposaient d'autre chose que de marks de l'Est ? Possédaient-ils assez de marks du Reich ? De l'or, ce serait mieux. Ou de l'argent, au moins. Quelque chose. Tout compte fait, elle aurait dû accepter les montres en or des fugitifs... Pourquoi avait-elle été d'une honnêteté aussi puérile, dans ces circonstances ? Si Hellmuth n'était pas disposé à aller ailleurs qu'en Allemagne, il n'aurait pas demandé où trouver un endroit sans signe de guerre : sa question était sans équivoque. Pourquoi Juudit compromettait-elle donc son avenir avec lui en laissant Roland traîner dans le bureau alors que Maria et la cuisinière allaient rentrer du marché d'une minute à l'autre ?

La porte du bureau claqua, les pas de Roland grincèrent sur le parquet du salon.

« Tu n'as rien changé de place, hein ? » demanda Juudit.

Roland ne répondit pas, il se dirigea vers la porte de service en fourrant ses notes dans sa poche intérieure. Sur le seuil, il s'arrêta, se retourna pour regarder Juudit, qui était restée chancelante entre les miroirs des portes du salon.

« Viens ici. »

Les cils faisaient plonger le regard de Juudit sur les motifs du parquet. Elle avait mis trop de mascara, c'était tout, rien d'autre. La porte était si loin, Roland si lointain. Elle s'appuya au chambranle, passa le pied droit par-dessus le seuil, puis le gauche, prit appui à la table de la cuisine, à l'évier, et se tint finalement devant Roland en flageolant comme si elle était figée dans de la gélatine.

« J'avais autre chose à te demander », dit Roland. Son manteau de bure sentait les logements louches, la fumée, le manteau porté jour et nuit.

« La Feldgendarmerie a intercepté trois camions. Tous pleins de fugitifs. Deux des camions interceptés étaient des transports organisés par Kreek, poursuivit-il.

– Kreek ?

– Tu sais bien, le lanceur de poids. Il a recruté des pêcheurs, et il en a deux qui appartiennent à notre cercle. Le conducteur du véhicule reçoit vingt pour cent des trois mille marks du Reich demandés par Kreek, l'argent est collecté avant que les gens montent dans le camion. Pas besoin de payer les pêcheurs, vu que le chargement n'arrive jamais au port. Il faut arrêter Kreek, on aurait dû l'arrêter depuis longtemps. Tu pourrais t'en charger... Juudit, ne prends pas cet air épouvanté.

– Comment faire ?

– Tu en touches deux mots à ton Allemand. »

Juudit se balançait d'avant en arrière.

« Tu ne peux pas me demander cela. Comment expliquerais-je que je suis au courant ?

– Tu diras que tu as entendu parler de quelqu'un qui organise des transports de fugitifs par la mer. Ton Allemand se chargera du reste.

– Mais ils vont se faire tuer. »

Roland s'approcha d'elle. Ses yeux se distinguaient mal dans l'ombre de la visière, il n'avait pas ôté sa casquette en entrant.

« À ton avis, qu'arrive-t-il à ceux qui tombent dans les filets de la Feldgendarmerie ? »

Juudit serra son bras autour d'elle comme le fait une femme solitaire. Le mouchoir battait sous sa manchette.

« Ne pense plus aux projets de Leonida et d'Anna. Je te le répète : oublie ce qu'elles ont dit.

– Comment ?

– Enfin, crois-moi, c'est une simple coïncidence si c'est à toi qu'elles font part de leur idée. Les vieilles dames et leurs sornettes... »

Juudit ne croyait pas Roland. Ce n'était pas une coïncidence. Il cherchait seulement à la tranquilliser. Elle resserrait la pression de son bras. La situation était-elle déjà désespérée, au point que même Roland songeait secrètement à s'enfuir. Peut-être que tout le monde, dans le fond, savait comment les choses allaient tourner. Du coup, il était inutile de rapporter à Roland les conversations que Hellmuth avait le soir dans son bureau avec les autres officiers : « … Est-ce qu'au moins cela le ferait changer d'avis, le Führer, si nous devions quitter la Finlande ?… "On ne cédera pas l'Ostland, on ne cédera pas l'Ostland", voilà ce que Berlin s'entête à ressasser… À cause de la Suède, bien sûr, pour que la Suède puisse tenir sa ligne, et sans doute le Führer se dit-il aussi que nous avons des amis finlandais qui ne tolèrent pas la nouvelle administration et qui ont besoin de notre soutien… C'est de la folie ! Tout ça pour la Baltöl ! » Nous ne résisterons pas à une nouvelle attaque, nous sommes incapables de nous défendre… Une fois, après trop de cognacs, Hellmuth avait rampé à côté d'elle en murmurant : il soupçonnait qu'ils ne pourraient guère repousser les bolcheviks plus longtemps… « Mais tu comprends, il ne faut pas en parler, à personne, imagine un peu l'hystérie générale si les Estoniens nous pensaient impuissants face aux bolcheviks… » Et Juudit avait acquiescé, bien sûr, elle n'en parlerait pas.

À la place, elle fit part d'une requête à Roland sans même y réfléchir :

« Je vais dénoncer Kreek et les autres, à la seule condition que Hellmuth et moi obtenions des places sur un navire quand le moment viendra. Je paierai les frais pour tous les passagers, s'il le faut. »

Juudit fut aussitôt épouvantée par les paroles qu'elle venait de prononcer. Qu'avait-elle dit ? Elle n'avait jamais évoqué cette perspective avec Hellmuth. Espérait-elle que Roland refuserait, qu'il lui demanderait plutôt de le suivre, qu'il désirerait partir avec elle ? Pourquoi ne fournissait-elle aucune explication, pourquoi ne disait-elle pas qu'elle avait trop peur des idées saugrenues de sa belle-maman ?

Les pommettes de Roland tressaillirent. Cependant, il ne demanda pas pourquoi Hellmuth était désireux de partir, il ne demanda pas pourquoi Juudit était prête à renoncer non seulement à Tallinn mais aussi à Berlin, il ne demanda pas si Hellmuth et elle avaient déjà planifié tout cela. Il ne demanda rien. Il répondit :

« Entendu. »

Reval
Commissariat général d'Estland,
Reichskommissariat Ostland

Dans l'appartement, le silence était absolu. Dès l'entrée, Juudit flaira la présence de Hellmuth, mais le silence régnait dans le salon, il régnait dans la cuisine, l'air était immobile, les domestiques avaient été congédiés. Juudit sut tout de suite que le moment était venu. Le sol du couloir soupirait comme s'il était désolé, les rideaux du salon étaient tirés, leurs fronces figées, et les feuilles du ficus étaient teintées de gris. Juudit posa son renard argenté sur le trumeau. Il glissa par terre et s'enroula sur lui-même. Elle enleva son manteau. Il ne se laissa pas faire, les manches se tendaient vers le seuil ; les galoches ne voulaient pas quitter ses pieds et, quand elles se détachèrent, elles fusèrent vers la porte d'entrée, les pointes en direction du perron. Juudit aurait pu se précipiter dehors, descendre dans la rue, mais peut-être qu'une auto l'y attendait déjà. Peut-être que toute une rangée d'hommes l'attendait en bas. Peut-être que l'immeuble était encerclé. Sa respiration sifflait, le sifflement résonnait dans le salon, elle avait la bouche sèche, les lèvres gercées. Ses petits souliers heurtaient les meubles à déménager. Elle pourrait au moins essayer, prendre ses jambes à son cou. Elle aurait encore le temps, oui. Et pourtant, elle posa le pied sur le seuil de la chambre à coucher. Elle avait deviné que Hellmuth serait assis dans son fauteuil ; à côté de lui, sur la table, il y avait un mouchoir de dentelle ; sur le mouchoir, le Parabellum. Il portait sa pèlerine, sa casquette était jetée sur le lit ; à côté de la casquette, le Mauser de Juudit. Elle sentait l'air chaud lui brûler les joues ; Hellmuth, lui, avait le teint clair, le front sec. Elle détacha son chapeau d'une main tremblante, garda l'épingle dans sa main. La chaleur était étouffante, la sueur imprégnait déjà son jupon, bientôt elle marquerait sa robe.

« Tu peux t'en aller, si tu veux. »

La voix de Hellmuth était neutre. C'était celle qu'il utilisait sans doute quand il entrait à l'état-major, celle qu'il utilisait quotidiennement à Tõnismägi, mais jamais lorsqu'il parlait à Juudit, c'était la première fois.

« Je te laisse partir. »

Juudit fit un pas à l'intérieur de la pièce.

« Personne ne te poursuivra. »

Juudit fit un autre pas.

« Il faut que tu partes tout de suite. »

La main de Hellmuth reposait sur le mouchoir de dentelle. À côté brillait le Parabellum, bien entretenu, prêt.

« Je ne veux pas partir ainsi. » Juudit entendit sa propre voix comme un écho.

« À l'heure qu'il est, le cercle a été appréhendé. Tu comprendras qu'il vaut mieux me faire grâce de tes explications. »

Juudit fit encore un pas. Elle tendit la main vers la coiffeuse et saisit à tâtons le paquet de cigarettes et le briquet. La flamme jaillit… Roland ! Roland aussi avait-il été arrêté ?

« Je peux m'asseoir ? »

Hellmuth ne répondit pas, Juudit s'assit. Roland était perdu. Fatalement. Le ressort brisé s'enfonçait dans ses cuisses. Elle ne réparerait plus cette chaise. Elle ne s'habillerait plus jamais devant cette table pour aller à l'Estonia. L'épingle suintait dans une main, la cigarette tremblait dans l'autre.

« On m'avait chargée d'une mission, dit Juudit. J'étais censée faire connaissance avec une autre personne, pas avec toi. Au café Kultas, j'avais pour objectif d'établir une relation avec un autre. C'était une trouvaille du fiancé de mon amie, pas de moi. Mais c'est toi qui es venu. »

La braise incandescente de la cigarette tomba sur le tapis. Juudit l'écrasa sous sa semelle en cuir de veau, puis elle quitta ses petits souliers, et elle retira le bracelet offert par Hellmuth, elle le lâcha sur la coiffeuse. Il tinta de toutes ses vingt pièces en argent.

« Je n'ai jamais osé te le dire. Et je ne voulais pas ne plus te voir.

– Ils ont dû être fiers de toi. Un travail remarquable, bravo. »

Juudit se leva et elle ôta sa robe.

« Que fais-tu ? dit Hellmuth.

– C'est à toi, ça. »

Juudit plia la robe soigneusement à côté du bracelet. Par les côtés, les taches de sueur s'étaient répandues jusqu'au dos et aux hanches.

« Je comprends ce que cela peut vouloir dire pour toi, dit-elle.

– Tu m'écoutes ? On va venir te chercher d'un moment à l'autre. Il faut que tu partes.

– Mais si je suis la seule à échapper aux arrestations, ils se douteront que c'est moi qui les ai trahis…

– Ce n'est plus mon problème. Les prisonniers ne savent pas qui a été arrêté, ils sont détenus séparément.

– Ils vont croire que tu n'avais rien à voir avec ça, hein ? Que tu ne savais rien ? Hellmuth ?

– Ne prononce pas mon nom. »

Hellmuth regardait au-delà de Juudit, son bras s'était levé, sa main la repoussait, et Juudit essayait en vain de saisir son regard. Il se leva, fit deux enjambées, la prit par le bras et la poussa vers la porte. Elle résista, trébucha dans les pieds de la chaise, s'empêtra dans le montant de la porte, l'épingle à chapeau fit un bruit de clochette en heurtant le parquet. Hellmuth arracha les doigts de Juudit du chambranle, la poussa dans l'entrée, toujours sans la regarder en face.

« Pars avec moi, chuchota-t-elle. Pars avec moi loin d'ici, loin de tout. »

Hellmuth ne répondit pas, il tira seulement le corps récalcitrant de Juudit, dont les jambes s'accrochaient aux chaises et aux tables du salon, et les chaises se renversèrent, le tapis se plissa, les fronces des rideaux figés se distendirent, le vase tomba par terre, le ficus se renversa, tout se renversa, Juudit se renversa, Hellmuth se renversa avec elle, leurs corps se renversèrent ensemble et les larmes les emportèrent.

VAIVARA
Commissariat général d'Estland,
Reichskommissariat Ostland

Le camp de Narva fut évacué en premier, Auvere et Putke deux jours plus tard, puis ce fut le tour des Todt de Viivikonna. Tous transférés à Vaivara. À cause du manque de place, les enfants et l'infirmerie de Vaivara furent déplacés à Ereda, et le commandement de Viivikonna déménagea en Allemagne. Edgar courait d'un endroit à l'autre, il maudissait la pénurie de ravitaillement et la météo, réceptionnait des évacués chancelants après leur longue marche, orientait les véhicules de la Wehrmacht qui acheminaient les prisonniers épuisés, recrutait plus d'hommes de l'OT pour s'occuper des chevaux qui transportaient les malades, envoyait les plus faibles à l'hôpital civil, et il refusait de s'arrêter, de retourner à l'instant de désespoir qu'il avait éprouvé quand on avait ordonné à sa compagnie de se préparer à réceptionner le camp évacué de Narva. Les Allemands avaient répété avec obstination qu'il ne s'agissait que d'une mesure provisoire, mais qui y croyait ? Les préparatifs de destruction des sites de production étaient probablement amorcés. L'effondrement du front n'était plus qu'une question de temps.

Quand le livreur de tabac avait apporté à Edgar son chargement mensuel de Manon directement de la manufacture Laferme, Bodman était venu chercher sa part et il avait secoué la tête : les plans d'évacuation n'étaient pas réalistes, les prisonniers n'auraient jamais la force de marcher jusqu'à Riga. On avait demandé l'avis de Bodman, on ne l'avait pas écouté. Edgar pesait son alternative sans fermer l'œil de la nuit. Les opportunités qu'offrait le camp pour le bizness des cigarettes seraient bientôt perdues ; il n'avait pas mis les pieds à Tallinn depuis des mois. L'opération de démantèlement du cercle d'évacuation des réfugiés avait réussi, mais Edgar ne savait même pas qui avait été arrêté. *A priori* très simple, le plan s'était révélé beaucoup plus tortueux, et Edgar avait commis une erreur en croyant connaître les façons d'agir et de penser de son épouse. On ne l'y reprendrait pas. La maman et Leonida avaient fait de leur mieux, mais Juudit, contre toute attente, s'était fâchée et avait pris la route, coupant complètement les ponts. Edgar avait fini par trouver une solution. Il avait envoyé à Roosikrantsi quelques femmes avec enfants jouer les fugitives, sonner à la porte principale lorsque Juudit était chez elle, et celle-ci n'avait eu d'autre choix que de faire entrer ce troupeau et de les conduire sans tarder à l'appartement de liaison, où elle les avait laissés. Edgar avait fait remettre au SS-Hauptsturmführer Hertz l'adresse du point de ramassage. Il avait passé sous silence le nom de Juudit. Hertz avait promis de s'en occuper, après quoi il n'avait plus donné de nouvelles et ne s'était plus jamais présenté à Vaivara : il avait reçu sa mutation. La liquidation du cercle n'avait pas retenu toute l'attention souhaitée par Edgar, et de mauvais pressentiments lui avaient envahi l'esprit : en plus d'avoir travaillé en vain à Vaivara, ses autres efforts non plus, apparemment, n'avaient pas été estimés à leur juste valeur ; dès lors, il avait les mains liées, il ne pourrait plus rien faire d'utile.

En mai, le Führer suspendit tous les plans d'évacuation : le front était stabilisé et, du même coup, on reçut l'ordre de bâtir de nouveaux sites de production. La nouvelle aurait pu être stimulante si le livreur de tabac d'Edgar n'avait donné un autre son de cloche : les habitants de Tartu qui se battaient en pleine pagaille étaient sûrs que les Allemands évacueraient de force femmes et enfants tandis que les hommes seraient conduits dans les camps. Tallinn était en proie au chaos. Sur les routes se croisaient ceux qui s'échappaient en direction de la campagne et ceux qui se rendaient en ville pour atteindre le port. Les Allemands, quant à eux, faisaient la promotion d'une possibilité de fuite légale : partir en Allemagne. Mais cette direction-là semblait n'intéresser personne. Le Reichsführer avait amnistié tous les Estoniens qui, s'étant dérobés aux enrôlements du Reich et ayant combattu dans les troupes finlandaises, regagnaient le pays, une fois les accusations de haute trahison dissipées, pour lutter contre les bolcheviks. Au milieu de tout cela, Edgar restait embourbé à Vaivara ; mais une nouvelle occasion se présenta quand les hommes de la *Gruppe* B vinrent effectuer des contrôles et parlèrent des problèmes du camp de Klooga : de la main-d'œuvre en avait déjà été évacuée et, comme les trains étaient pleins, leurs bagages n'avaient pas pu être emportés, de sorte que le terrain était couvert de monceaux d'affaires que les hommes de l'OT venaient picorer comme des corneilles. Les habitants avaient vu les piles de vêtements abandonnés et les gardiens voraces ; à présent, le peuple colportait des rumeurs selon lesquelles les bateaux des évacués seraient sabordés purement et simplement, si bien que la B IV envoya des observateurs contrôler les autres camps. Edgar fut chargé de leur présenter Vaivara, pour prouver qu'ils n'étaient pas confrontés à ces problèmes-là. Pendant ce temps, son esprit échafaudait un nouveau plan. Bodman avait affirmé que les conditions de vie à Klooga étaient les meilleures de tous les camps d'Estonie et que la qualité du résultat s'en ressentait : la main-d'œuvre était logée dans des maisons de pierre et les rations alimentaires étaient raisonnables, étant donné que la nourriture était distribuée par le *Truppenwirtschaftslager* de la Waffen-SS. En outre, le travail était plus propre : mines sous-marines et bois de scierie. Mais Klooga présentait surtout l'avantage d'être situé plus près des points d'évacuation – Tallinn et Saaremaa – et plus loin de Narva. Edgar décida de se faire affecter là-bas. Il offrit donc une généreuse tournée de Manon tout en évoquant sa carrière à la B IV et en laissant entendre qu'il continuerait volontiers dans l'OT, mais… Edgar désigna d'un geste éloquent son environnement et on lui répondit par des hochements de tête compréhensifs. On lui promit d'en reparler. Un ordre d'évacuation interrompit la visite ; il fut annulé deux heures plus tard. Les semaines suivantes se déroulèrent de façon aussi confuse : le commandant était pendu au téléphone du matin au soir, les directives données la veille étaient invalidées le lendemain, tantôt on envoyait de la main-d'œuvre vers le port, tantôt on passait des journées de travail normales à produire le pétrole, tantôt on évacuait. Finalement, Edgar fut muté à Klooga. De soulagement, il laissa tout son stock de Manon à Bodman.

Klooga
Commissariat général d'Estland,
Reichskommissariat Ostland

La mitrailleuse est apparue à côté de la baraque.

Appel.

Le SS-Untersturmführer Werle est arrivé en claquant des bottes.

Les prisonniers seraient évacués en Allemagne.

Le SS-Hauptscharführer Daiman a sélectionné des hommes costauds pour préparer l'évacuation.

Nouvel appel.

J'avais l'habitude des contrôles et appels répétés mais, cette fois, c'était différent. Il se tramait quelque chose. J'ai reconnu quelques Estoniens parmi les prisonniers. La plupart étaient des Juifs de Lituanie ou de Lettonie. J'attendais mon nom. Il allait venir. Il viendrait bientôt, j'en étais sûr. De même que j'étais sûr, en montant dans le camion à Patarei, qu'on me conduisait à l'échafaud. Mais non, on m'a amené ici. Je cherchais du regard les autres Estoniens du même convoi, je n'osais pas tourner la tête, mais mes yeux en ont rencontré au moins trois ; à côté de moi, il y avait encore Alfons, qui était à Patarei, lui aussi. Il avait déserté l'armée allemande et s'était fait choper. Mon nom serait appelé. J'en étais sûr.

La veille, de nouveaux gardiens étaient arrivés en renfort.

Les travaux étaient suspendus, on ne partait pas travailler, personne ne venait travailler au camp – pas même ce Finlandais, Antti, qui m'avait donné un peu de pain, un jour. Les rapports entre prisonniers étaient bons, on cachait des messages dans les marchandises qui circulaient d'un camp à un autre. Par exemple, j'étais tombé sur une liste de noms où les gens avaient noté d'où ils venaient et où on les emmenait. J'avais posé des questions sur Juudit. J'avais demandé aussi à Patarei. Personne ne savait, pas même notre gardien de confiance estonien. Peut-être qu'elle s'était acheté une place dans un navire avec l'or de son Allemand, je le souhaitais. Sinon, elle aurait été abattue sur-le-champ.

Au déjeuner, ils ont servi de la soupe. Elle était bonne, un peu meilleure que d'habitude, ça a calmé les autres prisonniers, mais pas moi. Werle m'est passé devant en parlant fort, en criant presque. Il disait aux cuisiniers de réserver la soupe aux trois cents qui avaient été emmenés dans la forêt : après un dur labeur, on avait besoin de reprendre des forces.

De nouveau, les prisonniers ont été mis en rangs. Se tenir debout donnait le vertige, quand on venait de manger.

Les portes du camp étaient encombrées de camions.

Je ne m'en tirerais pas vivant.

L'après-midi avançait. Dans les rangs, ils ont sélectionné six hommes pour aller charger deux barils de pétrole dans un camion. Des Todt ont été postés devant les baraques ; ils étaient inquiets, livides. Quelqu'un était si nerveux qu'il n'arrivait pas à allumer sa *papirossa*, il a fini par la jeter par terre, d'où elle a disparu aussitôt. Les gardiens avaient l'air d'avoir encore plus peur que nous, les prisonniers.

Les cinquante suivants ont reçu l'ordre d'avancer. L'évacuation se déroulerait par groupes de cinquante, cent au maximum. Jusque-là, on n'avait appelé que des Juifs. À côté de moi, Alfons a chuchoté que les Estoniens retourneraient bientôt travailler : les Juifs seraient tués d'abord, les Estoniens plus tard. Les Allemands sont partis escorter la troupe et, au même moment, Alfons a fait un mouvement brusque. Le cuisinier qui passait a trébuché. Les gardiens étaient sur le qui-vive. Le cuisinier gémissait en se tenant la cheville. Ils ont ordonné à Alfons de le porter et de pousser la cuve de soupe. On m'a chargé de l'accompagner. La cuisine était déserte… Et tout à coup, voici le cuisinier couché par terre, le cou tordu. À la porte, le gardien surveillait la cour. Alfons m'a fait un signe. Nous voilà dehors par la fenêtre de la cuisine, à l'intérieur par une autre fenêtre, et dans l'escalier en direction du grenier, d'où nous avons grimpé sur le toit.

Au portail, l'agitation était à son comble. Nous nous sommes faits tout petits – ce n'était pas difficile, maigres comme nous étions devenus. Le gardien resté à la porte a couru dans toutes les directions, il a appelé les autres ; ils ont fouillé la cuisine, faisant du raffut dans les placards.

À côté de moi, Alfons a chuchoté :

« Ils vont bientôt ressortir. Chercher des prisonniers disparus, ça attirerait l'attention et l'inquiétude. Werle leur a demandé d'agir dans le calme. »

Alfons avait raison : quittant la cuisine et le cadavre, les gardiens se sont éloignés. Je les ai regardés traverser la cour. En apercevant un profil familier passer à côté du groupe de gardiens, j'ai failli dégringoler du toit, mais j'ai redoublé de vigilance et contracté les muscles.

« Tu l'as déjà vu ici, ce Todt-là ? Comme gardien, ou à un autre poste ?

– Celui-là ? Je ne sais pas. »

On escortait un groupe de prisonniers vers la baraque des femmes : j'ai distingué le coiffeur et le cordonnier du camp. Parmi les gardiens évoluait bel et bien une silhouette qui ne laissait aucun doute. Pas cette démarche, non : elle tranchait avec l'entourage par son dynamisme.

Nous étions trop loin, je voyais mal ses traits, mais je devinais que mon cousin n'était pas en proie à la même panique que les gardiens – sans parler des prisonniers – et que c'était l'excitation qui lui accélérait le pouls au maximum, non la peur.

Sa tête était bien droite.

Sur le champ de bataille, il ne s'était jamais senti à sa place.

Apparemment, elle était ici, sa place.

REVAL
Commissariat général d'Estland,
Reichskommissariat Ostland

Edgar frappa de nouveau à la porte du SS-Haupsturmführer Hertz, en utilisant maintenant les poings, les coups résonnaient dans la cage d'escalier. Il tendit l'oreille. Il n'y avait pas un bruit dans la maison ; à peine entendait-on un chien aboyer, en bas, rien d'autre. Sur Roosikrantsi, on ne voyait plus d'Allemands, les portes du magasin de l'armée restaient béantes, la boutique vidée, les patients disparus de l'hôpital. Sortant de sa poche un crochet de sa fabrication qui avait déjà fait ses preuves, Edgar força la serrure. Le logement était désert, les domestiques absents. Le séjour était en pagaille, le ficus desséché au milieu des éclats de pot, le terreau répandu partout sur le sol, le tapis rassemblé en tas, le rideau à moitié arraché. Edgar jeta un coup d'œil dans chaque pièce. Dans le bureau, les portes des armoires étaient ouvertes, les tiroirs vides. La chambre à coucher sentait le parfum de Juudit, la penderie contenait encore quelques robes. Les tiroirs de la coiffeuse étaient tirés. Vides. Les armoires de la cuisine, vides. Edgar inspecta les vitres : à part quelques fêlures, elles étaient intactes ; sur la commode et devant la fenêtre, il n'y avait que de la poussière, pas de cendre suite aux bombardements. Le terreau du ficus était très sec ; sur la table roulante, il y avait des verres dont le contenu s'était évaporé ; sur la table à cigarettes se trouvait un numéro de la *Revaler Zeitung* daté du mois d'avril. Dans le réfrigérateur, Edgar trouva une bouteille de jus de fruit, qu'il ouvrit avec avidité, et il s'assit pour réfléchir un moment. Le chaos du logement n'était pas lié au départ des Allemands, il remontait plus loin dans le temps. Si Juudit avait été arrêtée, elle n'aurait guère eu le loisir de faire ses valises. Étaient-ce les domestiques qui avaient vidé le logement par la suite ? Pourquoi ce désordre, pourquoi cette hâte ? Les chaises de la salle à manger avaient disparu. L'empressement semblait encore plus fort ici que chez les autres Allemands. Y avait-il eu une dispute ? Le désordre provenait-il du démantèlement du cercle ou d'autre chose ? Hertz avait-il caché ou retardé la révélation du rôle joué par Juudit afin d'échapper au feu des projecteurs ? Avait-il eu des ennuis, lui aussi ? Ou alors Juudit et son amant étaient-ils déjà en route ensemble pour l'Allemagne ?

Lorsque Edgar avait enfin quitté Klooga, les Allemands avaient déserté Tallinn. Son ventre le tourmentait, mais il ne s'était pas laissé gagner par le désespoir, il avait refusé de s'effondrer, bien qu'il eût le pressentiment que les navires avaient déjà largué les amarres. La veille, l'Opel Blitz qui était arrivée à Klooga dans la matinée, transportant un groupe spécial composé d'Allemands pressés, s'était éclipsée dès la liquidation du camp. Il aurait dû s'enfuir aussitôt, ou quitter Klooga pendant la nuit avec les gardiens évadés, au lieu d'attendre la permission de monter dans le dernier camion pour le port. L'heure n'était plus aux regrets. Tout avait disparu. Les stocks de médicaments et les cliniques des Allemands avaient été vidés, les cordonniers et barbiers de l'armée avaient disparu ;

du *Soldatenheim*, il ne restait que l'enseigne ; de la blanchisserie de la rue Vene, une lessiveuse maçonnée dans le sol. Au sommet de la tour du Grand-Hermann flottait le drapeau estonien. Edgar s'était arrêté pour le contempler. Un gosse qui courait dans la rue lui avait expliqué que les hommes de l'amiral Pitka se réunissaient pour défendre le nouveau gouvernement estonien. « Et il y a même le capitaine Talpak ! Tous les grands hommes d'Estonie sont au garde-à-vous ! Les Russes ne mettront plus jamais les pieds ici ! »

Il arrivait trop tard, il ne parviendrait pas à Danzig. Dans le port, il en eut la confirmation.

Plus le temps de tergiverser. Edgar eut le vertige en se levant trop vite, mais c'était seulement à cause de son ventre vide et du vomi du camp incrusté sur ses bottes. Il ne remarquait la puanteur que maintenant ; il nettoya rapidement le cuir avec une serviette humide et alla se débarbouiller sans regarder le miroir. Il se connaissait suffisamment pour savoir qu'il n'avait pas la même mine que ses compagnons du camion pour Tallinn. Après la panne de moteur, les autres avaient tourné le dos au port, à l'armée allemande et à ses commandements. Ils avaient continué à pied vers chez eux ; Edgar, vers le port.

Comme les robinets de la salle de bains donnaient toujours de l'eau, il s'offrit un brin de toilette, secoua la tête pour dissiper de son cerveau le brouillard causé par le manque de sommeil, puis il s'attaqua au bureau. Il n'y trouva pas d'objets de valeur, pas d'or, pas d'argenterie. Pour toute garniture, il ne restait sur la table que des taches d'encre sur le sous-main. Il aurait fallu agir avant, forcer Juudit à révéler l'emplacement des papiers les plus importants, celui de l'or et des objets de valeur, il aurait fallu vider le logement pendant l'arrestation des membres du cercle. Edgar avait été puérilement optimiste. Une fois de plus, il arrivait trop tard. Ce n'était pas le moment de se décourager. Il alla chercher des taies d'oreillers dans la chambre à coucher et les remplit avec les papiers restants. D'abord, il se demanda si les Allemands avaient laissé ces dossiers exprès, auquel cas ils étaient vraisemblablement falsifiés. Se pouvait-il vraiment que le logement d'un Hauptsturmführer au service du *Sicherheitsdienst** n'eût pas été fouillé et nettoyé ? Ou que lui-même n'eût pas emporté ses papiers confidentiels, dans l'hypothèse où seule Juudit avait été arrêtée ? Edgar ne croyait pas les Allemands capables d'une telle négligence vis-à-vis de leurs documents, mais c'était sans importance, n'importe quel papier pouvait revêtir une valeur marchande, qu'il fût laissé exprès ou non ; et dans le cas où la pêche s'avérerait trop maigre, il pourrait forger quelques éléments plus consistants. Par sécurité, Edgar mit aussi, dans les taies d'oreillers, des formulaires vierges, des enveloppes et du papier ; il trouva quelques tampons. Après une réflexion minutieuse, il emballa tout ce qui restait du matériel de bureau, y compris la machine à écrire, avec les rubans et les flacons d'encre trouvés intacts au fond du tiroir. Quant aux rapports, il y retrouva de vieux copains, rédigés par ses soins avec tendresse ; il les brûla, de même que les papiers d'identité d'Eggert Fürst, le brassard d'OT-Bauführer ainsi que le permis d'évacuation qui lui avait procuré une joie prodigieuse mais de courte durée, et il referma le poêle de la main droite. D'abord, il cacherait son butin ; les taies d'oreillers pesaient lourd, mais il en aurait la force ; ensuite, il devrait retourner à Klooga. Là-bas, dans les piles de vêtements, il trouverait bien une tenue appropriée, et il laisserait les bolcheviks venir le trouver, lui, Edgar Parts, prisonnier témoin d'atrocités mais sauvé *in extremis* par l'armée soviétique.

Klooga
RSS d'Estonie, Union soviétique

Le camp était désert, y compris d'Allemands.

Nous sommes redescendus du toit. Dans le grenier, nous sommes tombés sur des créatures qui se cachaient, réduites à l'état de squelettes, l'épouvante collée au visage. J'ai essayé de tirer quelqu'un dehors, il s'est débattu en hurlant, je n'ai pas compris ce qu'il disait, ni même la langue qu'il parlait. J'ai répété que les Allemands étaient partis. J'ai trouvé des mots germaniques – *keine Deutsche, keine Deutsche, kein mehr* : je n'avais ni la capacité de parler allemand ni le désir de faire sortir cette langue de ma bouche, mais je tentais de leur faire comprendre que les Boches étaient partis. Les mots n'atteignaient pas leur entendement. Leurs cris étaient habités par une panique animale, dépourvus d'humanité, du moindre vestige d'humanité. Cette meute avait quelque chose de menaçant. Je n'osais pas leur tourner le dos ; Alfons a esquissé un déplacement vers la porte, à reculons. J'ai suivi son exemple ; arrivés dans l'escalier, nous sommes sortis à toutes jambes.

Le portail du camp était ouvert. Il n'y avait personne. Nous sommes partis en courant. J'étais affaibli, j'avais l'impression de traîner des pieds plutôt que de courir. Je bandais mes muscles pour clarifier mes pensées, la faim ne m'avait pas encore dévoré le cerveau. Les Allemands risquaient de revenir. Personne n'était sorti du grenier pour nous suivre. Passé le portail, nous avons mis le cap sur la forêt. Là, j'ai dû mettre la main devant ma bouche, couvrir mes narines avec mes doigts. Des évadés avaient été abattus d'une balle dans le dos, des cadavres gisaient de-ci de-là entre les arbres. Alfons et moi étions incapables de nous regarder, je ne posais pas les yeux par terre, ni sur le côté, ni là d'où se dégageait de la chaleur. Ni sur les troncs carbonisés, ni sur la clarté du bois fraîchement coupé, ni sur ce qu'il y avait au milieu, les bras qui dépassaient, les jambes, les pieds avec ou sans chaussures. Je fixais mon regard loin devant. Je guetterais la première ferme, j'y changerais de vêtements, je demanderais à manger. Il y aurait bien quelqu'un pour m'aider. Je dirais que les Allemands étaient partis. Devant. Je ne penserais plus jamais à ce que je laissais derrière moi. C'était le moment que nous avions attendu, auquel nous nous étions préparés. Les Allemands étaient partis, et les Russes en chemin pour conquérir notre pays. Pas question de les laisser entrer.

Sixième partie

« Dans l'Occident impérialiste, la voix insolente des revanchistes nationalistes aboie de plus en plus fort, les foyers qu'ils ont créés à New York, à Toronto, à Londres, à Stockholm et à Göteborg bourdonnent comme des nids de guêpes. Il faut se rappeler que les "comités" ou "conseils" nés dans ces foyers sont toujours des nids d'espions et de destruction. La palette des traîtres nationalistes ne connaît pas de repos ! La haine ne dort pas, elle n'oublie jamais ! Elle poursuit son œuvre dévastatrice et c'est pourquoi il faut que la nouvelle génération soit libre. Après la faillite de l'Allemagne hitlérienne, une nouvelle génération a poussé, qui ne connaît cette époque singulière que par l'intermédiaire des manuels scolaires et des discours contemporains. Il n'y aura bientôt plus de témoins oculaires, il ne restera que les livres pour témoigner de tout ce sadisme. Pourtant, cette génération devra se rappeler que, dans ce prétendu "monde libre", des meurtriers nationalisto-fascistes circulent en toute impunité, et que leur clairon retentit ouvertement à New York ! »
Edgar Parts, *Au cœur de l'occupation hitlérienne*, Tallinn, Eesti Raamat, 1966.

Tallinn
RSS d’Estonie, Union soviétique

La salade russe est finie, la petite cafetière est terminée. Le camarade Parts en commandera bientôt une autre, mais cela ne changera rien à sa frustration. Il est assis au café Moskova depuis des heures et il n’a toujours pas vu l’Objet ; ce gringalet est en retard et le camarade Parts ne sait pas quand il pourra enfin rentrer chez lui. Peut-être pas avant la fermeture du café. Il bat des yeux pour rester éveillé. Cette nouvelle mission est honorable, certes, mais elle a d’abord été un choc.

Parts scrutait la photographie de l’Objet sur la table du QG secret, les pattes aux joues, les boutons d’acné, l’autosatisfaction propre à la jeunesse et la peau à peine touchée par la vie… Il ne comprenait pas ce qui se passait – et il ne comprend toujours pas. On l’a affecté à une opération dont le but est apparemment de cartographier l’activité antisoviétique des étudiants. La nouvelle priorité de Parts se trouve être un gringalet de vingt et un ans qui fait partie d’un groupuscule : qui rencontre-t-il, où et quand ? Parts a la permission de poursuivre l’écriture, mais à la condition que cela ne perturbe pas sa nouvelle tâche.

Quand il est sorti dans la rue après cet ordre de mission, les pavés sous ses chaussures lui semblaient glissants malgré le temps sec, et la sensation de nausée présageait une migraine. Avec Porkov il avait fini par établir une relation de confiance, le manuscrit a bien avancé et n'a soulevé aucun mécontentement, le délai de trois ans n'est même pas échu. Cependant, Parts ne rendra plus compte au camarade Porkov : on lui a désigné un nouvel officier de liaison. Leur dernier entretien était tout à fait normal, il n'y a rien eu de bizarre. Quelqu'un a-t-il fini par remarquer la disparition du journal intime ? Mais alors, pourquoi personne ne vient s'en prendre à lui ? A-t-il commis d'autres erreurs ? L'opération du Moskova se veut-elle un rappel à l'ordre ? Ou peut-être Porkov lui-même a-t-il été affecté à d'autres tâches en raison de quelque infraction ? La nouvelle activité de Parts n'a aucun sens : pour la filature, le Bureau dispose de ses propres hommes, lui-même n'est pas un expert en la matière, même après la brève formation qu'on lui a dispensée. Parts est expert en écriture. Pourtant, le Bureau a jugé que cette mission lui convenait, le Bureau qui n'a pas pour habitude de réaffecter les employés qui se sont montrés performants dans leur branche.

À côté des informations relatives à l'Objet se trouve la liste des matériaux à rendre au Bureau, sur laquelle figure la version récemment fournie par Porkov des *Informations interdites dans la presse, les émissions radiophoniques et la télévision*. Parts se doute qu'on ne lui confiera pas la nouvelle édition lorsqu'elle paraîtra : on considérera qu'il n'en a plus besoin. Il est vrai qu'il connaît par cœur les directives qu'il a lues dans le guide, mais il n'aime pas le caractère humiliant de cet ordre de restitution. C'est un avertissement, une façon de rappeler qui commande. La machine à écrire, tout de même, il peut la garder chez lui.

Dans un coin de la salle, un collègue commande un verre de thé. Parts détourne la tête, par pudeur. Il y a une blague qui a fait le tour de la ville : à quoi reconnaît-on un espion qui boit du café ? C'est celui qui ferme un œil – vieille habitude des Russes à cause de la cuillère qui dépasse de leur verre à thé. L'anecdote l'a fait rire aussi, à un moment donné, mais plus maintenant. Parts reconnaît à des lieues que cet homme est un collègue du Bureau : il est assis et il observe, devant une table vide. Peut-être s'agit-il d'un nouveau procédé, un moyen de faire savoir que rien n'échappe au regard des organes. Parts ne croit pas à ces méthodes. Il croit au naturel et à la discrétion. Il a même songé à flirter avec une quelconque secrétaire ou avec une employée de l'usine Norma : les femmes fournissent toujours une couverture crédible pour se promener dans un café. Mais flirter avec les femmes, ça prend du temps et ça coûte cher ; finalement, il a opté pour un choix plus simple : il jouera le rôle d'un enseignant corrigeant des copies, voire d'un écrivain. Le manuscrit permet aussi, par la même occasion, de prendre des notes sur le cours de la soirée, facilitant d'autant la mise au propre des rapports. L'humiliation causée par la nouvelle mission, Parts l'a laissée au vestiaire en même temps que son manteau, avec résignation ; tandis qu'il montait l'escalier vers la salle de l'étage, il avait déjà élaboré une façon de se tenir droit en balançant énergiquement son porte-documents. Les gens viennent au café pour le plaisir : il doit donc montrer qu'il en prend, il doit garder un air enjoué.

Un éclairage très particulier se porte sur la situation : avec cette nouvelle mission, on a enfin indiqué à Parts sa maison d'édition, Eesti Raamat, et, dans la maison, un éditeur. Le camarade Porkov ne pouvait pas s'en occuper, malgré ses promesses, alors que la moitié de l'à-valoir aurait dû lui revenir. Le nouveau surveillant n'a même pas montré d'intérêt à l'égard de cet argent, et Parts, grâce à cette somme, a enfin pu quitter son poste de garde à l'usine Norma ; mais le temps ainsi libéré en journée, voici qu'il le perd sur la piste d'étudiants immatures au lieu de se consacrer au manuscrit.

La visite à la maison d'édition était singulière : le directeur le regardait nerveusement sans cesser de lorgner vers la porte. On entendait presque les pas feutrés des inspecteurs de la Glavlit dans les couloirs ; Parts en a même reconnu un, sur le seuil, à sa façon de n'avoir l'air de rien. Derrière le bureau, l'éditeur inquiet tirait sur son col ; entre le col et le cou, on pouvait entendre une déglutition d'angoisse professionnelle. L'observation des mimiques de cet homme était assez divertissante pour atténuer un peu la consternation causée par la nouvelle opération. Personne n'a posé de questions sur le manuscrit, l'enveloppe de billets a été poussée vers Parts en silence ; dans les couloirs de la maison d'édition, on lui jetait des coups d'œil comme s'il jouissait des bonnes grâces des milieux influents, et les douces caresses du pouvoir lui effleuraient les joues, il sentait presque sur sa peau les soupirs langoureux des employés de la Glavlit. Peut-être qu'il n'y a pas de quoi se démonter, peut-être qu'il a tout mal interprété, peut-être a-t-il une telle multitude de compétences aux yeux du Bureau qu'il se voit offrir une opportunité de les mettre en œuvre dans de nouvelles missions. Se débarrasser de l'usine Norma est tout de même un grand pas, de même que le contrat d'édition.

Dans la soirée, cependant, Parts se sent défaillir. Pas de nouvelles de l'Objet, il semble ne rien se passer. Il a placé le manuscrit entre la petite assiette de truffes au chocolat et le pichet de café, et il façonne des structures syntaxiques. À la table habituelle de l'Objet, deux gamines se demandent si leur laissez-passer pour Saaremaa arrivera à temps pour aller fêter l'anniversaire du père. Par l'escalier afflue une horde de jeunes filles appartenant à une association d'élèves-ingénieurs. La tablée commande en tout quatre centilitres de cognac et du café. Le collègue suit les filles d'un œil sévère. Leurs visages sont inconnus, ils ne figurent pas sur les photographies exposées au QG secret. La compagnie s'agite impatiemment, il y a de l'attente dans l'air, un souffle d'inquiétude autour de la table : nul ne semble s'absorber dans la conversation, l'une manipule sa carte d'étudiant, une autre rajuste sans cesse sa casquette, en tripote la visière – mais le cognac intéresse tout le monde, de même que les biscuits Valeri. Parts remarque alors que l'une des greluches-ingénieurs porte un pantalon. Il fronce le nez et feuillette ses papiers en faisant tourner son crayon, tout en gardant un œil sur la compagnie, sur l'impassibilité du collègue et sur l'ambiance générale de la salle. Deux hommes qui ont pris place à une table proche remplissent leurs verres avec une carafe de liqueur Lõunamaine, qui exalte la coquetterie du plus jeune : celui-ci grignote un biscuit au cumin, qu'il désire partager avec l'autre, mais il en fait un processus complexe où le biscuit doit d'abord être coupé en deux, puis acheminé jusqu'à sa bouche et enfin, de sa bouche, aux lèvres languissantes de son partenaire, entrouvertes. Pendant ce temps, l'aîné allume une cigarette, les allumettes s'embrasent et les flammes brillent dans les yeux. Parts distingue les mouvements des jambes à l'imperceptible oscillation de la nappe. Il a deviné le glissement de la jambe du cadet tout contre celle de l'aîné en remarquant que le mouvement de la nappe coïncidait avec un frémissement de leurs narines, ils se regardent, leurs regards semblent déjà blottis entre les draps. Parts cligne des yeux. Toute cette affaire a détourné son attention : il n'a pas remarqué l'entrée de l'Objet. Est-il arrivé seul ? Traîne-t-il depuis longtemps au beau milieu du café Moskova ? Parts épie les autres tablées, cherchant de nouveaux visages, tâchant de repérer qui a quitté les lieux. Dans le coin de la salle, le collègue toise Parts avec un sourire en coin, ses yeux moqueurs se plissent. Parts tourne la tête vers la table habituelle de l'Objet, puis de nouveau vers la salle. C'est impossible ! L'Objet a disparu.

TALLINN
RSS d'Estonie, Union soviétique

Tandis qu'elle patiente dans le séjour, Evelin entend la voix de Rein dans la cuisine. Elle tend l'oreille, mais le vacarme de la radio et le tourne-disque allumé quand ils sont arrivés avalent les paroles. Voilà donc la maison que fréquente Rein et dont il ne dit jamais pourquoi il y va ni qui il y rencontre. Voilà la maison où Rein ne l'avait encore jamais emmenée. Evelin est crispée, engoncée sur son siège, alors qu'elle est seule dans la pièce et que personne ne regarde ce qu'elle fait, comment elle se tient et si elle est bien sage. Sur la table basse, un plat en cristal déborde de langues de chat, la pendule tictaque, elle sonne les quarts d'heure, le balancier se balance, les voilages clapotent dans le courant d'air, la crème fait des grumeaux dans le café et Evelin ne sait pas où vider sa tasse. Peut-être que Rein ne lui raconte pas tout parce qu'il veut simplement la protéger. Ou bien il veut paraître secret, se donner de l'importance ; ou peut-être qu'il n'a pas encore assez confiance en elle. Peut-être l'a-t-il emmenée pour la réconforter, pour qu'elle ne se sente pas seule. Les camarades de promotion d'Evelin sont parties pour Tartu, puisque le cursus de finance était transféré là-bas ; Evelin n'a pas voulu partir, parce que Rein était ici. Elle a demandé son affectation au hasard. Elle ne deviendra pas directrice de banque comme prévu, elle deviendra ingénieur. L'Union soviétique a besoin d'ingénieurs, on compte sur eux pour consolider la société. Evelin regrette de ne pas s'être préparée à rester assise sans rien faire. Elle aurait pu apporter ses notes de cours, ou bien ce livre incroyablement soporifique, l'ouvrage de Saarepera intitulé *Programme type d'acte déclaratif annuel et trimestriel pour un établissement industriel, avec méthode de calcul des indicateurs*. À présent, elle n'a rien d'autre à faire que de suçoter des raisins de Corinthe et de faire fondre des biscuits contre son palais.

En première année, Evelin est entrée occasionnellement au café Moskova, et elle y a tout de suite remarqué Rein, ainsi que la compagnie attroupée autour de lui. Il ne passe pas inaperçu, Rein. Ni les filles de sa tablée. Evelin n'aurait jamais cru qu'il s'intéresserait à elle, une campagnarde qui n'a que deux chemisiers, une jupe et une robe, et qui est ignorante de toutes ces choses qu'il connaît – alors que les filles assises autour de lui changent de robe, de chemisier et de pantalon tous les jours, et ne portent jamais deux fois les mêmes. De pantalon ! Sa mère lui a promis une nouvelle robe avec les prochains veaux, mais ce n'est pas demain la veille. Plus jeune, elle n'aurait pas imaginé à quel point la vie d'étudiante peut être dure quand on n'a qu'une robe dans la penderie. Au lycée, tout était facile : elle n'avait qu'à amidonner son col et prendre soin de son vêtement, c'était tout. Les autres ne regrettent pas les uniformes.

Evelin a soif, mais elle n'ose pas quitter le séjour. Le café refroidi attendait déjà sur la table quand ils sont arrivés. Le couvert porte l'empreinte d'une main féminine ; pourtant, il n'y a personne dans cette maison à part eux deux et l'homme à lunettes qui leur a ouvert la porte. Peut-être Rein ne vient-il que lorsque l'homme est seul à la maison. La décoration moderne illustre les bonnes relations du propriétaire de la maison ; la bibliothèque est pleine de livres qu'on ne peut se procurer que sous le manteau ou en sortie de presse. Evelin admire l'armoire qui s'élève jusqu'au plafond, et elle rêve d'avoir un jour la même dans sa maison, la maison qu'elle partagera avec Rein. Il y aura du cognac dans le bar, du linge plié sur les étagères, elle astiquera quotidiennement les portes du meuble, aucune tache n'en troublera la surface et la laque brillante fera paraître la pièce plus grande. Elle boira de l'Aroom avec Rein tous les matins après avoir replié le canapé-lit, enclenché le dossier, rangé les couvertures pour la journée ; pour les visiteurs, il y aura du café moulu sans additif. Sur la fenêtre, derrière les voilages, il y aura des cactus. Sur le magnétophone, Rein mettra de la musique de guitare électrique enregistrée par ses amis et, au fur et à mesure que les bobines tourneront, il la tirera auprès de lui sur le divan. Ils auront enfin leurs propres draps.

Rein a fini par accepter de l'amener dans cette mystérieuse maison après qu'Evelin a laissé entendre qu'elle le soupçonnait de voir une autre fille. Cette accusation s'est faufilée entre ses lèvres spontanément, sans effort. Toutes ces filles bien sapées qui se pointent au café Moskova la dérangent, tout particulièrement l'étudiante en art aux blanches cuisses, celle du lit du haut, avec laquelle Evelin partage sa chambre en plus de deux autres filles. Chaque fois qu'Evelin introduit Rein dans la chambre en cachette, la fille d'en haut est déjà couchée et elle se débrouille toujours pour avoir une cuisse, un sein ou une jambe qui dépasse sous la couverture, ses cheveux s'écoulant par-dessus le bord du lit. Les yeux de Rein sont attirés par les jambes de cette fille et par son sein qui soulève la couverture, brillant dans le noir comme une lune blanche, et la fille fait mine de bouger le bras dans son sommeil, son bras soulève en même temps sa poitrine, l'arrondit encore davantage, elle attend qu'une bouche s'y déploie, qu'une goutte de salive s'y dépose. Bref, Evelin ne veut pas amener Rein dans son logement, parce qu'il est plein de filles qui déambulent en jupon, qui gloussent en chemise de nuit dans la cuisine, et parce que celle du lit d'en haut, lors des visites de Rein, se couche toujours au préalable pour attendre qu'ils se glissent dans la pièce. Si Evelin a fini par amener Rein dans son logement, c'est parce qu'il insistait depuis longtemps. Elle a fait frire dans la cuisine une grosse portion de pommes de terre, utilisant à cet effet une bonne dose de graisse recueillie dans une tasse, et Rein est allé divertir la surveillante, qui oublie facilement, pour lui, le couvre-feu des dix heures. Evelin n'a pas envie d'aller au foyer de son fiancé ; les garçons de dernière année y ont décoré les murs avec des punaises de lit transpercées par des épingles. D'ailleurs, ce serait encore plus embarrassant… tous ces garçons… Et Rein ne l'y invite jamais.

Avant d'entrer dans la maison de l'homme à lunettes par la porte de derrière, ils se sont promenés par des chemins détournés et des sentiers serpentant entre les immeubles jusqu'à une grande avenue ; Rein l'a alors entraînée dans des broussailles, à travers lesquelles ils sont arrivés dans l'arrière-cour d'une maison individuelle. Il lui a détaché quelques brindilles des cheveux, tapotant sa tête ébouriffée. Les bas étaient intacts et Evelin se sentait plus légère. Rein a frappé en rythme à la porte grise ; pendant qu'ils attendaient, Evelin observait la voisine. Celle-ci portait des seaux d'eau de ses robustes épaules, et les langes de gaze séchant derrière elle flottaient dans le vent comme des linceuls. Après avoir vidé les seaux dans un baquet, elle est retournée à la pompe. Plus loin, quelqu'un aiguisait une faux. Evelin s'est souvenue de la fille expulsée du foyer : Blanche-Cuisse se moquait d'elle, car il n'y a qu'aux imbéciles qu'il arrive des problèmes. Evelin ne veut pas être une imbécile, elle ne veut pas rater, se souiller, bien que Rein l'ait assurée que cela ne pouvait pas rater. Bien sûr que si, Evelin le sait, et elle est crispée à chaque rendez-vous, elle ne pourra pas expliquer à ses parents l'interruption de ses études. La promesse d'élever des veaux garantit l'argent requis pour les études en complément de la bourse, mais cela implique que la mère doit s'occuper de ces bêtes en plus des travaux du kolkhoze. Elle s'esquinte le dos pour que sa fille puisse étudier, et Rein ne cesse d'acculer Evelin dans une situation qui pourrait compromettre ses études, il la tripote là où elle ne veut pas. Chaque fois que Rein parvient à rester dans le foyer des jeunes filles et qu'il se blottit contre elle, il lui palpe les seins et déplace sa main vers le bas-ventre, et Evelin serre les paupières, elle chasse de son esprit la poitrine de celle du dessus et repousse la main de Rein, elle la maintient sur le côté ; pour ne pas songer à l'éventuelle colère du garçon, elle pense à la session d'examens d'été, y compris du point de vue de Rein, car il va avoir des problèmes pour passer. On dirait qu'il ne fait rien pour avancer, il a bien d'autres préoccupations, plus importantes.

La voix de Rein se rapproche, son rire ressemble à celui que les hommes font retentir lorsqu'un long débat conduit enfin à un consensus satisfaisant. Il a un écho de soulagement, ce rire, il est trop fort pour être insouciant – il est souvent trop fort, le rire de Rein. Ces rires soulagés se poursuivent tandis qu'Evelin est reconduite à la porte de derrière, et tous deux repartent à travers le fourré par lequel ils sont arrivés. Rein enlève sa veste, l'enroule autour des jambes d'Evelin, et il la soulève dans ses bras, à cause des bas, pour la porter jusqu'à l'avenue. Ce n'est qu'à l'arrêt d'autobus qu'elle remarque un sac de lin à la main de Rein.

« Il t'a donné quelque chose, cet homme ?

– Des livres, répond-il.

– Quels livres ?

– Tu n'aurais pas le courage de les lire. »

Evelin n'en demande pas plus, parce que Rein n'aime pas les filles têtues. À présent, il est de bonne humeur, il lui caresse la clavicule, lui chuchote à l'oreille : « Tu vois, il ne se passe rien de plus bizarre que ça, ici. » Les lèvres de Rein sont si proches des siennes qu'elle a déjà une sensation de baiser et elle fait un pas en arrière.

« Tout le monde va nous voir.

– Et alors ? »

Elle détourne la tête, et les lèvres de Rein se posent sur son oreille, le souffle y tourbillonne et son oreille devient un coquillage, un coquillage comme celui qu'elle a rapporté en souvenir de leur voyage en auto-stop dans le Caucase, et elle remue les bras autour d'elle si bien que Rein doit s'éloigner d'un coude.

Malgré son insouciance, Rein est tendu, sa paume est plus chaude que l'autobus sudorifique dans lequel ils sont montés, et la jupe d'Evelin n'est pas en cause, même si elle l'a raccourcie plus que prévu. Elle colle le dos à Rein pour éviter les mains baladeuses typiques des autobus. C'est devenu un véritable fléau.

Le bus étant plein à craquer, elle réussit à faufiler sa main dans le sac de Rein, et elle y palpe du papier photo. Il y en a une grosse pile. Elle ressort sa main, et le souffle de Rein lui caresse la nuque.

Ce soir-là, avant de rentrer à son foyer, Evelin met la main dans la poche de son manteau, non sans s'étonner de son courage. Elle a subtilisé une photographie du sac de Rein. L'image ne contient que du texte : c'est la reproduction d'une page de livre. Les mots sont dans une langue étrangère.

TALLINN
RSS d'Estonie, Union soviétique

Seule à la table habituelle de l'Objet, la fille au pantalon balance de nouveau sa jambe. Une autre greluche vient s'y asseoir, et les voici qui écrivent sur un petit billet rectangulaire. Une fâcheuse tension se répand sur les tempes du camarade Parts. Il est planté là, lui, un type capable, et sa mission consiste à espionner des gamins qui rédigent des antisèches. Parts a vu son collègue s'engouffrer par la porte du Palace pendant que lui-même était en route pour le café Moskova. En ce moment, l'autre est peut-être en train de savourer du champagne dans une atmosphère internationale, enfournant dans sa bouche une tartine de pain blanc nappée de caviar noir. Pourquoi Parts n'a-t-il pas été dépêché là-bas, lui ? Quelqu'un a-t-il fait des remarques désobligeantes sur son travail ? Le Bureau est-il mécontent de lui ? Les organes ont-ils vraiment estimé qu'il convenait mieux pour ces affectations-là, surveiller de vulgaires voyous et des minettes ? Parts n'arrive pas à le croire. Il saurait adopter une attitude assez occidentale pour se fondre dans les milieux internationaux du Palace. Non, il y a autre chose. A-t-on critiqué le comportement de sa femme ? Est-elle considérée comme un problème si grave que le comité de sécurité préfère confiner Parts dans un rôle moins visible ? L'idée lui est inconcevable. Il n'est plus convié au conseil de Pagari avec les personnes haut placées ; de même, il ne reçoit plus d'invitations aux soirées. Parts soupire, son souffle soulève ses papiers. La pénombre du café lui fatigue les yeux. Comment ne pas rougir en repensant à la fois où, marchant en ville avec sa femme, il est tombé sur le directeur de l'*Agence de presse d'Estonie**, Albert Keis ? De but en blanc, elle s'est mise à parler des collections d'art des écoles. À ce moment-là, Parts n'avait pas de mauvais pressentiment, il a laissé la conversation suivre son cours, jusqu'à ce que son cerveau se rende compte qu'elle était en train de faire l'éloge des œuvres de jeunesse d'Alfred Rosenberg accrochées aux murs de la *Peetri Reaalkool.* Parts s'est mis à tousser : il avait subitement quelque chose en travers de la gorge.

Les sourcils d'Albert Keis se sont levés, le blanc de ses yeux luisait des quatre côtés :

« Mais de quoi parlez-vous ?

– Des œuvres de jeunesse d'Alfred Rosenberg. On y devine un grand talent, une maîtrise du trait vraiment impressionnante. »

Heureusement, Parts a su se ressaisir et il a sauvé la situation en exprimant sa désapprobation : en effet, lui aussi avait entendu dire que les tableaux de Rosenberg étaient toujours sur les murs de l'école, pourquoi personne n'avait donc pris de mesures à ce sujet ? Il a réussi à se mettre dans une telle rage que le gazouillis admiratif et la gueule subjuguée de sa femme sont passés en arrière-plan. Il venait de lui acheter un fer à repasser électrique qui pesait lourd dans le sac de courses et il avait envie de le laisser là, en pleine rue. Les gens fourmillaient autour d'eux, les vitrines du grand magasin Kaubamaja flambant neuf étaient éblouissantes, Keis continuait d'observer la scène avec des yeux de merlan frit, la voix de Parts montait, les passants se retournaient et il ne sentait plus sa main qui portait le fer à repasser. La femme s'était éloignée pour contempler les vitrines comme si elle n'avait rien à voir avec l'incident. Par la suite, Parts a appris qu'on avait bel et bien trouvé des toiles de Rosenberg à la *Tallinna II Keskkool* – l'ancienne *Peetri Reaalkool* – et qu'elles avaient été retirées en toute discrétion. L'épouse a tenté d'expliquer à Parts qu'elle lui avait rendu service : n'avait-elle pas raconté une chose dont la dénonciation ne pouvait que lui être utile ? Mais Parts se rappelle les adjectifs employés par sa femme : talentueux, impressionnant, un artiste accompli… Et si Keis avait rapporté l'incident au Bureau ?

Parts commande une salade russe, un pichet de café et trois truffes. Lorsque la serveuse revient avec un plateau, le collègue est entré dans la salle et s'est glissé dans le même coin que la veille. Les yeux du type scintillent d'une moquerie qui, de toute évidence, ne peut viser que lui. Il tente de dissimuler son embarras en tapotant sa pile de papiers sur le plateau de la table et, une fois qu'il a plus ou moins égalisé sa liasse, il la pose devant lui, non sans palper machinalement sa poche intérieure. Le passeport est à sa place, comme toujours. Il éprouve un besoin impérieux de bouger et il s'efforce de contenir sa main quand il remarque qu'elle a tendance à se diriger vers la poche, au lieu de quoi il tripote son col blanc. Les repasseuses du combinat de services courants Express connaissent leur métier, certes, mais depuis que Parts a touché son à-valoir, il rêve d'avoir une femme de ménage, car la lessive des blanchisseries publiques n'est jamais d'une propreté parfaite. Les Martinson ont certainement une femme de ménage, peut-être même qu'ils ont une machine à laver. Cette dernière est fort utile pour asseoir sa position : il suffit de mentionner nonchalamment la machine à laver au détour d'une phrase, de laisser entendre combien elle facilite la vie. D'autres reçoivent Maria, Anna ou Juuli qui viennent laver le linge et faire le ménage pour trois roubles par jour, bientôt il en viendra une chez eux aussi et elle repassera leur pile de mouchoirs, qui n'est pas négligeable, compte tenu des crises de l'épouse. Il devra d'abord expliquer la cause de ce changement, mais il ne se découragera pas.

Parts n'aime pas les fers à repasser ; le fer à charbon lui déplaît autant qu'à sa femme, mais pour des raisons différentes. Ce rouge incandescent lui rappelle fatalement la cuisine de Patarei, où on l'a emmené après la retraite des Allemands. Dans la pièce d'à côté, il entendait crier. C'était Alfons, un Juif qui avait survécu aux Allemands : à ce titre, aux yeux du droit soviétique, il ne pouvait être qu'un espion à la solde du Reich. En entendant ces cris, Parts s'est promis de sortir indemne de la cuisine. Le fait que les organes aient eu vent de son instruction d'espion sur l'île de Staffan le tracassait toujours : une fois de plus, les organes avaient réussi à démontrer leur supériorité et, pour lui, c'était un échec. Après toutes ces années, l'incandescence du fer fait remonter à son nez une odeur de chair brûlée, une odeur d'humiliation. Le trésor documentaire des Allemands lui a évité de se faire repasser vif ; mais il aurait partagé volontiers son savoir avec les Russes, de toute façon. Il est un homme sensé, on n'a pas besoin de le menacer ; seuls les minables se font torturer au fer à repasser.

S'étant calmé avec une truffe, il commence à classer les papiers tout en prenant des notes sans laisser son esprit se fourvoyer comme la dernière fois. Les hypothèses relatives à sa femme devront être examinées en d'autres lieux, Parts ne veut pas que ses soucis transparaissent jusqu'à sa peau, il doit garder un air alerte, même si la méfiance est indélébile, au plus profond de son cerveau, depuis qu'il a obtenu les données sur les femmes restées en Estonie dont les hommes avaient été envoyés en Sibérie. Son explication confuse et faiblement justifiée a fini par aboutir, il a vu Porkov tourner les yeux vers Moscou, tendre la main vers les étoiles du Kremlin. Le capitaine lui avait promis aussi des renseignements sur Tête de chou, mais leur coopération s'est terminée prématurément. Sur les listes, il n'a d'abord rien trouvé d'exploitable, personne qu'il pourrait prendre pour la fiancée de son cousin. Il a exclu d'entrée de jeu celles qui résidaient trop loin du pays natal de Roland : celui-ci n'aurait pas recherché la compagnie d'une femme totalement inconnue et habitant loin, et les paysages décrits dans le journal suggéraient qu'il ne s'était pas trop écarté de sa contrée natale. Roland ne ferait confiance qu'à une femme avec laquelle il aurait déjà eu un contact préalable. Parts n'a trouvé qu'un nom connu, dans la liste, mais il était invraisemblable : celui de sa femme.

Au cours des deux dernières années, Parts a examiné la liste encore et encore, et il retombait toujours sur le nom de sa femme. Il l'a regardée d'un autre œil, cherchant des indices dans son comportement, des fissures qui l'obligeraient à s'ouvrir et à parler, quelque chose qui fournirait à Parts une certitude ou un outil avec lequel extraire la vérité. Le mystère qui enveloppe les activités de sa femme pendant qu'il était absent aiguise ses soupçons. Elle n'a pas assisté à l'enterrement de la maman ; pourtant, elle était allée chez elle à la campagne, lorsqu'elle était encore en vie, et la maman avait écrit que sa belle-fille se rendait utile, pour une fois. Elle faisait de son mieux pour aider à remplir les quotas, cueillait des baies et des champignons et faisait les conserves quand les forces de Leonida et d'Aksel déclinaient, et elle s'était procuré par miracle de l'acide carbolique pour les arbres fruitiers et pour les buissons à baies en échange de graisse de porc, elle les avait arrosés comme Roland le lui avait appris pour en tirer une bonne récolte à vendre au marché, elle avait traité au Kasoraan les fleurs de jardin, elle allait même chercher du bois dans la forêt ; elle passait la plupart des nuits dans l'écurie ou dans la remise, et elle restait parfois dans l'ancienne cabane de Leonida, à laquelle le kolkhoze n'avait trouvé aucun usage. C'était sage, bien sûr : il y avait beaucoup de témoins de ses relations avec les Allemands, les temps étaient rudes et son mari en Sibérie. Mais quand même. Et si sa soudaine nostalgie de la campagne et ses visites répétées chez la maman avaient un rapport avec Roland ? Si elle s'était jetée dans les bras de Roland avec son panier de baies ? Si Roland avait ouvert son âme à sa femme, sur l'oreiller ?

Le pantalon de la fille se balance sans cesse dans l'angle de son champ de vision. Parts fourre lentement la salade dans sa bouche, il cherche avec la langue les petits pois en conserve et les perce un par un avec ses canines, puis passe la serviette au coin des lèvres pour en essuyer la mayonnaise. Peut-être est-il en train de perdre pied. Il avait toujours su dans quelle direction aller, il avait l'instinct. À présent, il est embarrassé : les recherches concernant son manuscrit ne cessent de déboucher sur des impasses, sur des obstacles ou sur les yeux de sa femme comme sur un mur de silicate, et il ne comprend pas la situation dans laquelle le Bureau l'a mis. Il se sent aussi un peu rouillé, pour les travaux de terrain, même après la petite formation. La veille, pris de panique, il a ramassé ses papiers pour aller s'assurer que l'Objet avait vraiment disparu et qu'il n'était pas simplement aux toilettes ; il s'est précipité dans la rue, a tendu l'oreille un moment et a mis le cap sur le foyer de l'Objet. Sa fenêtre n'était pas éclairée. Parts s'est senti comme un chien qui a perdu son flair, il a baissé les bras ; une lune moqueuse se reflétait dans l'œil sombre de la vitre. L'après-midi, il a attendu l'Objet avec confiance dans les parages de sa salle de cours, depuis un renfoncement convenablement discret, mais sans succès. Le gringalet aux rouflaquettes s'était éclipsé du groupe qui déferlait de la salle, et qui vivait clairement sur une autre planète que ceux qui se réunissent au café : c'étaient là des étudiants ordinaires, il leur manquait l'humeur tendue, frémissante de révolte, qui plane au Moskova et qui s'exacerbe lorsqu'un invité venu se joindre à eux entre dans le vif du sujet. Des conférences secrètes, voilà de quoi il s'agit. Pas étonnant que les études ordinaires ne passionnent pas le gringalet. Il s'intéresse à Molotov-Ribbentrop et aux conditions de vie en Finlande ou dans les pays occidentaux. Parmi les conférenciers, il y en a sans doute qui ont voyagé à l'Ouest, des journalistes ou des sportifs passés à travers le crible du Bureau : ils ont obtenu l'autorisation de voyager, et voilà comment ils témoignent leur reconnaissance pour les droits spéciaux qui leur ont été octroyés... Est-ce la jalousie qui pique la peau de Parts comme un taon, ou simplement l'air confiné du troquet qui lui chatouille l'épiderme ?

Il faut que Parts obtienne des résultats, qu'il remette sa carrière sur les rails. Il doit balayer l'incertitude, se rappeler ses compétences ; ne pas oublier que les miracles deviennent vrais dès lors qu'on les énonce à voix haute ou qu'on les couche sur le papier. La première fois qu'il fit l'expérience de ce phénomène, c'était au lycée. Des sous avaient disparu de la poche du pardessus de l'enseignant, et l'adolescent avait été condamné au piquet jusqu'à ce qu'il avoue le larcin. En fin de journée, l'enseignant ramassa ses manuels en annonçant que le suspect resterait dans la classe toute la nuit s'il n'ouvrait pas la bouche, car sa culpabilité ne faisait aucun doute : pendant que les autres étaient sortis à la récréation, il était resté pour effacer le tableau, c'était son tour. Il nia toute culpabilité et, tandis qu'il laissait les mots s'écouler de ses lèvres, il sentit son pouls s'emballer, ses oreilles bourdonner, mais sur sa peau n'apparaissait pas la sueur amère de la peur, ses aisselles étaient sèches et il respirait sans peine – comme au culte, malgré l'incroyance de plomb qui lui pesait au fond du ventre –, cela ne rimait à rien, rien de rien, l'enseignant serait fou de le croire, fou à lier, mais si, il y crut, malgré tout, et la conviction se renforça au fur et à mesure que l'élève continuait d'une voix sûre que la mue de la puberté avait quittée, il continuait d'une voix d'homme, de la voix posée d'un homme qui dit la vérité, oui, c'était sûrement Ants, Ants avait besoin d'argent parce qu'il n'avait pas le temps de faire ses devoirs, il payait les autres pour les faire à sa place, Ants était rentré dans la classe pendant que lui-même était de corvée au tableau... Ce soir-là, l'adolescent referma la porte du lycée derrière lui en se retenant de sourire. Au coin de la rue, il laissa l'euphorie se répandre sur ses joues, et elle resta sur son visage pendant qu'il passait à côté des garçons jouant à la guerre des Boers, elle y resta pendant qu'il traversait le square et marchait devant le cordonnier, elle y resta jusqu'à l'appartement, et elle lui chauffait encore le visage, au coucher, lorsqu'il posa la tête sur l'oreiller en plumes d'oie sous lequel il avait caché les couronnes qu'Ants lui avait payées pour rédiger ses dissertations.

L'Objet arrive avec ses amis à 17 h 40 et commande de nouveau un pichet de café noir et une brioche moscovite. Parts est sur le qui-vive.

« Nous nous sommes préparés à des questions sur le vingtième congrès du PCUS, sur le vingt et unième congrès et sur le vingt-deuxième.

– Fais-moi des notes.

– Fais-les toi-même », rit la fille en taquinant l'Objet. Parts a le stylo qui fume, il a tout noté. Le pianiste ne joue pas encore et la salle est presque vide : il entend les paroles à merveille.

La garce en pantalon se lève et passe devant lui sur la pointe des pieds en direction des toilettes pour dames. Parts s'essuie la bouche avec irritation ; en même temps, il voit l'Objet gesticuler à l'adresse d'un homme qui vient de monter l'escalier. Le nouveau venu porte une épaisse écharpe enroulée autour du cou, mais Parts le reconnaît. Mägi, le journaliste de la radio. L'homme prend place à table en s'inclinant devant les autres, les chuchotements commencent. La fille en pantalon revient des toilettes et presse le pas dès qu'elle aperçoit le visiteur. Parts parvient à lire quelques phrases sur les lèvres, il distingue les mots *soulèvement de la Saint-Georges* et il en prend note, tout en feuilletant ses papiers avec ostentation. La table habituelle des étudiants est sûrement équipée de microphones, mais Parts ne laisse pas son raisonnement affaiblir son attention, même si cela ne fait que rabaisser son travail à celui d'une roue de secours qui ne serait utile qu'en cas de défaillance technique. Il pleut, les étudiants essorent leur casquette en arrivant. Parts se fend d'une pensée émue pour le photographe qui est sûrement tapi quelque part dans le but d'enregistrer les visages entrant et sortant du Moskova, et qui aurait besoin d'un bon bouillon bien chaud et d'une tourte à la viande. Il tripote son col et tente de se ressaisir, déballe sa truffe, en croque la moitié et repose le reste sur le papier d'emballage. Le collègue est assis à sa place. Peut-être ne surveille-t-il pas l'Objet de Parts mais un autre. La simple idée de passer des soirées interminables au Moskova lui pèse sur les tempes. Même si les étudiants sont assez jeunes et ont la fière conviction juvénile que leur opération sera réalisée en un rien de temps, Parts est résolu à en précipiter la fin. Ces voyous vont commettre une erreur, ils vont redoubler de zèle et manquer de prudence, Parts en est presque sûr. Il n'y aura qu'à venir les ramasser sous son nez ; lui, le spécialiste, retrouvera alors un travail normal, et il pourra bientôt acheter le papier spécial le plus blanc pour la dernière mouture de son manuscrit, car le livre doit être achevé sans tarder.

Au foyer, il trouvera sans peine un contact qui puisse lui rendre compte des télégrammes et lettres destinés à l'Objet, et de leur contenu. Le comité de sécurité ne lui a pas encore donné la permission d'engager un contact, mais Parts inventera des justifications irréfutables, le Bureau ne s'est jamais opposé à un informateur parfait. Il faudra expliquer aussi pourquoi cette *verbovka* doit être réalisée par lui-même et personne d'autre. Au demeurant, même si le Bureau chargeait un autre agent de procéder à ce recrutement, rien n'empêcherait Parts de s'approcher lui-même du contact pour s'assurer que celui-ci ne parle pas de leurs rencontres aux autres agents. Le contact n'oserait pas remettre en question les autorisations de Parts. Bien qu'il ait échoué, jadis, dans le recrutement de Müller, ces tâches sont généralement faciles et peu coûteuses, et elles donnent toujours des résultats impressionnants. Dans le meilleur des cas, la *verbovka agenta* sera conclue pour quelques roubles ou en échange d'un service minime. Au pire, certains réclament de véritables indemnités, des voyages ou des places pour les études de leurs enfants, de meilleurs emplois, ce qui peut se comprendre. À leur égard, Parts ressent même un certain respect. Qui n'aimerait pas être guide à l'*Intourist* ? Qui ne souhaiterait pas que ses enfants soient reçus à leurs examens, même ceux qui ne brillent pas par leur intelligence ? Qui ne voudrait pas gagner quelques places dans la liste d'attente pour un logement ou une auto ? Un poste sans danger pour son fils appelé à l'armée, pour le voir revenir vivant ? Voire des livres introuvables même sous le manteau ? Mais que penser de ceux qui agissent gratuitement ? Ceux qui rapportent les faits et gestes de leurs voisins ou collègues sans aucune rémunération ? À qui s'imaginent-ils faire plaisir ? Et pourquoi ? D'un autre côté, le mouvement occidental en faveur de la paix fournit de plus en plus d'informateurs utiles, et ils n'ont pas les mêmes problèmes qu'ici. Leur enthousiasme est stupéfiant, et ils ne se font même pas payer. Pourquoi ? Une *verbovka na ideïno-polititcheskoï osnovié* ne revient pas cher ; il n'empêche que Parts a du mal à concevoir la psychologie de ces personnes, il fait plus confiance à une *verbovka agenta* contractée sous la menace d'arguments compromettants. En outre, il y a bien sûr ceux qui prennent un malin plaisir à fourrer leur nez dans les affaires des autres, et ceux dont le comportement est motivé par la jalousie. Ceux-là, Parts les tient pour les sources les moins fiables. Les recrutés qui ne se rendent pas compte des perspectives de promotion offertes par les missions, il est incapable de les comprendre. Ces gens ont-ils atteint le degré spirituel du communisme, pour n'avoir même plus besoin d'argent ou de récompense ? De la dégénérescence, oui. Voilà ce que c'est. Il ne pourrait pas le dire à voix haute, mais la théorie communiste ferait bien de reconnaître l'évidence de la décadence biologique de certaines nationalités, et cela n'a rien à voir avec la dégénérescence de la société de classes et les conflits qui en résultent.

Quant à l'Objet, il est malheureusement de ces gens dont le recrutement semble d'emblée voué à l'échec. Le gringalet attire l'attention, le sexe faible lui fait de l'œil et personne ne l'interrompt lorsqu'il ouvre la bouche. Il n'a pas besoin de se faire recruter pour se sentir important : il a un bon statut d'étudiant, des vêtements à la mode, et il est si jeune que les privilèges de la vie quotidienne – file d'attente de logement et perspectives pour les enfants à venir – ne le préoccupent pas encore ; au demeurant, ses parents ont apparemment de l'argent ou les moyens d'en trouver. En outre, l'Objet veut clairement jouer les héros : ces personnes-là causent toujours des problèmes. Le plus facile à recruter, dans un groupe, c'est toujours le plus fade : une fille que personne n'invite à danser, un garçon qu'on oublie toujours, une femme qui commande systématiquement la même chose que les autres, ou un homme qu'on surnomme « bidule » parce qu'on ne se rappelle jamais son nom. Une fille dont la peur latente n'attend qu'un petit catalyseur. Parmi les avortons qui fourmillent autour de l'Objet, Parts a déjà repéré plusieurs informateurs potentiels.

Tallinn
RSS d'Estonie, Union soviétique

Dans un moule à gâteau, Evelin dépose des biscuits, du fromage blanc puis de la confiture, et elle retient ses sanglots. Une fois de plus Rein lui a demandé pourquoi elle ne le présente pas à ses parents, et elle n'a pas pu lui avouer la raison. Elle pleurerait, si elle était seule, mais la cuisine résonne de bruits agressifs : pendant leur nuit de beuverie, les garçons de l'école d'ingénieurs sont encore venus piller les garde-manger des filles, ils ont forcé les serrures et englouti goulûment les précieuses salades en conserve et les non moins précieuses saucisses. Sur les étagères d'Evelin, il n'y a plus que des pots de confiture : avec des biscuits, voilà tout ce dont elle devra se contenter jusqu'au prochain versement de la bourse. Mais ce n'est pas la faim qui la tracasse maintenant, c'est Rein. Lora passe en trombe, la blouse au vent, elle se verse une goutte de lait dans un verre pour les soins du visage. Ces filles n'ont pas les mêmes problèmes qu'Evelin, elles font fureur dans les coins de la salle de détente et dans les derniers rangs des cinémas, où elles soupirent et pouffent avec leurs fiancés. Evelin est sans doute la seule à vouloir suivre ce qui se passe sur le drap blanc, malgré la main de Rein qui n'arrête pas de se glisser sous sa jupe, sur les porte-jarretelles, et qu'elle repousse toujours. Il finira par se lasser, il s'en ira au milieu du spectacle en obligeant le public à se lever, et tout le monde regardera Evelin, ses camarades se feront du coude et des regards langoureux s'englueront sur lui, et il fichera le camp non seulement du cinéma mais aussi de la vie d'Evelin. Le mouchoir bourré dans sa manche palpite contre son poignet, les filles chahutent et les pantoufles claquent sur le lino, chaque jupon ondulant sous une blouse rappelle à Evelin qu'elle devrait laisser Rein la déshabiller, le laisser faire. Il y a quelque temps, tout allait bien, le nouveau foyer l'enthousiasmait comme les autres, on s'était débarrassé des punaises et Rein était chouette. Après quelques rendez-vous, le simple fait de se donner la main ne lui a plus suffi, et il en veut toujours plus : voici que le fiancé souhaite rencontrer ses futurs beaux-parents. Mais Evelin ne veut pas qu'il voie les fourches et les travaux d'étable qui l'attendent chez elle, qu'il voie le paysage du kolkhoze et la misère. Le père obligera Rein à boire avec lui, il s'enivrera, il pourrait se passer n'importe quoi. Rein est un gars de la ville, d'une bonne famille instruite, sa mère ne sort jamais sans chapeau. Evelin apporte la charlotte dans l'armoire pour la laisser reposer et elle se retire dans sa chambre pour raccommoder ses bas, chercher une solution, mais les larmes lui brouillent les accrocs et le crochet à remailler ; quand Blanche-Cuisse entre dans la pièce, Evelin se lève et sort en courant. S'il y a quelqu'un qu'elle ne veut pas voir maintenant, c'est bien celle-là ! Il n'y a donc pas moyen de trouver un peu de tranquillité ! À la porte d'en bas, elle se mouche, et elle n'est plus d'humeur à se promener : Mustamäe est plongé dans l'obscurité, et elle ne veut pas aller sur l'avenue. Les hautes palissades des chantiers voisins enclosent les ténèbres étendues derrière ; en journée, elles tiennent hors de vue les prisonniers qui travaillent là.

Dans le couloir, Evelin croise des garçons qui emportent le magnétophone de Lora. Celle-ci leur crie d'enregistrer pour les filles des morceaux de guitare électrique. Insouciante, elle est si insouciante, « de la musique dansante, pour nous », et elle lève la jambe, laissant apparaître sa cuisse dénudée sous la blouse. L'un des garçons lâche une bande magnétique, qui s'en va rebondir dans le couloir, et Alan se précipite dessus, vers la cuisse de Lora, non sans jeter un coup d'œil à Evelin, Alan qui avait demandé à Evelin de l'accompagner aux cours du soir, Alan dont la main avait imprimé une marque de sueur sur le dos de sa robe en bemberg, mais la musique était bonne, oui, de la guitare électrique, Alan avait dit qu'il allait en fabriquer une. Alan serait-il un meilleur parti que Rein ? Aurait-il les mêmes exigences ? Tout le monde ne peut pas être comme Rein. Evelin détourne la tête et va dans sa chambre, où l'étudiante en art aux blanches cuisses se crêpe les cheveux à l'aide de laque à bois et d'un peigne.

Rein est sûrement au Moskova. Il a dit qu'il allait là-bas après leur conversation. Ou leur dispute. Si c'était une dispute. Possible. Si Evelin l'amenait chez elle, peut-être qu'il l'amènerait aussi au Moskova. Non, peut-être qu'il lui enlèverait simplement son jupon. Ou non, elle le recevra chez elle : comme ça, il pourra être sûr qu'elle est sérieuse, et qu'elle ne joue pas avec les sentiments des hommes comme il le prétend. Ou non, quand même, le jupon. Evelin repense à la fille qui a quitté le foyer en larmes, sous le regard méprisant de tout le monde. Elle avait abandonné ses études. On s'en souviendra toujours. On sait bien pourquoi les filles abandonnent. Non, Evelin n'enlèvera pas son jupon. Rein a éclaté de rire, en entendant qu'elle doutait fort que tout le monde en fît autant.

Non, pas du tout. La fille aux blanches cuisses, celle du lit du haut, oui, peut-être. L'étudiante en art, sans doute. Et Lora, cette exhibitionniste ! Lora se prépare à l'enseignement, bien sûr. Les filles de la pédagogie, elles sont comme ça. Et si Evelin était une interlocutrice aussi pétillante que les filles du café Moskova ? Rein s'intéresserait-il alors à autre chose qu'à ses jupons ? Possible. L'été à venir la tracasse : il le passera en ville, d'abord en stage puis à la plage, il prendra le soleil avec sa tablée du Moskova, grignotera de l'anguille fumée. Quant à Evelin, elle travaillera à la ferme le week-end, puis à plein temps après le stage. Elle saupoudrera de DDT les feuilles de chou et agitera la fourche à foin pendant que Rein sera en train de s'amuser. Il aura deux mois entiers pour trouver un autre jupon, un jupon à enlever.

Si Evelin ne trouve pas de solution, elle va perdre Rein, et cela, elle ne le supporterait pas. Elle sait ce que cela impliquerait. Elle retournerait à sa vie antérieure. Rein a tout changé. Dès qu'elle a commencé à sortir avec lui, les autres filles l'ont traitée différemment, elles l'ont intégrée à leurs bavardages, l'ont invitée à s'asseoir à leur table, sont venues s'asseoir à côté d'elle en cours. Aucune ne regarde plus avec mépris, aux bals, sa robe qui est toujours la même.

TALLINN
RSS d'Estonie, Union soviétique

L'épouse est en train de masser ses coudes gercés à la crème Orto, en de lents mouvements circulaires ; de toute évidence, elle attendait son mari. Le camarade Parts pose les sacs de provisions sur le sol de la cuisine et se compose une tartine de hareng, sans faire attention à elle, jusqu'à ce qu'elle fasse jaillir une bonne dose de crème dans sa main en lui demandant pourquoi il ne passe plus ses soirées à la maison. La question ne présage rien de bon. Parts avait réussi à calmer sa femme pour quelques mois avec le contrat d'édition, avec le gâteau Napoléon et le champagne, avec trois bouteilles de Belyi Aist et le gaz à domicile. Elle a interprété tout cela comme des signes favorables de la part du Bureau. Puis les crises ont recommencé. S'il veut travailler en paix, Parts ne peut pas esquiver : il explique donc qu'il a reçu un nouvel ordre de mission, qui exige de travailler le soir.

« Ça n'a pas de rapport avec le livre ?

– Pas particulièrement, répond Parts. Dans une certaine mesure.

– Une certaine mesure ? »

Elle a l'air de comprendre immédiatement que la nouvelle mission constitue une régression, aussi lève-t-elle un sourcil railleur. Parts ajoute qu'il est nécessaire de diversifier ses activités pour que le travail d'écriture donne le meilleur résultat possible ; après être resté assis longtemps à son bureau, il a besoin de sortir prendre l'air, d'aller se promener. La lèvre supérieure de la femme se soulève sous un sifflement dédaigneux. On lui voit les dents, tachées de rouge à lèvres. Son mépris est accablant. La radio s'allume, poussant des cris qui agitent les rideaux et les cheveux de la femme, tandis que celle-ci se penche en avant et chuchote :

« Quelqu'un a-t-il lu ton manuscrit ? Peut-être que personne ne comprend ton génie, hein ? Peut-être qu'ils se sont rendu compte que tu n'es pas fichu d'écrire un livre ! Que vont devenir tes belles promesses, hein ? Toi qui veillais à ce que nous n'ayons pas de soucis ? »

Elle redresse le dos, contemple le tube métallique, serre le poing, laisse la pommade suinter par les fissures et goutter sur la table. Parts observe les taches brillantes et souhaite de tout son cœur un nouvel élan à la production d'armes, pour que la pénurie de glycérine mette fin à l'industrie cosmétique et à la malveillance de sa femme. Le front plissé, elle se tripote la peau des coudes pendant que la pommade continue de couler. Parts s'empare du tube d'Orto et le jette à la poubelle. La main de la femme s'arrête, sa respiration s'interrompt. Parts sort de la cuisine. Dans son dos, il entend alors éclater les porcelaines. Tout ce qui restait du service de maman sera bientôt en miettes, sa perte de sang-froid lui aura coûté le dernier souvenir de maman. Une erreur, une grave erreur. Parts s'en serait scandalisé davantage si le fond du problème n'était pas justement que les paroles de sa femme contenaient un germe de vérité, comme en témoigne la réaction trop impétueuse qu'il vient d'avoir devant elle. Il s'est trahi d'une façon humiliante. Cela ne se reproduira plus. Il devrait tout de suite détourner l'attention de sa femme, l'accuser de négliger le foyer, ce qui affecte le travail de Parts, lui reprocher l'odeur de lait carbonisé qui trouble sa concentration quand il rentre à la maison. Peut-être les voisins préparent-ils de la bouillie de pâtes pour les enfants. C'est une odeur de famille vivante, qui lui cause une douleur lancinante dès qu'il ouvre la porte de son domicile et qu'il reçoit en pleine figure cet air glacial et renfermé. Parts a réprimé son accès de colère, renforcé son sang avec une cuillerée d'Hematogen ; dans la cuisine, il a perdu contrôle. Les mots de sa femme le piquent toujours :

« Et si c'était un signe ? Que le Bureau n'a plus rien à faire de ton livre ? Si c'était un signe que nous sommes les prochains ? S'ils préparaient le terrain en te rabaissant ? »

Le passage d'un train ébranle les fenêtres ; Parts attend que ce soit fini avant de se mettre au travail. Il aurait préféré habiter un autre quartier, mais il n'a pas eu le choix, et la maison a l'avantage d'être à eux tout entière. C'est autre chose que la surface réglementaire de neuf mètres carrés par individu ; quand on réside dans une maison individuelle, on peut aussi se vanter, attirer des regards envieux. L'affaire s'est conclue avec l'aide du Bureau, ainsi qu'un peu de cognac et quelques truffes : une camarade de l'épouse a certifié par écrit que celle-ci attendait des jumeaux, et Parts s'est souvenu d'un couple de parents éloignés et très âgés, dont la vie ne tenait plus qu'à un fil et qui souhaitaient emménager chez eux. Par la suite, personne n'a posé de questions sur les jumeaux, ni sur les vieillards. Quant aux trains, il pensait qu'il s'y habituerait, et il avait tort.

Contrairement à ce que croit sa femme, le Bureau a pris connaissance du manuscrit et lui a confirmé qu'il allait dans la bonne direction. Pourtant, d'après ce que sait Parts, les collègues travaillant sur les hitlériens ne sont pas sollicités pour des activités comme l'opération du café. Ils sont assis dans les services du Bureau ou dans les bibliothèques spécialisées, dans les rédactions des journaux, ou ils sont écrivains à temps complet ; certains reçoivent des honneurs publics, d'autres sont invités à Moscou – et tous publient des ouvrages relatifs à leur domaine en veux-tu en voilà. Ils n'ont rien fait d'autre que lui ; pourtant, ils ont d'autres conditions de travail. Le camarade Barkov est déjà chef du département d'enquête au comité de sécurité d'État de la RSS d'Estonie, et il paraît qu'il prépare une thèse sur l'évolution des nationalistes bourgeois d'Estonie vers la sphère du fascisme. À coup sûr, il se fait aider par une épouse qui archive ses papiers, les recopie au propre et veille à ce qu'il puisse se concentrer sur l'essentiel. Ou par une secrétaire. Peut-être plusieurs. Ervin Martinson *idem* – il est fécond, Martinson ! Sur la table, Parts doit faire face à une pile de feuillets recouverts de signes de correction, les points d'exclamation agressifs lui piquent les yeux, lui ordonnant de traiter les problèmes immédiatement. Le Bureau est plein de dactylos, mais elles ne suffisent pas pour le manuscrit de Parts. Les vieux soupçons lui reviennent à l'esprit. Peut-être que son passé est bel et bien un obstacle pour une reconnaissance publique, aux yeux du Bureau. Peut-être que, dans deux ans, au lieu de se faire couvrir de fleurs, il sera en train de s'encroûter à la campagne, de marquer les itinéraires qu'il ne faut pas montrer aux étrangers ou de traquer les graffiteurs de toilettes ou, pire encore, simple gardien dans les sanitaires d'un lieu d'importance mineure, pour écouter les conversations de WC. Ils récupéreront l'Optima.

Et les antécédents de sa femme, ou son état actuel ? Ses besoins pharmaceutiques demandent déjà une certaine planification. L'approvisionnement de l'armoire à médicaments, il a dû en assumer la responsabilité, car sa femme n'est pas capable de mettre en œuvre toute seule la tactique des pharmacies tournantes. Si l'on allait toujours chercher les produits au même endroit, les quantités attireraient l'attention, ce que Parts ne souhaite pas. Les gens commenceraient à jaser, et leurs paroles parviendraient aux oreilles du Bureau. C'est justement ce matériau-là que collecte le Bureau : on y note les médicaments, en vente libre ou sur ordonnance, les visites médicales et les achats d'alcool, et on s'en sert pour échafauder des histoires qui démontrent le manque de fiabilité de l'objet ou son point faible potentiel, on crée des outils pour garantir la loyauté de l'employé ou pour faire agir les objets comme l'exige le Bureau.

Il n'a jamais envisagé sérieusement de mettre sa femme au 52 Paldiski, mais peut-être que cette solution méritera bientôt d'être prise en considération. Le problème des antécédents de sa femme est une explication crédible pour la situation du camarade Parts, sinon extrêmement vraisemblable. Le divorce n'est pas une option – abandonner une femme malade serait un acte blâmable, immoral –, mais si on l'envoyait se rétablir dans un établissement de soins, Parts pourrait continuer sa vie normalement, il attirerait même la sympathie. Le Bureau appuierait facilement la décision. Parts sait comment présenter l'affaire. Il se souvient d'une Russe de l'usine Norma qui a fait venir à Tallinn sa belle-mère de Russie devenue âgée. La mémé cessa complètement de parler russe, elle ne discutait plus qu'en français. Toute la famille fut épouvantée, ils l'enfermèrent dans la chambre à coucher. Personne n'aurait été au courant de l'incident si la belle-mère n'avait réussi accidentellement à échapper à ses geôliers. Parts trouvait l'anecdote amusante, parce que le mari de cette femme était connu au parti. Il enseignait la théorie communiste à l'université en répétant que les roubles ne tarderaient pas à disparaître purement et simplement car l'argent était une invention capitaliste, et, tout à coup, voici qu'habitait chez lui une mère qui grasseyait en français, regrettant son amie la comtesse Marie-Séraphine et complimentant sa belle-fille qui lui rappelait la tsarine – enfin, c'était ce qu'on présumait, personne dans la famille ne comprenant le français. Ils mirent la belle-mère au 52 Paldiski. Cette histoire ne le fait plus rire : chaque jour, à son propre domicile, Parts voit des signes de fragilité mentale, d'une irréfutable perfidie. Chacun a son point de rupture, et lui aussi : si le reste ne lui fait pas perdre la raison d'ici là, le temps finira par s'en charger, renvoyant son esprit à des époques où il ne veut pas retourner, à la nostalgie des comtesses et des tsarines, aux souvenirs de Lili Brik qui conduisait les premières automobiles de Moscou, ou aux véhicules à gazogène de Sibérie, aux bûches de bouleau jetées l'une après l'autre dans le fourneau, au générateur qui pétaradait, à d'autres souvenirs où le bois crépitait et où la graisse se consumait, et la chair, et l'odeur... L'instabilité mentale le replongerait dans des souvenirs où le feu dénudait les crânes et les tibias, des souvenirs qu'il doit oublier et qu'il a déjà oubliés, jusqu'à ce que l'âme, s'effilochant, les réveille et les rappelle à la réalité, qu'elle ravive le feu, la fumée, les crépitements, les bûches empilées les unes sur les autres et cette odeur et les coups de feu et les cris d'angoisse et tout le passé serait présent et lui-même pourrait finir par crier ses souvenirs en public au milieu de la longue file d'attente de la journée de vente, par entrer dans ces mêmes ténèbres où tous ceux qu'il croyait éliminés à tout jamais sont déjà entrés depuis longtemps, les mêmes, exactement. Cela ne doit pas arriver, ni à lui, ni à sa femme.

Parfois, Parts était sûr que l'issue était imminente, lorsqu'il était absolument convaincu que sa femme était le Cœur mentionné dans le journal de Roland. Dans ces moments-là, il rêvait du jour où il présenterait à sa femme les preuves de son activité antisoviétique à l'époque où il était en Sibérie. Il imaginait la situation, savourait le tableau à l'avance. Il serait calme et poli, peut-être qu'il se tiendrait bien droit sous la lampe orange du séjour, sa voix serait grave et posée, et il exposerait ses éléments avec méthode. Le regard de sa femme se fendillerait comme une coquille d'œuf dès la première preuve irréfutable et, sous le coup des derniers mots, elle finirait KO sur le tapis comme le veau mort-né que Parts avait extrait lui-même en tirant fort sur la corde.

Dans l'espoir de cet instant, Parts s'est même rendu au village de Taara, à l'ancien domicile des Arm. Le paysage était à la fois familier et étranger. Il a senti la porcherie du kolkhoze avant même de descendre de l'autocar, les frênes étaient à leur place le long de la route du manoir. L'air sentait la fumée : près des pommiers, on avait brûlé le foin d'hiver ; plus loin, des tas de feuilles de l'année précédente ; et entre les cimes des arbres se dessinait le vol d'un autour des palombes. Les poules étaient déjà sorties et elles picoraient gaiement, quelques-unes se dandinaient dans le soleil printanier. Parts avait noté aussi qu'il manquait le coq, dans la cour des Arm. On n'avait plus les moyens d'entretenir des bouches inutiles. Vraisemblablement, la dernière blague était déjà arrivée aux oreilles du Bureau : la nouvelle organisation privait les poules de leurs coqs.

La maison était maintenant occupée par la famille d'un parent éloigné de Leonida, qui s'est comportée vis-à-vis du visiteur avec réserve. Autour d'une soupe aux boulettes, l'ambiance s'est un peu détendue et Parts a posé négligemment des questions sur les disparus, évoquant sa femme qui habita jadis dans cette maison. Il faisait preuve d'une certaine assurance, comme s'il savait de quoi il parlait. Le nom de la femme ne disait rien à cette famille, mais il a eu l'idée de demander les photographies des funérailles de la maman, qui étaient certainement restées dans l'héritage de Leonida. Comme Parts l'avait deviné, Roland ne figurait pas sur les photos. Les funérailles, les noces et les anniversaires étaient toujours sous haute surveillance, et bien des hommes des forêts y avaient couru à leur perte, incapables de rester à l'écart des fêtes de famille importantes. Roland était une exception. Parts avait les larmes aux yeux à l'idée que la maman avait été mise en terre en l'absence de ses enfants. Il saurait réparer cette erreur. Sans laisser les autres remarquer son émotion, il a pris congé. Chemin faisant, il a fait un détour par la distillerie. Elle aussi était habitée par de nouvelles personnes, qui l'ont orienté vers les étables du manoir pour y parler avec l'agronome en chef du kolkhoze. Là-bas, Parts a rejoué l'histoire de celui qui passait par là par hasard, il a raconté qu'il cherchait quelqu'un qui avait côtoyé sa maman avant son décès, il aurait voulu entendre parler des derniers instants de sa maman. L'agronome s'est souvenu des précédents habitants de la distillerie, et il se rappelait que l'une des femmes habitait maintenant une nouvelle maison en silicate au centre du village, chez sa fille qui était la comptable du kolkhoze. Quand Parts a frappé à la porte en question, la femme s'est montrée méfiante. Mais lorsqu'il a évoqué ses années en Sibérie, elle a fini par se souvenir de Rosalie : elle a fait part de son étonnement devant le comportement du fiancé de celle-ci, qui s'était enfui en Suède mais n'avait jamais daigné envoyer le moindre paquet à sa vieille mère. Elle a ajouté que l'époque, bien sûr, était comme ça. Parts n'a rien pu en tirer de plus, rien d'autre que ce récit du destin de Roland que maman et Leonida avaient inventé, soit pour cacher son lieu de résidence, soit parce que son histoire n'était pas convenable.

Parts s'est aussi rendu à Valga, cherchant d'anciens voisins et arrangeant des rencontres fortuites au marché. Autour d'un verre de bière, il a conduit la conversation sur les disparus, déplorant de ne pas avoir le temps, ce jour-là, d'aller voir son cousin, qui avait souvent rendu visite à la femme de ce vieux camarade avant le retour de Parts en Estonie. Le voisin a essayé de se remémorer les invités de sa femme. Après avoir froncé les sourcils un instant, il a exprimé ses regrets, il ne se rappelait pas de cousin, pas un seul des invités, si tant est qu'il en fût venu. Sa femme était plutôt solitaire, paraît-il. Parts l'a cru et il a écrasé son sentiment de frustration comme un cafard ; il avait déjà perdu assez de temps, il fallait délaisser les voies secondaires pour revenir à la mission principale avec professionnalisme.

Cependant, il continue de surveiller sa femme, analysant ses réactions chaque fois qu'il rentre à la maison ; il repasse dans sa tête leurs années à Valga, les ressorts du divan, les souricières aux quatre coins de la pièce, les cris du nourrisson des voisins, les nuits troublées par les bruits intimes qui traversaient les murs, et les gestes fluides avec lesquels sa femme allumait le poêle et lavait les bouteilles de lait avant de les rapporter au magasin. Il se rappelle l'épouse de l'entrepreneur d'autobus qui possédait la maison à l'origine, l'air soumis et les robes démodées de celle-ci ; il revoit sa femme qui s'excusait toujours pour le dérangement quand elle se trouvait dans la cuisine commune avec l'autre, sa femme qui montrait qu'elle était consciente d'être une étrangère dans cette maison où ils étaient les seuls Estoniens. Mais il ne se rappelle rien de suspect. Elle ne tient pas à aller chercher le courrier, on ne la demande jamais au téléphone, elle ne voit jamais personne et ne reçoit pas de visites, elle reste à la maison.

On garde le silence sur les années du régime allemand, à l'exception du petit épisode où Parts a appris le sort de Hellmuth Hertz. Un soir, quelques mois après son retour en Estonie, il a trouvé sa femme à la maison, avec une bouteille d'alcool et une bougie allumée. Quand il a demandé la raison de cette célébration, elle a déclaré que c'était l'anniversaire de son amant allemand. Il a voulu savoir ce qu'était devenu cet Allemand et elle a répondu qu'il avait été abattu d'une balle dans la poitrine, comme un chien. Elle s'exprimait comme si c'était une évidence. Comme si Parts était au courant de ses aventures, et il a donné le change, comme s'il savait aussi que, lorsqu'ils avaient été arrêtés pendant leur fuite, elle avait tiré sur tous les Allemands qui les poursuivaient, mais elle tirait mal, elle manquait d'adresse, aussi n'avait-elle pas pu sauver son Allemand. Elle a ri, versé le verre d'alcool dans son gosier, secoué la tête, elle aurait voulu tous les tuer. Parts s'est remémoré le geste de l'Allemand qui avait caressé l'oreille de sa femme. Ce geste ne lui faisait plus d'effet, restait une certaine nostalgie, et Parts s'est levé, il est sorti. Il a marché toute la nuit pour ne rentrer qu'au matin. Quand elle s'est réveillée, sa femme avait oublié tout ce qu'elle avait dit la veille. Il n'a plus jamais été question de l'Allemand. Par la suite, bien sûr, il s'est demandé si elle n'avait pas été un peu trop douce pour quelqu'un qui a perdu son amant et sa nouvelle vie ; mais il a estimé que le temps avait fait son œuvre. Lui-même ne pleure plus après Danzig. Il a été capable d'aller de l'avant. Et Roland ? Le temps lui a-t-il aussi rafraîchi la mémoire ? Parts se rappelle nettement que, pour hisser la faucille et le marteau sur le mât du Grand-Hermann, le 22 septembre 1944, le drapeau qu'on a baissé n'était pas celui de Hitler, mais celui de l'Estonie. Cinq jours d'indépendance. Cinq jours de liberté. Parts a vu de ses yeux flotter le drapeau – mais il n'est pas question de mentionner cela dans son manuscrit, naturellement, puisque c'est l'Union soviétique qui a libéré l'Estonie des hitlériens. Et Roland ? A-t-il vu ce même spectacle ? Et, si oui, aura-t-il su s'en distancier ?

Le bruit des pas à l'étage interrompt de nouveau ses réflexions. Peut-être le Bureau ne soupçonne-t-il pas qu'il est disposé à placer sa femme quelque part où elle ne fera de mal à personne. Mais non. Ils sont sûrement au courant de la situation. La technologie d'écoute a sûrement été utilisée aussi chez eux – et elle l'est toujours, vraisemblablement. Chaque pique lancée au visage de l'autre est enregistrée, y compris la crise où elle lui a littéralement jeté des pots de crème aigre en pleine figure. Il a nettoyé la pagaille. Il ferme les yeux. Et si elle avait été recrutée pour le surveiller ?

Ayant rouvert les paupières, Parts va dans la salle de bains, où il renforce son sang avec une nouvelle gorgée d'Hematogen, se rince le visage et, après s'être tamponné la peau pour se sécher, retire de ses joues les peluches du tissu éponge. Il a une mine fatiguée, la racine des cheveux qui recule. Parts prend le mascara de sa femme, crache sur la brosse comme il l'a vue faire, et il s'en badigeonne les tempes. Il rince les pellicules tombées dans le lavabo et observe le résultat dans le miroir. Le fard a rafraîchi son apparence. La cicatrice causée par sa femme s'estompe rapidement sur la joue. Il n'y a pas de quoi s'inquiéter si la piste qu'il explore à son sujet n'aboutit pas. Parfois, une impasse constitue un résultat valable, il arrive que les soupçons soient simplement infondés, peut-être que Parts n'a pas besoin de fermer à clef la porte de son bureau avant d'aller se coucher. En revenant vers sa table de travail, il observe la souricière placée dans le coin de l'entrée. Sa femme n'a personne pour qui se faire du souci, alors pourquoi va-t-elle toujours régulièrement les vérifier, elle qui a toujours la flemme de gérer les affaires de la vie quotidienne ?

Tallinn
RSS d'Estonie, Union soviétique

Le nuage de fumée qui plane au-dessus de la table est si dense qu'Evelin ne distingue pas le visage des hommes qui se présentent à elle. L'un a une barbe hirsute, trois filles portent des pantalons, l'une a une frange démesurée, Evelin oublie le nom de chaque personne aussitôt les présentations faites et, avant même de s'être assise comme il faut, la voici au cœur de la conversation : les Lituaniens ont au Kremlin un homme qui s'y connaît, il sait louvoyer, sans excès, nous devrions prendre exemple sur la Lituanie et – le plus important – les Lituaniens n'ont pas de problème russe, eux, en tout cas pas comme nous… Comment s'y sont-ils pris ? Qu'ont-ils fait, au juste ? Il n'y a que des Polonais qui affluent en Lituanie, rien que des Polonais, vous vous rendez compte !

« Nous n'avons pas tué assez de Russes, voilà la raison. Y a pas un Russe qui oserait encore se pointer en Lituanie.

– Et toutes ces nouvelles usines… Ils n'y embauchent que des Lituaniens, pas de Russes. Pourquoi ça ne marcherait pas chez nous ?

– Si nous imitons la Lituanie, notre situation pourra changer. Que tous les jeunes s'engagent au parti, exactement comme en Lituanie !

– Comme en Lituanie.

– C'est la seule façon d'obtenir des avantages pour notre pays, la seule façon.

– La seule façon, répète la tablée dans un soupir. La seule façon. »

Evelin reste silencieuse, elle n'a rien à dire. Les doigts de Rein se sont détachés des siens, ils se balancent au-dessus de la table au rythme des paroles enthousiastes. Quelques heures plus tôt, il posait ses lèvres sur leurs mains jointes, place de la Victoire, et il soufflait de l'air dans le creux de leurs paumes, disant que là-dedans reposait leur petit cœur commun, qui serait toujours plein de chaleur et d'amour. La bonne humeur de Rein soufflait dans les cheveux d'Evelin comme le vent froid de la Saint-Jean à Pirita, elle a rectifié les boucles avec ses mains, ils ont ri et Rein l'a invitée à venir voir ses amis au café Moskova. Evelin a regardé la porte de verre du café, à un jet de caillou. Elle allait passer la soirée là-bas. Pour la simple raison qu'elle avait écrit à sa mère que Rein viendrait en visite cet été après les examens. Quand elle lui a annoncé cela, Rein s'est arrêté net, et elle a eu la conviction qu'elle avait bien fait. Rien ne pourra plus aller de travers. Après cela, elle n'aura plus jamais besoin de le convaincre qu'elle l'aime, qu'elle est sérieuse et qu'elle ne joue pas avec ses sentiments, qu'elle ne le taquine pas : elle sera toujours à lui. Il lui parlera des mêmes choses qu'à ses amis, il évoquera les livres reproduits sur microfilms que l'homme à lunettes tire sur papier dans une chambre noire au sous-sol de sa maison grise. Elle va trouver le temps de préparer les affaires domestiques pour garantir le bon déroulement de la visite de Rein, c'est obligé, elle va y arriver. Pendant les foins, avec un peu de chance, le père n'aura pas le temps de picoler, on pourra placer la grand-mère en visite chez des parents ; la mère donnera un coup de main, elle comprendra sûrement qu'il n'est pas bon pour un jeune couple d'être séparé tout l'été. À présent, Evelin est au café Moskova dans son meilleur chemisier, mais elle ne sait que dire, bien qu'elle cherche éperdument quelque chose à exprimer. Les paroles prononcées autour de la table lui sont étrangères, elle n'aime pas cette façon qu'ils ont de baisser la voix en se donnant un air mystérieux. Une sensation oppressante lui monte à la gorge et elle tire Rein par la manche. Elle veut rentrer à la maison.

« Mais pourquoi ? La soirée ne fait que commencer !

– Je me sens mal.

– Quand même pas à cause du cognac ?

– Comme ça, pardon. »

Elle s'en va dans l'escalier, raccompagnée par Rein, et jette un coup d'œil en coin à l'homme dont on parlait à la table. *KGB**. Bien sûr. Bon Dieu, ces gens-là sont fous, leurs discours sont délirants. Il est fou, son Rein. Fou à lier. Elle aurait dû le savoir, le deviner, vu toutes les précautions qu'il prend, toutes ses cachotteries. Tandis qu'elle passe devant la table de l'homme du KGB, celui-ci remue une pile de papiers et ne lève pas la tête vers elle bien que ses mains frôlent la nappe, faisant tomber par terre un emballage de truffe froissé. Evelin distingue des pellicules sur les épaules du type, sa raie bien nette et son cuir chevelu, le nez luisant, les pores, une petite cicatrice, elle a le vertige et elle serre la main de Rein, qui est sèche : il est insouciant, accoutumé à ce que le KGB monte la garde pendant leurs soirées. Fous. Fous à lier. Elle imagine la tête épouvantée que ferait sa mère si elle savait en quelle compagnie elle passe son temps.

Sentant de nouveau le sommeil peser sur ses paupières, le camarade Parts décide d'aller se rincer le visage dans les toilettes pendant que l'Objet raccompagne sa fiancée pâlotte. Il aura bien le temps : la consolation devrait durer un moment. Il n'avait encore jamais vu cette fille-là au café, mais le comportement de l'Objet révèle tout de suite qu'il s'agit d'une fille qu'il serait susceptible de présenter à ses parents et de mener devant l'autel, tandis que les autres greluches du café sont d'un monde différent. Cette fille-là s'est faite belle pour la soirée, elle prend soin de ses meilleurs vêtements comme une fille de famille pauvre qui sait qu'elle n'aura pas de nouvelle robe avant l'année prochaine, et sa posture est un peu tendue, son air craintif, elle a sûrement de grandes espérances. Parts est certain que l'Objet n'aura pas la patience de la raccompagner chez elle – alors qu'il le devrait, sinon n'importe quelle fiancée serait piquée au vif, à sa place –, car cette fille est de cette sorte de petites amies qui sont toujours prêtes à pardonner, tandis que l'Objet, de son côté, est de cette catégorie de jeunes hommes qui savent bien que ce pardon est intarissable. Ces couples-là offrent très peu de surprise, ils sont tous pareils. Ce n'est qu'une question de temps pour que l'Objet embarque cette fille dans ses sottises.

Au moment où Parts ouvre la porte des toilettes en prenant une profonde inspiration pour être capable de retenir son souffle le plus longtemps possible à cause de la puanteur qui règne à l'intérieur, son oreille capte un mot. Deux gringalets appartenant à la bande de l'Objet se querellent dans un coin des sanitaires rendus glissants par les tuyaux qui fuient. Ils cessent de parler dès qu'il entre. Mais trois mots suivis d'une phrase ont déjà atteint son tympan ; bien qu'il commence à bouillonner en son for intérieur, il va au lavabo comme si de rien n'était, tourne le robinet, attend que l'eau coule dans la vasque, puis il se sèche les mains, se tapote le visage et passe dans une cabine. Il ferme la porte et s'y appuie. Le verrou est cassé. Les gringalets ressortent. Tête de chou. Il ne s'est pas trompé. L'un des étudiants a dit clairement que le nouveau recueil de Tête de chou est déjà sorti à l'Ouest et que ses poèmes y ont soulevé un formidable intérêt.

Parts scrute les graffitis de la cabine, ribambelles de lettres, obscénités et slogans contre-révolutionnaires, il reconnaît quelques écritures et compatit avec ses collègues qui traquent les scribouilleurs de latrines. Il ne partage pas leur sort et il ne le partagera jamais, la crainte d'un tel avenir vient de s'évaporer en un instant : Parts se sent de nouveau sur les rails. Il sort de la cabine, se rince encore une fois la figure et lance un rouble à la gardienne des WC, dont il enregistre le visage sans se prononcer sur une éventuelle collaboration avec cette bonne femme. Peut-être. Est-il possible que Tête de chou soit assez bête pour utiliser toujours le même nom ? Ou bien s'agit-il d'un successeur du Tête de chou d'origine ? Le cas échéant, cet émule saura sûrement quelque chose sur son prédécesseur. Parts va tirer cela au clair. En retournant dans la salle, il a envie de sourire et chaque pas renforce l'enthousiasme avec lequel il va désormais poursuivre sa mission au café Moskova. Il n'a plus qu'à se fier au vieil adage selon lequel la lie finit toujours par retourner au fond.

TALLINN
RSS d'Estonie, Union soviétique

La gardienne des WC s'avère une mauvaise pioche : cette vieille dame est croyante et, si elle ne l'était pas aussi authentiquement, elle ne surveillerait pas des sanitaires. Au foyer, en revanche, le camarade Parts tire une bonne carte. Il rencontre sa nouvelle informatrice dans le parc Glehn, situé à proximité des foyers. Le contact arrive en chancelant, se plaignant de ses jambes. Parts l'écoute poliment en rongeant son frein et s'empresse d'en venir au fait. Inutile de chercher à feindre l'amitié, car voici que la gardienne du foyer a fait preuve d'un élan surprenant de zèle et de patriotisme : en plus de ramasser les lettres, elle a recopié d'une minutieuse écriture noire les télégrammes adressés à l'Objet. Parts se confond en remerciements et promet de lui rendre dans une semaine cette liasse qu'il glisse dans sa serviette, puis il laisse son contact se reposer les jambes et les Russes passer la journée dans l'ombre des buissons, déballer des œufs durs de leurs papiers journaux et grignoter de la ciboulette, il laisse les étudiants réviser leurs examens et les couples faire l'amour dans les ruines du château de Glehn. Jamais le Bureau ne lui montrerait les copies des lettres reçues par l'Objet, tout au plus des morceaux choisis, tapés à la machine, de crainte qu'il se lance dans un échange épistolaire en usurpant l'identité de l'Objet, ce qui ne relève pas de sa présente mission. Dans la liasse, il n'y a que quelques lettres, et Parts n'ose pas espérer qu'elles parleront de Tête de chou, il ne croit pas que la fiancée en sache tant, mais deux ou trois pages seront suffisantes à des fins graphologiques, et peut-être trouvera-t-il autre chose d'utile. À l'aide des échantillons d'écriture, il pourra fabriquer des preuves ou faire sortir Tête de chou de sa tanière.

Chez lui, en passant la porte, il trébuche sur le monceau de chaussures de sa femme. Les souliers sont déformés à l'endroit des durillons, il est impossible de lui trouver des modèles d'hiver, et en été elle se débrouille avec des chaussures à bride. Chaque fois qu'elle masse ses pieds endoloris dans l'entrée, elle veut savoir quand ils iront dans les magasins spéciaux de Toompea : « Dans une prochaine vie ? » Et elle se moque de son mari qui, malgré ses beaux discours, ne cesse de donner des signes de déchéance professionnelle, et qui n'aura jamais de hachis sans viande de rat. Parts détache de ses pantoufles une sandale qui s'y est accrochée et la jette dans un coin. Elle a raison. Il va falloir redresser la barre avant qu'il soit trop tard. En dernier recours, il pourrait se procurer des sels de bismuth et les glisser dans les enveloppes. Le laboratoire du Bureau les trouvera ; s'il a bonne mémoire, l'espionnage d'Amérique utilise des procédés analogues.

Faisant abstraction des bruits de pas à l'étage, Parts allume la cuisinière et attend que l'eau entre en ébullition. Les télégrammes ne contiennent rien de très intéressant : la fiancée de l'Objet raconte seulement ses petites histoires. Le contact a aussi dressé la liste des visiteurs, et elle a agrémenté sa liste de quelques mentions qui sont autant d'indices d'activités suspectes, à son goût, comme les tenues vestimentaires douteuses. Stérile, cela aussi. Rien sur Tête de chou. Parts caresse l'adresse de l'expéditrice sur l'enveloppe : *Evelin Kask, village de Tooru.* L'écriture est ronde, précise, la pointe a appuyé le papier avec modération, sans excès, l'encre n'a pas fait de taches et les lettres sont bien équilibrées au sein des mots. Une écriture de fille sage. Décachetée à la vapeur, l'enveloppe déverse des tranches de vie et des commentaires enfantins : « Je révise assidûment pour les examens et tout le monde attend ta visite avec impatience, même la voisine Liisa. Ma mère a tenu à t'envoyer une carte d'anniversaire séparée, mais je dois te mettre en garde contre ma grand-mère, elle est un peu bizarre. En ce moment, elle est assise de l'autre côté de la table et elle me pose beaucoup de questions sur toi. » Sur la carte en question, il y a des roses ; Parts la jette sur la table. La lettre est pleine de verbiages assommants ; il n'arrive pas à croire que même une gourdasse comme la fiancée de l'Objet veuille ennuyer son fiancé avec d'interminables tableaux rustiques ou de futiles ragots de village. Un langage secret, sans aucun doute ; pour le décrypter, il faudrait un plus grand nombre de lettres. Il se trame quelque chose, mais quoi ? Et quel est le rôle de Tête de chou ? Si Parts parvient à mettre la main sur lui avant le Bureau, et il s'agit de la même personne que le poète mentionné dans le journal intime, saura-t-il lui faire cracher l'identité du Cœur ?

L'eau de la casserole s'est évaporée. Parts éteint les lumières et va à la fenêtre. Derrière la vitre, le houblon et l'arbre mort se sont fondus dans une obscurité de plomb. Il évolue en eaux troubles. Ouvrir les lettres n'est pas de son ressort, il n'a pas à connaître le personnage dans sa totalité, il lui appartient seulement de jouer son rôle, sans dépasser les bornes. Peut-être qu'on est en train d'écrire un rapport sur lui, que de nouvelles photos sont collées sur le carton, des données personnelles sont notées, son dossier s'épaissit, peut-être qu'on réfléchit aux meilleurs procédés à adopter sur la base du profil dressé par le dossier ; le contrôle PK est déjà en vigueur, bien sûr, de même que la technologie d'écoute. Il se souvient du cheveu qu'il laissait entre ses papiers et qui en a disparu pendant son absence. Peut-être a-t-il soupçonné sa femme à tort. Ou peut-être qu'il se fait des idées. Après avoir allumé les lumières, Parts tend la main vers la tartine de hareng, mais il la rabaisse. Le poisson vient du pot de la veille. Dans le réfrigérateur, il trouve une conserve intacte et, dans la boîte à pain, une miche de blé achetée le jour même, encore entière. Plus d'erreurs.

Parts retourne aux matériaux fournis par son contact, pour y chercher une fois de plus des motifs récurrents, des indices de codes. Il ne peut retenir sa frustration : si ça se trouve, les mots idiots de cette idiote ne sont que des mots idiots. Parts mordille pensivement un bout de hareng et le suçote un moment. Tandis que la colère lui monte à la tête, voici que ses yeux se posent sur un buvard parsemé d'encre rose qui accompagnait la lettre dans l'enveloppe, replié pour protéger des fleurs séchées. Un nom s'y est imprimé à l'envers : Dolores Vaik. Il croit rêver, mais non, il est bien éveillé. Il ramasse la carte d'anniversaire. Le nom de l'expéditrice était Marta Kask. Parts entend le souffle lointain de sa respiration, la salive s'accumule dans sa bouche… La fille de Dolores Vaik s'appelait Marta. Lentement, Parts dispose devant lui le buvard, l'enveloppe et la carte d'anniversaire, et il forme des phrases dans sa tête, lentement, très lentement. La fiancée de l'Objet vit à la campagne chez ses parents… À la campagne, elle a écrit une lettre, elle a utilisé un buvard… Ce même buvard a servi à quelqu'un d'autre : soit Dolores Vaik en personne, soit quelqu'un qui parle d'elle, mais plus vraisemblablement elle-même… Selon la lettre d'Evelin Kask, Mme Vaik habite chez Marta Kask ; la fille de Mme Vaik s'appelle Marta et la fille de Marta Kask se trouve être la fiancée de son Objet. Est-ce le Bureau, en fait, qui lui a servi cette fiancée sur un plateau ? Est-ce possible ? Ont-ils fait cela parce qu'il connaissait Marta et Mme Vaik ? Non, c'est trop compliqué, impossible, invraisemblable : comment le Bureau saurait-il qu'ils se connaissaient ? Et le cas échéant, pourquoi s'en soucierait-il ? Pourtant, ce serait logique. Mme Vaik est restée en Estonie pendant que Lydia Bartels partait chez les Allemands, elle a travaillé au cabinet vétérinaire et a participé à des activités illégales : Parts savait déjà tout cela. De toute évidence les faits et gestes de Mme Vaik étaient surveillés, du moins à un moment donné, soit parce qu'elle avait un contact avec l'Allemagne, soit à cause des émigrants et des illégaux, car elle connaissait trop de personnes dangereuses pour la sécurité d'État – mais pourquoi le Bureau offrirait-il à Parts un proche parent d'une telle personne ? Ou bien s'agit-il de Parts lui-même ? Les organes expérimentent-ils sur lui une nouvelle forme de méthodes préventives ? Singulier. Très singulier.

Parts se souvient bien de Marta Kask. Quand elle est restée veuve, Mme Vaik et Marta ont gagné leur vie en donnant un coup de main au salon de Lydia Bartels. Parts a souvent dû attendre les Allemands dans la cuisine de Bartels, quand ils voulaient absolument aller à ses séances. Marta leur servait à manger, à eux et au chauffeur, les Allemands lui faisaient des clins d'œil en partant, elle déployait ses longs cheveux blonds comme les blés et repoussait leurs avances. Le trafic au salon était continu, Bartels était devenue une personne de confiance des officiers entichés de spiritisme. Parts remarque à peine le tambourinement qui recommence à l'étage. Il essaie d'imaginer des arguments contradictoires, de se persuader que ce pourrait être une pure coïncidence. Il doit se renseigner sur le parcours ultérieur de Mme Vaik et de Marta : la réponse pourrait se trouver là. Il essaie de modérer son imagination, l'heure n'est pas aux fantaisies, il fait un effort. Karl Andrusson. Les annonces passées dans le journal *La Patrie* ont porté leurs fruits : elles lui ont permis de recevoir une lettre de Karl, et celui-ci, dans sa missive ornée de timbres canadiens, s'est félicité que Mme Vaik lui eût soigné le pied avec tant de savoir-faire. Entre des mains moins compétentes, il aurait dû dire adieu à sa carrière d'aviateur.

Parts ouvre son tiroir à courrier pour en sortir la liasse du Canada. Karl collait toujours une multitude de timbres sur les enveloppes, parce qu'il était conscient de la forte valeur de change que les timbres occidentaux avaient ici auprès des philatélistes.

Le camarade Parts trempe sa plume dans l'encrier.

Village de Tooru
RSS d'Estonie, Union soviétique

Le père est couché sur le gazon automnal, la bave au coin des lèvres. Dans la poche de son pantalon, il a un pistolet, Evelin le sait. Elle laisse son papa et va franchir le seuil. Il n'utiliserait pas son arme, pas pour de vrai. Riksi, qui lui tournait autour depuis l'arrêt d'autocar, file dans la cuisine ; la mère s'empresse de venir à sa rencontre, suivie de la grand-mère ; la chaleur de la cuisine forme de la vapeur, on entre, on entre vite, la table se couvre de café de céréales et de brioche toute chaude, le tisonnier remue, l'arôme du gratin de semoule s'insinue dans le nez d'Evelin par-dessus les autres odeurs lorsque la mère le sort du poêle tout en demandant des nouvelles. Evelin oriente la conversation vers les événements du village, car elle ne veut pas qu'on lui pose des questions sur Rein. La mère parle avec enthousiasme de la voisine Liisa, qui a reçu une lettre d'Australie de la part de son fils, alors qu'elle était sûre qu'il était mort, vingt ans qu'elle n'avait aucune nouvelle, et voilà qu'arrive une lettre ! Il y a joint un foulard de gaze, et il en enverra d'autres, il sait qu'on pourrait en tirer beaucoup d'argent par ici, c'est facile à envoyer, et Liisa est si fière, folle de joie, elle a répété pendant des semaines « mon fils est vivant ! » comme pour se convaincre que ce n'était pas un rêve. Evelin fait mine d'écouter, elle la laisse continuer, la grand-mère l'accompagne à la carde, et Evelin ponctue tout cela de sons affirmatifs tout en pensant à Rein et en rectifiant les boucles sur sa nuque. Sa mère, ses grands-parents et son père ont les cheveux raides, ceux du père sont comme du crin : pourquoi est-elle devenue ce caprice de la nature ? La fille aux blanches cuisses a les cheveux blonds et épais, Rein aime cela sûrement davantage.

Après la soirée au Moskova, ils se sont vus plus rarement ; Rein l'a traitée de poltronne, il s'est moqué de sa frayeur, puis il l'a assurée que ce n'était pas grave, que tout allait bien, mais ce n'était pas le cas. Il ne l'a plus invitée à l'accompagner, ni au café ni à la maison de l'homme à lunettes. Il était naturel de repousser la visite chez les parents d'Evelin, Rein étant toujours très occupé. Ç'a été un soulagement. Quand Evelin a quitté la campagne début septembre pour retourner à la capitale, la tension causée par la soirée au café Moskova s'était apaisée, on aurait presque dit qu'elle n'avait jamais existé, et Rein n'avait pas oublié Evelin pendant l'été, il l'a emmenée tout de suite au cinéma et au bal. Il sentait l'alcool de la veille et l'anguille fumée. Evelin devinait bien en quelle compagnie il avait festoyé, mais elle n'a pas pu résister lorsqu'il a redemandé quand il pourrait rencontrer ses parents. Ils ont envisagé l'époque de Noël ; Evelin va devoir recommencer les préparatifs. À présent, la vieille terreur ressurgit. Comment pourra-t-elle amener Rein ici ?

« Demain on teille le lin, dit la mère. Liisa a promis de nous rendre service. Et donne un coup de main pour ton père, il faut l'amener à l'intérieur.

– Laisse-le vautré là-bas. Il s'est encore fait payer en alcool ? Ça y est, le toit est réparé ?

– Evelin, je t'en prie ! »

Il faudra bientôt procéder aux abattages de Noël et, avant cela, à d'autres travaux d'automne. Au village, il n'y a pas assez d'hommes en âge de travailler, le père s'occupe de tout, il se fait payer en alcool, puis il disparaît pour de longues nuits chez la femme de la grosse légume du parti, sous prétexte de réparer tout et n'importe quoi chaque fois que le mari n'est pas à la maison, et il rentre toujours beurré. Il fera boire Rein, et que se passera-t-il alors ? Le pénible dîner résonne déjà dans la tête d'Evelin : l'ivresse du père, les conversations simplistes de la mère sur les veaux et le lin, sur l'enfance d'Evelin et ses petits agneaux préférés, sur la petite Evelin qui voulait toujours voir comment l'eau se mettait à bouillonner autour du lin mis à rouir… Elle jette un coup d'œil à sa grand-mère qui manie la carde dans un coin de la pièce. Où l'enverra-t-on, la grand-mère, pendant la visite de Rein ? Impossible de la mettre ailleurs pour Noël. Evelin a entendu bavarder ses parents, et tous deux étaient d'accord pour dire que la grand-mère n'était plus en état de voyager ; pour une fois, Evelin est du même avis que le paternel. Elle ne veut plus recevoir sa grand-mère à Tallinn, elle n'en veut plus depuis qu'elle a fait la connaissance de Rein. En revanche, si les parents viennent la voir et rencontrent son petit ami, celui-ci n'insistera peut-être plus pour venir ici – mais ils vont invoquer les animaux, la ferme, on ne peut pas les laisser sans surveillance, et le village est plein de voleurs. Rein serait-il satisfait si la mère venait seule ? Pendant ce temps, le père pourrait s'occuper des veaux et des poules. Elle abordera le sujet quand l'occasion se présentera, pas maintenant, elle ne veut pas que sa mère lui demande comment ils vont, comment ça se passe avec Rein, ce qu'il fabrique… Comment répondre sans mentir ? Pourquoi Rein est-il impliqué dans tout cela ? Et si quelqu'un l'apprenait ? S'il était expulsé de l'université, il se retrouverait à l'armée et resterait absent pendant des années. S'en rend-il compte ? Comment peut-il être aussi indifférent ? Ou aussi égoïste ? Que deviendraient leurs beaux draps, les cactus sur la fenêtre, l'armoire vernie ? Et si Rein était passible de prison ? Evelin ne se voit pas l'attendre derrière les murailles de Patarei, ni courir après des bouteilles de Vana Tallinn pour les lui envoyer sous les drapeaux. Elle se rappelle Jaan, rentré chez lui dans un cercueil en zinc : il avait été recalé aux examens à deux reprises, il ne s'était pas présenté devant la commission de rattrapage, et il s'était retrouvé à l'armée. Rein est fou, il joue avec le feu.

Evelin est mal tombée, elle aurait mieux fait de s'intéresser à l'élève-ingénieur polonais qui voulait une épouse d'Estonie – il l'avait dit franchement. Il étudiait dur, et il n'était pas du tout comme Rein, qui refusait d'appeler la place de la Victoire « place de la Victoire » parce qu'il ne voulait pas employer des noms communistes. Ou elle aurait dû aller avec Meelis, qui l'avait invitée à danser, en première année, mais elle l'avait dédaigné, elle lorgnait alors les garçons plus âgés, comme toutes les bizuthes, les aînés semblaient plus sages et Meelis avait l'air simplet : au milieu d'une soirée sympa, il disait toujours qu'il voulait seulement dormir entre des draps blancs et propres, rien d'autre, voilà ce qu'il disait toujours. Meelis avait grandi en Sibérie. Les draps blancs et propres lui suffisaient, mais pas à Evelin… Et où cette avidité l'a-t-elle conduite ?

La mère tousse et se tient les côtes. C'est en voie de guérison, elle n'a mal qu'en toussant ou en respirant trop fort. Evelin promet de faire tous les travaux d'étable du week-end, mais la mère n'est pas d'accord. Elle affirme que les études sont plus importantes, plus que tout, et le père est du même avis : le plus important, c'est qu'Evelin soit sortie du kolkhoze ; et quand on aura peigné le lin, la mère lui fera un nouveau gilet dans lequel elle se sentira bien pour étudier, même en hiver, elle n'aura pas froid. À la demande d'Evelin, elle laissera les manches suffisamment longues et amples, même si la raison de ce souhait n'a pas été avouée : c'est plus pratique pour dissimuler les antisèches. Les examens d'été se sont bien passés, les oraux aussi, y compris l'histoire du parti, l'amélioration de la performance des outils et les perspectives d'augmentation du rendement. Evelin a eu le temps de faire le tour des quatre-vingts questions posées par le professeur et elle a rédigé des notes sur cette base, pour elle et pour Rein. De temps en temps, elle allait réviser à la campagne puis elle revenait en ville, elle allait bachoter chaque jour dans le parc Glehn. Les exhibitionnistes étaient le fléau du parc, de même que les freluquets en provenance du centre-ville en quête de compagnie et les couples venus là pour roucouler. Elle était la seule qu'ils ne dérangeraient pas ; sur les bancs du café, à côté des mares artificielles, d'autres femmes seules s'étaient rassemblées pour lire et prendre le soleil. Elle a fait connaissance avec l'une d'elles, qui avait trop de provisions à manger pour elle seule et qui lui avait laissé le reste de ses oranges. L'inconnue l'a même aidée en l'interrogeant sur Marx. C'était plus agréable ainsi, Evelin est restée éveillée, la femme a eu l'amabilité de lui indiquer un coiffeur particulièrement doué pour façonner à l'air chaud les boucles naturelles, le problème des cheveux rebelles ne lui était pas étranger, la femme a ri, mais finalement sa présence est devenue pesante, elle posait trop de questions pour une inconnue, et Evelin a fini par couper court à ses révisions dans le parc Glehn et elle n'est pas allée chez le coiffeur recommandé par la femme, alors qu'elle avait vu comment Rein zieutait les cheveux flamboyants de Blanche-Cuisse.

Après les examens d'été, Evelin a bachoté la physique et la chimie en vue de la rentrée, pour que le changement de discipline ne cause pas trop de souci. La bureautique et la dactylographie se passent bien, mais ces disciplines n'ont pas d'importance pour le livret d'études. Il reste les examens d'histoire du parti, de cas d'analyse économique, de problèmes de méthodologie analytique ; pour la session de janvier, il faudra trouver un bon lieu de révision, ce qui la tracasse déjà. À la bibliothèque, elle s'endort toujours ; dans les foyers, c'est trop bruyant ; l'hiver, on ne peut pas rester dehors. Ou bien il faudrait trouver une matière plus intéressante. Si elle étudiait autre chose ? Les ponts et chaussées, l'arpentage ? Les sciences sociales sont exclues : elle en a sa dose, de Marx. Elle trouvera bien, mais elle a peur pour Rein : il ne s'inquiète pas de cette difficulté à trouver des lieux de révision acceptables. En comptabilité et en programmation, il pourra se débrouiller, il est à l'aise en Malgol et l'examen final ne consiste qu'en la résolution d'un exercice à l'ordinateur ; mais aux oraux, il sera recalé. D'un autre côté, les parents de Rein ont de l'argent, sinon il ne serait pas arrivé jusque-là. Il passe son temps à organiser le défilé des étudiants de novembre, et il en a déjà touché deux mots à Evelin.

TALLINN
RSS d’Estonie, Union soviétique

Dans sa lettre à Karl Andrusson, Parts a envoyé des salutations de Mme Vaik, que sa femme « fréquentait assidûment ». Il a même précisé que Mme Vaik était ravie d’apprendre que Karl avait pu devenir pilote grâce à elle. Compte tenu du contrôle postal, la réponse arrive exceptionnellement vite, en quelques semaines. Surexcité, Parts déchire les timbres canadiens en ouvrant l’enveloppe et cela ne l’énerve même pas. Karl se réjouit d’avoir des nouvelles de Mme Vaik et il demande son adresse ; depuis que celle-ci a déménagé chez sa sœur, la mère Andrusson a perdu contact avec elle, mais elle a entendu dire que la petite-fille de Mme Vaik étudiait à Tallinn pour devenir directrice de banque.

Parts a donc sa confirmation : pendant tout ce temps, il filait la petite-fille de Mme Vaik. Il n’y a rien d’autre d’important dans la lettre de Karl, seulement des réflexions où il se demande si Mme Vaik a une aussi grande nostalgie de sa région natale que lui, qui en est séparé par l’océan, tandis qu’elle habite tout de même dans son pays. Parts pousse un juron. S’il avait ne fût-ce qu’un semblant de relation avec sa femme, il serait déjà au courant, il n'aurait pas eu à ramer jusqu'au Canada pour pêcher ses informations. Karl Andrusson pourrait avoir aussi des renseignements sur Roland, mais Parts n'a pas osé aller si loin : il est trop tôt pour que le Bureau s'intéresse à Roland. Quant à l'utilisation de pseudonymes, elle risquerait d'éveiller les soupçons de Karl, il commencerait à poser de mauvaises questions. Parts prend une bouchée de Pastilaa et s'essuie les doigts à un mouchoir ; il laisse passer le train qui fait trembler les vitres et ferme les yeux pour mieux voir le tableau, et il ne perd pas de temps à regretter de ne pas avoir consulté Karl plus tôt. De toute évidence, il était aveuglé par son enquête, maladie professionnelle. Plus il y réfléchit, plus il lui paraît invraisemblable que le Bureau l'ait envoyé par hasard en formation et en mission de filature. Son véritable Objet, c'est Kask, ou la famille Kask ; peut-être l'objectif primordial est-il que Parts mette en œuvre les méthodes préventives sur Evelin Kask ou ses parents, voire qu'il la pousse à des confidences. Est-elle vraiment un Objet si important ? Toute cette peine pour une gamine… De quoi est-il question, à plus grande échelle ? Pourquoi cette fille est-elle si importante ? Il y a assez de matériaux compromettants. Pour la convaincre, il suffirait d'insinuer qu'elle serait facilement expulsée de l'université et que la grand-mère pourrait bien vite se retrouver dans un train pour un pays froid. Parts s'interroge. Semer le trouble fait partie des procédés du Bureau et, de fait, ils l'ont troublé, il faut le reconnaître. S'il veut traquer Tête de chou par l'intermédiaire de la fille, il devra être assez prudent pour que le Bureau ne s'en rende pas compte. Mais il est tenté de prendre ce risque, de détourner son regard de l'Objet vers sa petite amie. Ne serait-ce qu'un moment. Le remarquerait-on ?

La fin de l'opération Moskova se profile et cela remonte le moral du camarade Parts, qui prend maintenant Evelin Kask en filature sur Toompea après un cours. Il l'examine d'un œil neuf, avidement, et il sent qu'il est sur une piste. Il flaire une bonne vieille piste, même si la fille a un comportement ordinaire. Les pas de Parts s'adaptent aux pavés, son manteau se fond dans les murailles, il se sent invisible. La fille porte une jupe d'une longueur plus raisonnable que les autres et elle a des gants de printemps blancs de chez Marat, avec lesquels elle tapote et tripote ses cheveux tous les trois pas. Ses talons métalliques glissent sur les pavés ; fatiguée, elle monte dans un autobus pour redescendre en vacillant à un arrêt proche des foyers. Parts garde une distance suffisante, il la laisse monter jusqu'au premier étage d'un immeuble avant de la suivre, il sort de son porte-monnaie une poignée de cartouches vides pour stylo à bille rechargeable, et il laisse la file d'attente croître suffisamment avant de s'y joindre à son tour. La femme assise au comptoir crochète minutieusement les billes des cartouches, place une cartouche vide dans une machine, tourne une manivelle, ainsi de suite, rend les cartouches pleines, encaisse les kopecks. La file d'attente chuchote, murmure, remue ; les étudiants du café n'y sont pas. Tout à coup, le visage de la fille se contracte. Elle tient un sac dans une main, le bras un peu écarté, tendu. Un élève-ingénieur inconnu vient la saluer, puis il s'en va aussitôt. En regardant autour de lui, Parts aperçoit le garçon qui ressort par la porte avec le sac de la fille à la main. Il quitte la file pour suivre le sac, laisse le garçon garder son avance, passer entre les immeubles tranquillement, dépasser une immense colombe de la paix sur une façade, il le laisse attendre à l'arrêt d'autobus un certain temps avant de se mêler à la foule, puis il monte en dernier et descend en dernier. Quand le garçon commence alors à s'écarter de l'avenue pour plonger dans des broussailles, Parts manque de s'emmêler les pieds et il comprend son erreur : il a déjà perdu l'Objet plusieurs fois sur ce même trajet, mais il imputait cela à sa fatigue et à son excès de prudence. Cette fois, il se rend compte que ce n'était pas un hasard. Ces habiles disparitions montrent que l'Objet savait qu'il était suivi. Il était simplement plus malin pour semer ses poursuivants. Ce garçon-ci ne fait pas attention, il marche bruyamment, il jure quand il trébuche ou se pique à des chardons. Parts le voit se faufiler dans une maison grise par la porte de derrière et il note l'heure. Dès lors, il devine que la résidence de l'homme à lunettes où le garçon vient d'entrer est le siège d'activités illégales.

Près du bâtiment, à côté d'un bac à sable aux relents félins, Parts trouve un garçonnet qui joue à la toupie. Celui-ci accepte volontiers un rouble et décline le nom du poète qui habite ici.

Parts s'en va donc à la bibliothèque pour se familiariser avec l'art poétique. Il s'avère que cet auteur a publié des dithyrambes sur l'ascension au pouvoir des travailleurs, pendant les années où Roland maudissait Tête de chou. C'est peut-être une coïncidence, certes. Mais combien y aurait-il de poètes mêlés à des activités illégales qui utilisent le même pseudonyme ?

TALLINN
RSS d'Estonie, Union soviétique

Le lendemain soir, au café Moskova, le camarade Parts dodeline de la tête devant son café, sa petite assiette de truffes et sa salade russe. Sa vigilance est grevée par le travail qui a duré tard dans la nuit et par son initiation à la poésie. Quand son menton se pose sur sa poitrine, Parts se ressaisit et regarde autour de lui. À la tablée de l'Objet se sont joints des étudiants en art avec leur casquette violette, certains sont tête nue, l'une des filles porte une jupe trop courte et elle a l'air de le savoir, car elle marche en tenant une main serrée contre sa cuisse comme si elle hésitait entre allonger le tissu bleu de la jupe ou l'empêcher de remonter plus haut. Au-dessus de l'ourlet couleur de bleuet brille un chemisier blanc – il faudra penser, dans le rapport, à souligner cette propension aux couleurs nationalistes.

Les casquettes violettes sont suivies d'un petit homme brun, dont les cheveux pendent comme ceux d'une femme négligée et dont la barbe dissimule le visage. Parts reconnaît là un auteur de tableaux antisoviétiques de mauvais goût ; le Bureau surveille sûrement les activités de cet homme depuis longtemps.

Rien que par son apparence singeant les modes des pays capitalistes, il respire l'impérialisme. Le pianiste fait de son mieux, le type aux cheveux longs flirte avec deux filles. Un murmure surgit à travers la fumée comme des rayures tranchantes, tirant Parts de sa somnolence. Ses yeux s'écarquillent. Cette mélodie ! Est-elle sortie de sa tête ? De sa bouche ? A-t-il rêvé ? Les mesures de jazz continuent, mais les filles ont cessé de murmurer ; à la table voisine, on oublie de tapoter la cigarette, les cendres tombent sur la table. L'Objet s'est levé. Parts tourne discrètement la tête. Les étudiants ont pivoté pour regarder le pianiste aux poignets souples ; la voisine sourit, son sourire brille, son bras s'est posé sur les épaules de la personne qui l'accompagne, ses lèvres remuent en silence : *saa vabaks Eesti meri, saa vabaks Eesti pind…* Parts cligne des yeux. Le rythme de marche parcourt l'improvisation du pianiste, il se cache et reparaît, se cache et reparaît, se cache et reparaît, et les lèvres de la femme continuent leur chant muet, le barbu aussi s'est levé, de même que les filles qui piaillaient dans ses bras, et bientôt toute la tablée. Parts a le souffle court, il jette un coup d'œil à son collègue à la table du coin. Celui-ci s'est levé aussi, mais dans une posture tendue, prêt à bondir, sa figure circonspecte balaie la salle et rencontre un instant le regard de Parts, et c'est à ce moment qu'un ralentissement se produit dans la marche qui disparaissait et reparaissait tour à tour, et le barbu et l'Objet ouvrent la bouche : *jään sull' truuiks surmani, mul kõige armsam oled sa.* Le collègue de Parts traverse alors la salle comme un courant d'air glacial, il claque le couvercle du piano et se plante devant le barbu à la bouche ouverte, il gesticule, prononce quelques mots et quitte la salle, toujours en trombe. Le pan de son manteau gifle Parts au passage, l'homme a le visage tacheté, les yeux recroquevillés en deux petites fentes. Tandis que le collègue disparaît dans l'escalier, le pianiste rouvre le couvercle du piano et entame son répertoire ordinaire. Pendant ce temps, les amis du barbu le poussent vers l'escalier, tête contre tête, les fronts luisants de sueur, dans un chuchotement à l'écho enragé. Ils ne regardent pas autour d'eux, personne ne les regarde, comme s'ils étaient devenus invisibles, et pourtant la salle entière est houleuse comme la mer avant la tempête. Parts saisit des mots isolés, mais il ne peut pas croire à la conclusion qu'il en tire. Non, le collègue est-il vraiment allé à la table du barbu en bredouillant : « Pour l'amour de Dieu, silence, je suis du KGB ! » ?

Le pianiste est le même le lendemain, ainsi que le jour d'après, et Parts en vient à penser que l'incident n'a pas été rapporté. Cependant, il ne voit pas le collègue dans la salle, un autre l'a remplacé. Le barbu n'est pas revenu. Les matériaux compromettants sont déjà plus abondants que nécessaire. La tablée projette clairement quelque chose en vue du défilé aux flambeaux organisé par les associations d'étudiants ; si c'est bien le cas, l'opération Moskova risque de se terminer soit avant le défilé, soit peu après. Parts se rend compte que le temps presse. Il faut qu'il obtienne une confirmation, tant que la bande est encore libre et accessible, avec tous ses tentacules.

C'est le poète en personne qui ouvre la porte. La maison est aussi grise qu'avant, les vêtements de l'homme se fondent dans les murs et il rajuste ses lunettes, ses yeux se distinguent à peine derrière l'épaisseur des verres. Parts sourit poliment et dit :

« Tête de chou. »

Sans conteste, le moment est excitant. Parts sait que la personne qui se tient sur le seuil ne se doute pas que leurs sentiments, à cet instant, sont vraisemblablement les mêmes. Cet homme se voit offrir une opportunité devant lui, il pourrait être sauvé par de brillants talents d'acteur, par une bonne défense. Au cours de sa vie, Parts a vu de nombreux menteurs capables de mener des combats de haute voltige ; mais ce n'est pas l'un d'eux qu'il a devant lui. La mine du poète s'affaisse sur ses fondations comme l'angle d'une maison vermoulue au moindre coup de hache.

« Nous pourrions échanger quelques mots. Vous n'avez aucune raison de laisser les vieilles histoires gêner votre carrière actuelle. »

Parts marque une petite pause avant de continuer :

« Mais il y a lieu de songer un peu à vos jeunes émules, aussi. Vos écrits d'aujourd'hui n'élèvent pas suffisamment la morale de la jeunesse.

– Ma femme va bientôt rentrer.

– Je serai enchanté de faire sa connaissance. Si nous poursuivions cette conversation à l'intérieur ? »

Le poète capitule.

« Bien sûr, nous ferons en sorte que votre interdiction de publication soit aussi brève que possible, n'est-ce pas ? »

Le poète aura été un cas facile. Beaucoup plus facile que le camarade Parts l'aurait cru. En sortant de la maison, Parts se demande comment cet homme a pu agir illégalement aussi longtemps sous les yeux du parti. Cet écrivain fut un éminent poète soviétique pendant des décennies ; manifestement, le service de propagande – la Glavlit – et tous les bureaux possibles étaient contents de lui ; et pourtant, il ne démordait pas de ses activités clandestines. Tout en composant des odes au parti ! Parts regagne rapidement l'arrêt d'autobus. C'est alors que la fatigue l'assomme et l'oblige à s'accroupir. Le poète était un cas facile parce que Parts avait en sa possession des informations adéquates pour le faire chanter. Mais il n'a rien pour faire chanter sa femme. Le poète lui a livré l'identité du Cœur comme un Junkers sans carburant, mais Parts ne peut pas encore dissiper le doute que Roland a peut-être tout partagé avec elle, absolument tout. Est-ce justement la raison pour laquelle une muraille insurmontable le sépare de son épouse ? Connaissait-elle vraiment, pendant tout ce temps, les motifs qui l'obligeaient à se débarrasser de Roland ? Mais cela a-t-il encore de l'importance ? En même temps, il s'étonne que la confirmation ne lui ait pas assené un plus grand choc. Il s'en étonne, peut-être même qu'il admire sa sérénité. Peut-être aussi a-t-il toujours pressenti tout cela au plus profond de lui, mais peu importe. En même temps, il n'avait pas éprouvé un si grand plaisir depuis bien longtemps. Il se sent maître de la situation, sentiment qu'il avait presque oublié. Comme si sa main avait saisi tout un groupe d'oiseaux en plein vol et qu'ils s'étaient pétrifiés à son contact pour former un mouvement bien net. À la maison, il va retrouver le clavier impatient de l'Optima et son épouse. Le Bureau s'occupera des mesures finales.

Tallinn
RSS d’Estonie, Union soviétique

Tout a foiré. Rein et les trois autres organisateurs du défilé ont été arrêtés. Evelin tremble dans son lit sous la couverture, le silence du foyer pèse de tout son poids sur le plafond, elle entend toujours les cris dans sa tête : « La milice, la milice ! » Evelin ne veut pas quitter sa chambre, elle devine que la cuisine du foyer est remplie de chuchotis. Elle est sans nouvelles, elle ignore où est Rein et elle ne sait pas ce qui va se passer. Ou plutôt, si. Il ne finira pas ses études, mais tout le monde s’en doutait déjà, cela n’a rien d’une surprise. Devrait-elle rentrer à la maison ? Le pourrait-elle ? La milice ira-t-elle la chercher là-bas ? Sera-t-elle expulsée du foyer ? De l’université ? Sa mère ne supporterait pas cela, non, elle ne peut pas rentrer à la maison, elle ne peut pas raconter cela. Comment trouver les mots ? Elle en serait incapable. Rein finira-t-il en prison ou à l’armée ? Ou en prison et à l’armée ? Ou à l’asile de fous ? Evelin se redresse d’un bond, l’asile de fous, bon Dieu, c’est ce qui est arrivé à cet auteur de tracts qui a valu au foyer des garçons d’être fouillé de fond en comble en quête de sa machine à écrire, chaque pièce, les mille lits, les mille penderies. La machine n'a pas été retrouvée, mais le garçon oui, et il a été emmené au 52 Paldiski, après quoi on n'a plus jamais entendu parler de lui. Rein est fou, Evelin avait vu juste, elle est tombée amoureuse d'un fou et elle s'est laissé entraîner par sa folie. Elle a mis en péril sa robe de fin d'études et la chance de devenir l'une de ces étudiantes de dernière année à la casquette usée et au stylo à bille effilé, la chance de devenir ingénieur. Rein et elle ne se reverront plus jamais, ils n'auront pas leurs beaux draps, leurs cactus sur la fenêtre, leur armoire vernie, elle n'aura plus besoin de se demander s'il vaut mieux laisser Rein lui enlever son jupon ou non. Elle aurait dû le laisser faire. Elle aurait dû prendre un garçon du parti. Elle aurait dû écouter celle qui disait que Rein était un mauvais choix, elle aurait dû penser d'abord à elle : je veux un diplôme, je veux une famille, je veux un chez-moi, je veux me marier, je veux un bon travail. Evelin se précipite à son armoire. Il n'y a rien d'accablant, dedans, elle le sait, mais ils ne vont pas tarder à venir fouiller les penderies, les lits et les oreillers. Elle jette ses affaires dans une valise en bois, enfile ses chaussures et sort en courant, elle traverse le couloir jusqu'à l'escalier, on lorgne par les portes des chambres, elle sent les regards sur son corps, ils s'enfoncent comme des épines à travers sa peau, ses pas résonnent à ses oreilles, elle court le long de la palissade vers l'arrêt d'autobus, la palissade derrière laquelle travaillent les prisonniers – Rein y sera-t-il bientôt ? ou elle-même ? –, elle accélère, la valise est lourde, mais elle y arrive, l'effroi la transporte jusqu'à l'autobus numéro 33, qui contient déjà tellement d'ouvriers qu'il n'y a plus de place pour elle, elle monte alors à bord d'un autocar. Celui-ci se remet en route et Evelin s'appuie au baluchon d'une babouchka emballé dans un drap blanc, bagage qui s'en ira en Sibérie comme tous les autres énormes sacs blancs pleins d'affaires achetées en Estonie, que les Russes portent le dos penché vers la gare et la Sibérie, et elle s'en ira là-bas bientôt, elle aussi, on l'emmènera là-bas, le grincement de ses dents est un grincement de rails, ce grincement tend son dos dans une peur qui menace de s'y planter, d'enfoncer son aiguillon dans la chair, mais pas encore, pas encore, d'abord à la maison, elle veut voir sa maison avant qu'ils viennent, car ils viendront, ils viennent toujours. Peut-être l'attendent-ils déjà chez sa mère. Les yeux d'Evelin sont secs, alors qu'ils s'étaient mouillés comme ceux de Rein en contemplant la file de torches tandis que le cortège descendait par la tour Kiek-in-de-Kök. Ils se serraient la main, tout se déroulait calmement et Rein évoquait le soulèvement populaire de la Saint-Georges. Cette nuit-là aussi, les flambeaux des esclaves s'étaient levés dans les ténèbres, mais cela avait abouti à un bain de sang, Evelin aurait dû s'en souvenir. Elle aurait dû s'en souvenir dès qu'elle a entendu Rein en parler, elle aurait dû s'en souvenir au lieu de sourire, quand ils sont partis marcher sur la route de Narva en direction de Kadriorg en chantant *saa vabaks Eesti meri, saa vabaks Eesti pind*, mais elle a souri et a participé à l'acclamation générale comme une imbécile, jusqu'à ce qu'elle entende quelqu'un crier « La milice ! » et la fille qui marchait devant elle a arraché ses chaussures à talons pour s'enfuir en pieds de bas dans une ruelle transversale, et certains sont rentrés chez eux en courant, les flambeaux tombaient par terre, « Les miliciens ! », quelqu'un a poussé un cri, Evelin a lâché la main de Rein et elle ne l'a plus vu nulle part, elle a pris ses jambes à son cou, « Les miliciens ! », elle se précipitait sans savoir où et elle a opté pour l'escalier de Patkuli fermé pour la nuit, elle a fait le mur et s'est blottie sur les marches en attendant que le vacarme se dissipe.

En approchant de l'arrêt qui dessert la ferme, Evelin a compris. Elle ne peut pas infliger à ses parents la honte d'être emmenée de chez eux. Tout le monde verrait cela, tout le village. Elle retourne à Tallinn.

Village de Tooru
RSS d'Estonie, Union soviétique

Le camarade Parts se place au bout de la file d'attente ; les femmes coiffées d'un fichu tournent la tête vers lui. Parts ne connaît personne dans ce village, il n'y a jamais mis les pieds et il n'a pas eu le temps de se préparer mentalement. Tout s'est passé très vite : il s'est soudain trouvé assis dans un véhicule de service à destination de la campagne. Les organes n'ont pas laissé entendre qu'ils fussent au courant que les chemins de Mme Vaik ou Marta avaient déjà croisé celui de Parts, mais il n'a trouvé aucun autre motif à présenter pour s'occuper en personne de cette mesure prophylactique qui, en toute rigueur, ne relève pas de ses attributions. Marta Kask est attendue au village pour la journée de vente, comme tout le monde. Bain de foule. Des hommes portant des sacs de pain pour les vaches sur leur dos voûté. Des bicyclettes chargées de bouteilles de lait vides.

Il reconnaît Marta sans peine.

« Marta ? Toi ici ?! »

Marta sursaute et ses yeux s'écarquillent comme si Parts avait jeté un caillou dans un lac ; à cet instant, l'incertitude de

Parts s'évanouit. Marta ne penserait pas à tirer profit de ce qu'elle sait. Elle ne comprend pas que ces matériaux lui permettraient de marchander, de sauver sa fille : elle pourrait le faire chanter, lui aussi, avec ses relations berlinoises. Elle n'imagine pas la valeur de ce qu'elle sait, bien sûr. Au premier abord, elle lui fait pitié. Mais il se met au travail : il fend la foule jusqu'à elle, s'émerveille devant cette drôle de coïncidence et explique qu'il est de passage pour des affaires relatives à la réforme des enseignants de la république socialiste soviétique d'Estonie, seulement jusqu'au lendemain.

« Ils veulent carrément transférer à Moscou la formation des profs d'histoire, ça m'étonnerait que ça marche, dit-il avec un clin d'œil. Je ne le permettrai pas. On va bien prendre un café ensemble, non ? Quelle bonne surprise, de se retrouver après si longtemps ! »

Parts note que Marta regarde autour d'elle : elle cherche quelqu'un, mais qui ? Il devine qu'elle veut faire passer un message. Comme un galopin qui la connaît accourt auprès d'elle, Parts sort aussitôt trois roubles de sa poche et les glisse dans la main du gosse :

« À la journée de vente, les enfants aussi ont bien le droit de s'offrir des bonbons, non ? Je viendrai inspecter ton école, demain. Va dire à tes professeurs que tout va sûrement bien se passer. »

Le gosse s'éclipse.

« Pourquoi cette mine sombre, Marta ? »

Parts l'observe droit dans les yeux, il enregistre les mouvements de ses pupilles, ses changements d'appui d'une jambe sur l'autre, sa façon de redresser son fichu sur les tempes.

« C'est vraiment une coïncidence, qu'on se tombe dessus de cette façon. Et une chance. En tant que vieil ami de la famille, je dois avouer que nous nous faisons un peu de souci pour votre fille. Evelin, c'est bien ça ?

– Du souci ? Pour Evelin ? s'exclame Marta d'une voix qui se craquelle comme la surface d'un lac gelé.

– Le ministère de l'Éducation est un lieu de travail excellent, qui jouit d'une vue d'ensemble sur tout l'avenir de la patrie. Nous portons une grande attention à l'avenir de notre jeunesse. C'est terriblement ennuyeux, quand une jeune vie emprunte une mauvaise direction. Avez-vous entendu parler du défilé de l'association des étudiants ? »

La question fait sursauter Marta. Ne sachant s'il faut répondre par oui ou par non, elle se tait un peu trop longtemps.

« Evelin est innocente, bien sûr, mais son entourage... Son fiancé a été arrêté. »

Marta paraît chancelante.

« On sera plus à l'aise autour d'un café, pour discuter. »

Parts fait un geste éloquent vers la foule. Marta regarde autour d'elle comme si elle cherchait de l'aide.

« Finissons d'abord les achats, on partira ensuite. »

Marta n'ose pas bouger, Parts la guide vers la file, elle lui obéit comme un agneau. Le boulier sur le comptoir cliquette très vite, il reste quatre pieds de porc, le papier d'emballage bruisse, Marta tire sur son fichu, l'arrange un peu, repousse les boucles en dessous, elles ont séché, une goutte de sueur roule sur sa tempe comme une larme. À côté d'elle, Parts ne bouge pas, il sourit poliment à toutes les personnes qui avancent vers le comptoir. Quelqu'un vient dire à Marta que son mari était le premier à venir faire la queue ce matin. Elle hoche la tête. Parts l'interroge du regard.

« Acheter à manger reste le lot des femmes », dit-elle.

Parts devine ce qu'elle insinue. Son mari est venu chercher de l'alcool le matin et il a oublié le reste. Le même problème partout, dans tous les kolkhozes. Les jours de paye et de marché, le travail n'intéresse plus personne, on oublie même de traire les vaches. Le camarade Parts a repris courage, la situation progresse tranquillement.

Il aide Marta à empiler les pots de crème aigre dans un sac et il la reconduit dehors ; elle chancelle, la bicyclette qu'elle pousse est penchée, le sac tinte, les murs de silicate au centre du village suintent de froid. L'air sent la neige et le gel. L'ambiance est pesante, Parts de bonne humeur. Marta pousse son vélo dans l'allée qui mène à la cour. Des volutes de fumée s'échappent de la cheminée, on entend meugler dans l'étable. Badigeonnés à la chaux, les troncs des pommiers forment des zébrures dans le jardin.

« C'est un peu la pagaille, à l'intérieur, dit Marta. Et si... ?

– Ce n'est pas un souci, chère Marta. »

Marta jette un coup d'œil dans la direction du sauna. Parts s'arrête net. Il se retourne et fonce vers le sauna. Marta lui court après, l'attrape par le bras, par le manteau, il la repousse du pied, la laisse crier derrière et ouvre la porte à la volée. Roland dort sur un banc, les bretelles sur les hanches, la bouche ouverte. Il ronfle.

TALLINN
RSS d'Estonie, Union soviétique

Connu sous le nom de Mark, Roland Simson était devenu Roland Kask ; il vivait modestement et en toute discrétion au village de Tooru. Sa fille, Evelin Kask, étudiait à Tallinn. Qui eût cru que cet homme qui avait tout l'air d'un bon père de famille, il n'y a pas si longtemps, égorgeait sans pitié des nourrissons sous les yeux de leurs mères ? Qui eût cru que les gens qui ont ces tendances-là transmissent leur maladie dangereuse à leur descendance ? Evelin Kask marchait sur les pas de son père : elle était devenue une fervente adepte de l'anticommunisme et de l'impérialisme nationaliste.

Le camarade Parts pose les poignets sur ses genoux. Il en est aux derniers chapitres, le travail avance comme un jeu d'enfant depuis qu'il peut y consacrer ses journées entières. Les photographies sont choisies. Parts en a pioché une en guise de portrait de l'auteur à l'époque fasciste. L'Armée rouge a remarquablement documenté le camp de Klooga dès son arrivée : parmi les prisonniers blessés d'une balle dans le dos, Parts a trouvé le sien. Heureusement pour lui, les mourants et les morts émaciés se ressemblent tous. *Le camarade Parts réchappa à Klooga en se faisant passer pour mort. Il faisait partie de ce convoi de prisonniers composé de courageux citoyens soviétiques qui avaient été emmenés de Patarei pour être assassinés à Klooga. Il assista à d'horribles atrocités, on voulut le forcer à brûler d'autres citoyens soviétiques sur des bûchers et il tenta de s'évader. Il reçut une balle dans le dos et resta grièvement blessé. Si l'Armée rouge avait libéré le camp de Klooga un jour plus tard, il eût été perdu. Grâce à son ingéniosité, il témoigne aujourd'hui contre le chancre fasciste en révélant toute la vérité.* Serait-ce un bon texte de couverture ? La balle dans le dos n'est-elle pas un peu excessive ? Et si quelqu'un réclamait des preuves ? Il pourra encore y réfléchir, le Bureau ne fera plus de commentaires, mais il reste à peaufiner les détails, apporter une pincée de vie, puis l'œuvre sera prête à s'envoler de par le monde. La touche finale lui est venue quand il est retourné se familiariser avec la vie de Tooru : il y a puisé de la couleur locale, estimant les distances, examinant les repères, il a marché jusqu'à un tas de pierres au milieu des champs, d'où l'on a une vue dégagée sur la maison des Kask. Il s'est protégé contre les vipères avec des galoches et des doubles chaussettes de laine. Équipé de jumelles. Il a observé la vie de la ferme pour l'authenticité de ses détails, il a regardé deux femmes avec un fichu sur la tête se livrer aux travaux agricoles.

Parts n'est pas du tout fatigué, malgré la soirée de la veille. Le rendez-vous au Bureau s'est prolongé avec un « déjeuner » interminable, suivi d'une tournée des bars. Ce n'est pas dans les habitudes de Parts, mais une fois n'est pas coutume. Il en a profité pour glisser des insinuations sur ses nouveaux sujets de recherche, en rappelant indirectement l'expérience finlandaise de sa jeunesse afin de laisser entendre qu'il n'aurait aucun mal à se fondre en Finlande ; écrivain et historien de renom, il aura déjà un curriculum parfaitement crédible, le monde académique ne sera pas un problème. Il est temps de planifier l'avenir. Et l'ambassade de l'Union soviétique à Helsinki ? Un poste d'attaché culturel ne lui déplairait pas. Suite au rétablissement de la liaison maritime entre la Finlande et l'Estonie, les ressources du Bureau sont tendues à l'extrême, les organes sont pressés de trouver davantage d'employés opérationnels, de gens fiables : le danger serait donc que le Bureau se repose sur lui pour surveiller les touristes occidentaux à Tallinn et pour élargir le réseau épistolaire en Finlande, au lieu de devenir un agent à implanter là-bas. Mais Parts compte sur la publication de son livre pour éliminer cette éventualité. Pas question de regarder passer les bateaux depuis la côte. Il sera à bord, en personne, en voyage.

Ou bien que dirait-il du Comité soviétique pour les relations culturelles avec les compatriotes à l'étranger ? En *DDR* ? Son allemand est impeccable. Qui sait, s'il allait consulter les archives allemandes, il se pourrait qu'il y trouve des preuves sur un certain Fürst. Jusqu'ici, le nom n'a pas refait surface, mais cela pourrait arriver avant longtemps, soit ici, soit à l'étranger. Voilà qui pourrait être amusant. Parts décide de mettre la main sur quelqu'un dans le premier service du Bureau auquel est subordonné ce comité. Pour glisser une allusion. Car il vaudrait mieux que l'idée de son détachement en Finlande ou à Berlin émane de quelqu'un d'autre. Trop d'esprit d'initiative, ce n'est jamais une bonne chose. On le soupçonnerait de vouloir faire défection. Plus que quelques pages : l'apothéose ! Les touches impatientes de l'Optima sautillent sans effort.

Les officiers fascistes étaient pressés, car l'Armée rouge s'approchait en force, en 1944. Un matin, tous les prisonniers du camp de Klooga furent alignés pour l'appel. Pour garder le contrôle de la situation, le SS-Untersturmführer Werle prétendit qu'ils allaient être évacués en

Allemagne. Au bout de deux heures, l'assistant du commandant du camp, le SS-Unterscharführer Schwarze, pilotait les sélections : les 300 hommes les plus endurants furent séparés du groupe. On annonça qu'ils étaient censés aider à l'évacuation. Cela non plus ne tenait pas debout. En fait, les hommes apportèrent des rondins dans une clairière qui se trouvait grosso modo à un kilomètre du camp proprement dit. L'après-midi, dix robustes citoyens soviétiques furent encore choisis parmi les prisonniers. Cette fois, ils devaient charger dans un camion deux barils de pétrole ou de diesel. Les barils étaient destinés à allumer des brasiers. Mark supervisa l'édification des bûchers.

Au camp de concentration, Mark était sans scrupules, conformément à son caractère. Juste avant que l'armée soviétique libérât l'Estonie du joug fasciste, il collaborait avec les Allemands à Klooga. Les fascistes ne savaient pas que faire des détenus. Ils n'avaient plus le temps de déplacer le camp, car la puissante armée soviétique était en chemin et la plupart des bagnards avaient subi de tels supplices qu'ils n'auraient plus la force de voyager. Les navires attendaient les soldats et les officiers, mais que faire des bagnards ?

C'est Mark qui inventa la solution. Il suggéra les bûchers.

Les rondins furent disposés par terre. Sur une couche de rondins, on mit des planches. Ces rondins étaient des troncs de pin et de sapin, les planches étaient longues de 75 centimètres. Au milieu du bûcher, on plaça quatre planches dans quatre directions différentes. Elles furent étayées par plusieurs morceaux de bois. Vraisemblablement, elle devait faire office de cheminée. Les bûchers s'étendaient sur environ 6 mètres par 6,5. 18 corps dispersés furent retrouvés dans un rayon de 5 à 200 mètres. Dans les corps, on trouva des balles. Plus tard, ils furent identifiés à l'aide de leurs matricules de prisonniers.

C'est à cinq heures de l'après-midi que commença le massacre sadique des courageux citoyens soviétiques. On ordonna aux suppliciés de se coucher à plat ventre sur les rondins. Puis ils furent exécutés d'une balle dans le crâne. Les corps étaient disposés en longues rangées serrées. Quand une rangée était pleine, une nouvelle couche de rondins était posée sur les corps. Les bûchers comptaient ainsi jusqu'à trois ou quatre niveaux. La scène se déroulait à 27 mètres du sentier forestier ; les bûchers étaient situés à trois ou quatre mètres les uns des autres.

Quand la commission spéciale de l'Union soviétique enquêta sur ces cruautés, elle trouva aussi, dans le voisinage, une maison incendiée dont il ne restait que les cheminées. Les fondations recelaient 133 corps carbonisés, certains complètement en cendres. Leur identification était donc impossible. Tous ceux qui étaient présents à Klooga le 19 septembre 1944 doivent donc être poursuivis pour meurtre de masse de citoyens soviétiques, et jugés avec la plus grande sévérité.

Épilogue

TALLINN
RSS d'Estonie, Union soviétique

De la fenêtre du premier étage, le camarade Parts examine l'attitude de sa femme. Elle est assise sur un banc du parc, visiblement tranquille. Elle ne croise même pas les jambes, ses pieds sont parallèles, les mains posées sur les côtés. La femme assise près d'elle est en train de fumer, elle tire des bouffées rapides, mais l'épouse ne tourne pas la tête vers elle. Parts ne voit que son profil, sa silhouette s'est clairement détendue. Il n'a jamais vu sa femme aussi immobile, comme une statue de sel.

« Un changement notable, observe le camarade Parts. Avant, elle fumait à la chaîne.

– Absolument, confirme le médecin-chef. Les chocs insuliniques ont fait des miracles. Nous ne sommes pas encore sûrs du diagnostic de votre épouse. Neurasthénie asthénique, voire psychopathie combinée avec un alcoolisme chronique. Ou psychopathie asthénique. Ou schizophrénie paranoïde. »

Parts acquiesce. Lors de sa dernière visite, le médecin-chef lui avait parlé des cauchemars de la patiente. Cette fois-là, on ne l'avait pas laissé la voir, les effets secondaires du traitement étaient gênants, ses hallucinations s'étaient aggravées. D'un autre côté, le soin en est encore au stade initial. Le médecin-chef trouve ce cas très intéressant ; il n'avait encore jamais rencontré de sujet dont les hallucinations fussent concentrées aussi fort sur les atrocités hitlériennes. D'habitude, parmi les symptômes d'une épouse, on retrouve un instinct protecteur dirigé sur tout et n'importe quoi – encore que cela soit plus fréquent, paraît-il, chez les femmes qui ont perdu leur enfant dans des circonstances tragiques. On dirait que le médecin-chef pourrait continuer de commenter le cas de l'épouse pendant des heures. Il tend une chaise, Parts aimerait s'en aller mais il quitte la fenêtre et vient s'asseoir poliment. Le médecin s'imagine sans doute que l'époux, en tant que personne la plus proche, a besoin d'une attention soutenue. Il semble désolé qu'il ait fallu enfermer précisément la femme de Parts. Au 52 Paldiski, il y a beaucoup de patients que personne ne vient voir.

« Est-ce que de nouvelles hallucinations se sont manifestées ? demande Parts.

– Pour l'instant, non. J'espère que les amis imaginaires créés par son esprit disparaîtront au fil des soins. L'idée qu'elle aurait une fille a persisté ; les meilleurs jours, elle bavarde avec sa fille imaginaire sans discontinuer, elle lui demande comment vont ses études, lui donne des conseils de beauté et lui recommande des coiffures adaptées à ses cheveux frisés, des choses inoffensives de cette espèce. Mais, contrairement aux autres personnages imaginaires, cette fille ne la rend pas agressive. La patiente éprouve plutôt de la fierté, elle pense que sa fille étudie à l'université.

– C'est peut-être justement le fait de ne pas avoir d'enfant qui a déclenché la maladie, suggère le camarade Parts. Elle n'a jamais accepté de voir un spécialiste, malgré mes prières. Tout cela aurait-il pu être évité, si elle avait bien voulu se faire soigner à temps ? »

Parts chevrote comme il faut, comme s'il surmontait son émotion, alors qu'il doit plutôt cacher son soulagement. À en croire ce qu'il entend, sa femme est enfin folle à lier. Le médecin s'empresse d'affirmer que Parts n'a rien à se reprocher : ces problèmes sont toujours délicats.

« Le ministère de l'Intérieur a recommandé Minsk, dit Parts. Ce ne sera pas trop loin, n'est-ce pas ?

– Vous n'avez aucun souci à vous faire, les nouveaux hôpitaux de psychiatrie spécialisée sont bien développés. Votre épouse bénéficiera des meilleurs soins possibles. »

Parts laisse sur la table du médecin-chef une boîte de chocolats Kalev et un filet d'oranges. Il ne reviendra jamais demander qu'on lui rende sa femme. Depuis que le silence règne à la maison, ses pensées sont beaucoup plus claires, limpides comme le verre. Il était bien trop sentimental, trop prudent : il aurait dû se décider depuis longtemps.

C'est une matinée d'une clarté exceptionnelle, la lumière est extraordinairement stimulante et les écureuils du parc escortent Parts tandis qu'il sort du 52 Paldiski en savourant la pensée qu'il ne verra plus jamais sa femme. C'est une fin et un début. Son pas est léger, de plus en plus léger, il décide de faire une longue promenade, il a envie de marcher, il va comme un ballon de baudruche qu'on vient de lâcher. Le premier tirage du livre était de 80 000, alors que le bouquin de Martinson n'avait été imprimé qu'à 20 000 exemplaires, et les presses en préparent déjà davantage. Le lendemain, ce sera la journée de vente des magasins spéciaux, il achètera de la viande hachée ; dans un mois, il s'en ira en *DDR*, où il est question d'un tirage de deux cent mille, puis en Finlande, où le livre va paraître aussi. Il rencontrera de nouvelles personnes, nouera de nouveaux contacts... Mais aujourd'hui, c'est jour de congé. Il y a de quoi faire la fête ! D'une humeur festive, il décide de prendre connaissance du développement urbain : il prend le nouveau trolleybus entre l'hippodrome et l'Estonia, achète une glace Plombiir et la déguste en marchant ; sans ressentir de fatigue, il remarque qu'il a marché jusqu'à Mustamäe, des étudiants vont et viennent et cela ne le dérange plus, il a plutôt l'impression de faire partie du groupe : lui aussi, il est à l'aube d'une vie nouvelle. Le soleil filtre à travers les nuages, le vent astique le ciel avec fougue, le silicate éblouit, Parts doit porter la main en visière devant les yeux ; au détour d'un buisson, une volée de pigeons prend son envol, il tourne la tête dans leur direction, mais il ne voit rien, le ciel est trop blanc. L'air s'est éclairci, il est immaculé comme un mur chaulé, comme la peau livide de Rosalie contre le mur chaulé de l'étable quand elle s'est retournée pour regarder Edgar, furieuse, oui, furieuse et blanche.

« Qu'est-ce que tu fabriques avec les Allemands ? a-t-elle chuchoté. Je t'ai vu.

– Rien. Du bizness.

– Tu leur fais bouffer des communistes !

– On pourrait croire que ça te ferait plaisir ! Et toi, qu'est-ce que tu es allée faire là-bas ? Il le sait, Roland, que sa fiancée se précipite la nuit chez les Allemands ?

– C'était rien du tout. Je faisais un saut chez Maria, à la distillerie.

– Alors pourquoi tu ne l'as pas dit à Roland ?

– Qu'est-ce que tu en sais, si je ne l'ai pas dit ? Leonida n'a pas toujours la force d'apporter les provisions jusqu'à la distillerie. J'ai les jambes plus alertes.

– Tu veux que je lui demande ? Tu veux que je lui dise que tu en as marre de l'attendre à la maison ?

– Tu veux que je dise à ta femme que tu es rentré ?

– Vas-y, fais-le.

– Je ne veux pas la blesser avec ça, dit Rosalie. C'est à toi de le faire. Elle se porte mieux sans avoir à subir un mari incapable, un malade.

– Qu'est-ce que tu insinues ?

– J'ai vu comment tu le regardais, l'Allemand avec qui tu faisais ton bizness. J'ai bien vu, quand il est sorti d'ici.

– Ma pauvre, tu as un grain ! Depuis quand on n'a plus le droit de regarder ? Et toi, qu'est-ce que tu faisais là ? Comment tu le regardais, toi ? J'ai bien vu avec quels yeux tu le regardais.

– Je l'ai vu sortir d'ici, derrière la remise, j'ai tout vu. Je suis au courant, tu comprends ? Mais Juudit, elle ne comprend pas, elle ne veut pas comprendre, elle ne se rend pas compte, elle n'a pas entendu parler des troubles dont tu es atteint. Mais moi je sais qu'il y a des hommes comme ça, des hommes comme toi. J'y ai beaucoup pensé, j'y pense depuis longtemps, j'ai réfléchi toute seule. Juudit mérite autre chose, elle mérite mieux que ça ! Je vais lui conseiller d'annuler votre mariage. C'est une raison valable, un mari anormal c'est un bon motif, une maladie qui t'empêche de faire ton devoir, de lui donner des enfants, comme il convient à un mari... Oui, je me suis renseignée. C'est une maladie ! »

Le visage de Rosalie était ridé, les rides rougissaient, leurs bords blancs se craquelaient, suintaient de dégoût, alors que Rosalie n'avait pas d'inclination à de tels sentiments, elle qui était plutôt une fille rieuse, mais non, son dégoût était plus fort, il était invincible.

1966, Tallinn

Le cou de Rosalie était frêle comme un rameau d'aulne. Comme ceux dont elle aurait fagoté un balai, quelques mois plus tard, pour brosser les murs de l'étable avant le chaulage. Puis elle aurait préparé l'eau de chaux, transporté la cuve, empoigné la nouvelle brosse que Roland avait fabriquée au début du printemps avec du crin de cheval, et elle aurait conduit les murs vers la lumière, plus blancs, toujours plus blancs, vers la lumière, avec ces minces doigts fuselés que Roland avait tant aimés.

GLOSSAIRE

UNION SOVIÉTIQUE (1940-1941, 1944-1991)

Agence de presse d'Estonie
Eesti Telegraafiagentuur (ETA), agence de presse de la RSS d'Estonie.

Alliance de la lutte armée
L'Alliance de la lutte armée (ALA), *Relvastatud Võitluse Liit* (RVL), était une organisation clandestine de frères de la forêt fondée en 1946 dans le Läänemaa (Estonie occidentale), qui résistait à l'occupation soviétique.

Comité de sécurité d'État de la RSS d'Estonie
Unité estonienne du KGB.

Commissariat du peuple à l'Intérieur
Le commissariat du peuple à l'Intérieur (NKVD, 1934-1954) était subordonné à la Direction principale de la sécurité d'État (GUGB), jusqu'à ce qu'il devienne une branche du futur KGB en 1954.

Département de lutte contre le banditisme

Unité du NKVD qui avait pour mission de lutter contre le banditisme politique et criminel dans les années 1944-1947. En 1947, l'unité fut rattachée au ministère de la Sécurité d'État comme unité de lutte contre le banditisme politique (la résistance armée antisoviétique).

Glavlit

Organe principal de censure en charge des imprimés de l'Union soviétique.

KGB

Comité de sécurité d'État de l'URSS en 1954-1991. Le KGB répondait de la sécurité et du renseignement, à l'exception du renseignement militaire, qui relevait du GRU. Les organes de sécurité de l'Union soviétique connurent de nombreux changements de nom : Tcheka (1917-1922), GPU (1922-1923), OGPU (1923-1934), GUGB (1934-1941, une branche du NKVD en 1941-1943), NKGB et MGB (1941, 1943-1945, 1945-1953), MVD (1953-1954).

RSS d'Estonie

République socialiste soviétique d'Estonie.

Staffan

Erna, patrouille composée d'Estoniens qui reçurent en Finlande une instruction militaire, agit en Estonie sous occupation soviétique dans des missions de renseignement et de guérilla, en 1941. L'instruction se déroulait sur l'île de Staffan, au large d'Espoo.

Époque de l'Allemagne nazie (1941-1944)

Abwehr
Abwehr im Oberkommando der Wehrmacht : service de renseignements de l'état-major de la Wehrmacht.

Arbeitserziehungslager
(AEL) : camp de travaux forcés.

Aufsegelung
Christianisation des peuples fenniques. Pour l'Allemagne nazie, cela consistait à entraîner ces territoires dans la sphère culturelle germanique.

Feldgendarmerie
Police militaire de la Wehrmacht.

Kommandeur der Sicherheitspolizei und des SD Estland
La SiPo et le SD constituaient la police de sécurité dans l'Estonie occupée par les Allemands. Les organes de sécurité étaient divisés en secteur allemand (*Gruppe* A) et secteur estonien (*Gruppe* B). L'*Abteilung* (« service », abrégé en *Abt.*) B IV constituait la police politique estonienne.

Organisation Todt
(OT) : organisation de génie civil et militaire du Reich. Le groupe était en charge des grands chantiers de construction aussi bien en Allemagne que dans les territoires occupés ou annexés. La main-d'œuvre était réquisitionnée au titre du travail obligatoire.

Ostland
Le *Reichskommissariat* d'Ostland (*Reichskommissariat Ostland*) était une administration d'occupation formée par l'Allemagne en

1941-1944. Elle était composée de l'Estonie, de la Lettonie, de la Lituanie et de la Biélorussie, ainsi que du nord de la Pologne orientale.

Reichssicherheitshauptamt

Reichssicherheitshauptamt (RSHA) : office central de la sécurité du Reich, service subordonné à la SS, actif en 1939-1945. Y appartenaient le SD, la Gestapo et la *Kriminalpolizei*. Sa mission était le combat contre tous les ennemis du Reich, aussi bien à l'intérieur qu'à l'extérieur des frontières de l'Allemagne.

Sicherheitsdienst

Le (SD), service de sécurité, était le bureau de renseignements de la SS.

SS

La *Schutzstaffel* était une organisation militaire affiliée au parti national-socialiste.

SS Wirtschafts- und Verwaltungshauptamt

(SS-WVHA), office central d'économie et d'administration de la SS.

Waffen-SS

Branche armée de la SS.

Wehrmacht

Armée de l'Allemagne nazie en 1935-1945.

La Cosmopolite
(Collection créée par André Bay)
(Extrait du catalogue)

Kôbô Abé	*La femme des sables*
	La face d'un autre
	L'homme-boîte
Vassilis Alexakis	*Talgo*
Jorge Amado	*Tieta d'Agreste*
	La bataille du Petit Trianon
	Le vieux marin
	Dona Flor et ses deux maris
	Cacao
	Les deux morts de Quinquin-La-Flotte
	Tereza Batista
	Gabriela, girofle et cannelle
	La découverte de l'Amérique par les Turcs
Maria Àngels Anglada	*Le violon d'Auschwitz*
	Le cahier d'Aram
Sawako Ariyoshi	*Kaé ou les deux rivales*
	Les années du crépuscule
James Baldwin	*Si Beale Street pouvait parler*
	Harlem Quartet
Elena Balzamo (sous la dir. de)	*Masterclass et autres nouvelles suédoises*
Herman Bang	*Tine*
	Maison blanche. Maison grise
Julian Barnes	*Le perroquet de Flaubert*
	Le soleil en face
Jon Bauer	*Des cailloux dans le ventre*
Mario Bellatin	*Salon de beauté*
Karen Blixen	*Sept contes gothiques*
Ivan Bounine	*Le monsieur de San Francisco*
André Brink	*Un turbulent silence*

	Une saison blanche et sèche
	Les droits du désir
Louis BROMFIELD	*La mousson*
Ron BUTLIN	*Appartenance*
Karel ČAPEK	*La vie et l'œuvre du compositeur Foltyn*
Raymond CARVER	*Les vitamines du bonheur* suivi de *Tais-toi, je t'en prie* et *Parlez-moi d'amour*
Gabriele D'ANNUNZIO	*Terre vierge*
Kathryn DAVIS	*À la lisière du monde*
	Aux enfers
Federico DE ROBERTO	*Les princes de Francalanza*
Lyubko DERESH	*Culte*
Anita DESAI	*Un héritage exorbitant*
Tove DITLEVSEN	*Printemps précoce*
Carmen DOMINGO	*Secrets d'alcôve*
Emma DONOGHUE	*Room*
	Égarés
Jennifer EGAN	*Qu'avons-nous fait de nos rêves ?*
Monika FAGERHOLM	*La fille américaine*
	La scène à paillettes
Lygia FAGUNDES TELLES	*Les pensionnaires*
Kjartan FLØGSTAD	*Grand Manila*
	Des hommes ordinaires
Tomomi FUJIWARA	*Le conducteur de métro*
Horst Wolframm GEISZLER	*Cher Augustin*
Alberto GERCHUNOFF	*Les gauchos juifs*
Robert GRAVES	*King Jesus*
Wendy GUERRA	*Tout le monde s'en va*
	Mère Cuba
	Poser nue à La Havane
Farjallah HAÏK	*L'envers de Caïn*
	Joumana
Samantha HARVEY	*La mémoire égarée*
	La vérité sur William
Alfred HAYES	*In Love*
Mark HELPRIN	*Conte d'hiver*

Hermann HESSE	*Demian*
E.T.A. HOFFMANN	*Les élixirs du diable*
Yasushi INOUÉ	*Le fusil de chasse et autres récits*, édition intégrale des nouvelles de l'auteur publiées dans La Cosmopolite
	Histoire de ma mère
	Les dimanches de Monsieur Ushioda
	Paroi de glace
	Au bord du lac
	Le faussaire
	Combat de taureaux
	Le Maître de thé
	Pluie d'orage
Jens Peter JACOBSEN	*Niels Lyhne*
Henry JAMES	*L'autel des morts* suivi de *Dans la cage*
	Le regard aux aguets
Tania JAMES	*L'atlas des inconnus*
Eyvind JOHNSON	*Le roman d'Olof*
Ismaïl KADARÉ	*La ville sans enseignes*
Yoram KANIUK	*Adam ressuscité*
	Confessions d'un bon Arabe
Ken KESEY	*Vol au-dessus d'un nid de coucou*
Pär LAGERKVIST	*Le nain*
	Le bourreau
	Barabbas
Selma LAGERLÖF	*L'anneau du pêcheur*
	Jérusalem en terre sainte
	L'empereur du Portugal
Eduardo LAGO	*Appelle-moi Brooklyn*
	Voleur de cartes
D.H. LAWRENCE	*Île mon île*
Sinclair LEWIS	*Babbitt*
Davide LONGO	*L'homme vertical*
LUXUN	*Le journal d'un fou*
Thomas MANN	*Tonio Kröger*
	La mort à Venise

Katherine MANSFIELD	*Nouvelles*
	Lettres
	Cahier de notes
Trude MARSTEIN	*Faire le bien*
Ronit MATALON	*Le bruit de nos pas*
Predrag MATVEJEVITCH	*Entre asile et exil*
Carson MCCULLERS	*Le cœur est un chasseur solitaire* suivi de *Écrivains, écriture et autres propos*
	Le cœur hypothéqué
	Frankie Addams
	La ballade du café triste
	L'horloge sans aiguilles
	Reflets dans un œil d'or
Gustav MEYRINK	*Le Golem*
Henry MILLER	*Tropique du Capricorne*
	Un dimanche après la guerre
	Entretiens de Paris
	Virage à 80
	Tropique du Cancer suivi de *Tropique du Capricorne*
Henry MILLER / Anaïs NIN	*Correspondance passionnée*
Antonio MONDA	*Le goût amer de la justice*
Vladimir NABOKOV	*Don Quichotte*
	Austen, Dickens, Flaubert, Stevenson
	Proust, Kafka, Joyce
	Gogol, Tourgueniev, Dostoïevski
	Tolstoï, Tchekhov, Gorki
William NAVARRETE	*La danse des millions*
Nigel NICOLSON	*Portrait d'un mariage*
Anaïs NIN	*Les miroirs dans le jardin*
	Les chambres du cœur
	Une espionne dans la maison de l'amour
	Henry et June
	Journaux de jeunesse (1914-1931)
Joyce Carol OATES	*Eux*

	Bellefleur
	Blonde
	Confessions d'un gang de filles
	Nous étions les Mulvaney
	La Fille tatouée
	La légende de Bloodsmoor
	Zombi
	Les mystères de Winterthurn
	Marya, une vie
	Corky
Kenzaburo OÉ	*Une affaire personnelle*
Sofi OKSANEN	*Purge*
	Les vaches de Staline
OLIVIA	*Olivia par Olivia*
O. HENRY	*New York tic-tac*
Robert PENN WARREN	*La grande forêt*
Jia PINGWA	*La capitale déchue*
Kevin POWERS	*Yellow birds*
Ruth PRAWER JHABVALA	*La vie comme à Delhi*
Lucía PUENZO	*L'enfant poisson*
	La malédiction de Jacinta
	La fureur de la langouste
	Wakolda
Thomas ROSENBOOM	*Le danseur de tango*
Vita SACKVILLE-WEST / Virginia WOOLF	*Correspondance*
Moshe SAKAL	*Yolanda*
Arthur SCHNITZLER	*Madame Béate et son fils*
	La ronde
	Mademoiselle Else
	La pénombre des âmes
	Vienne au crépuscule
	Mourir
	L'étrangère
Mihail SEBASTIAN	*Journal (1935-1944)*
Isaac Bashevis SINGER	*Le magicien de Lublin*
	Shosha

	Le blasphémateur
	Yentl et autres nouvelles
	L'esclave
	Le beau monsieur de Cracovie
	Un jeune homme à la recherche de l'amour
	Le manoir
	Le domaine
	La couronne de plumes et autres nouvelles
	Les aventures d'un idéaliste et autres nouvelles inédites
	La famille Moskat
Saša STANIŠIĆ	*Le soldat et le gramophone*
	Le soldat et le gramophone (théâtre)
Sara STRIDSBERG	*La faculté des rêves*
	Valerie Jean Solanas va devenir Présidente de l'Amérique (théâtre)
	Darling River
Junichiro TANIZAKI	*Deux amours cruelles*
Carl Frode TILLER	*Encerclement*
Léon TOLSTOÏ	*La mort d'Ivan Ilitch* suivi de *Maître et serviteur*
Ivan TOURGUENIEV	*L'abandonnée*
	Dimitri Roudine
	L'exécution de Troppmann et autres récits
B. TRAVEN	*Le visiteur du soir*
Magdalena TULLI	*Le défaut*
Anne TYLER	*Toujours partir*
	Le voyageur malgré lui
	Le déjeuner de la nostalgie
	Le compas de Noé
	À la recherche de Caleb
	Leçons de conduite
	Une autre femme
	En suivant les étoiles

Fred UHLMAN	*La lettre de Conrad*
	Il fait beau à Paris aujourd'hui
Sigrid UNDSET	*Olav Audunssøn*
	Kristin Lavransdatter
	Vigdis la farouche
	Printemps
Oscar WILDE	*Intentions*
	De profundis
	Nouvelles fantastiques
	Le procès d'Oscar Wilde
Christa WOLF	*Scènes d'été*
	Incident
	Trois histoires invraisemblables
	Cassandre
	Médée
	Aucun lieu. Nulle part
	Trame d'enfance
	Le ciel divisé
Virginia WOOLF	*La chambre de Jacob*
	Au phare
	Journal d'adolescence
	Journal intégral (1915-1941)
	Instants de vie
	Orlando
Kikou YAMATA	*Masako*
	La dame de beauté
Stefan ZWEIG	*Nietzsche*
	Vingt-quatre heures de la vie d'une femme
	Le joueur d'échecs
	La confusion des sentiments
	Amok
	Lettre d'une inconnue

Cet ouvrage a été composé
par PCA à REZÉ (Loire-Atlantique)

Impression réalisée par
CPI BRODARD ET TAUPIN
à La Flèche (Sarthe)
pour le compte des Éditions Stock
31, rue de Fleurus, 75006 Paris
en avril 2013

Stock s'engage pour l'environnement en réduisant l'empreinte carbone de ses livres. Celle de cet exemplaire est de :
1,1 kg éq. CO_2
Rendez-vous sur www.editions-stock-durable.fr

Imprimé en France

Dépôt légal : mai 2013
N° d'édition : 01 – N° d'impression : 72614
54-08-0699/6